発表！ベストSF2020
［国内篇・海外篇］

SFマガジン編集部編

SFが読みたい！

2021年版

国内篇第1位 **西島伝法** 自作解題

海外篇第1位 **テッド・チャン** メッセージ

サブジャンル別ベスト10＆総括
【エッセイ】2021年のわたし

早川書房

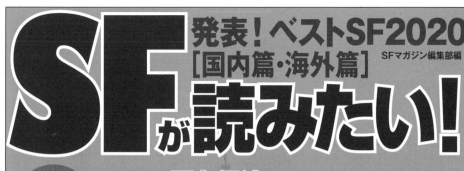

CONTENTS

SFが読みたい！ 2021年版

表紙イラスト：今井哲也
表紙デザイン：岩郷重力＋WONDER WORKZ。
本文デザイン：早川書房デザイン室＋岩郷重力

BEST SF 2020【国内篇】

圧巻の想像力、著者初の作品集成が堂々第一位

発表!ベストSF2020

順位	書名	著者	出版社	点数
1	オクトローグ 酉島伝法作品集成	酉島伝法	早川書房	275点
2	アメリカン・ブッダ	柴田勝家	ハヤカワ文庫JA	211点
3	暗闇にレンズ	高山羽根子	東京創元社	207点
4	日本SFの臨界点［恋愛篇］［怪奇篇］	伴名 練	ハヤカワ文庫JA	204点
5	《星系出雲の兵站》（全9巻）	林 譲治	ハヤカワ文庫JA	189点
6	歓喜の歌 博物館惑星Ⅲ	菅 浩江	早川書房	141点
7	人間たちの話	柞刈湯葉	ハヤカワ文庫JA	131点
8	ワン・モア・ヌーク	藤井太洋	新潮文庫	128点
9	タイタン	野﨑まど	講談社	104点
10	ホテル・アルカディア	石川宗生	集英社	82点

対象作品●奥付が2019年11月1日から2020年10月31日までの新作SF（周辺書も含む）。

発表！ベストSF2020

十七年ぶりとなるチャン待望の短篇集が栄冠に

BEST SF 2020【海外篇】

順位	点数	書名	著者／訳者	出版社
1	520点	息吹	テッド・チャン／大森 望＝【訳】	早川書房
2	344点	三体II 黒暗森林（上・下）	劉 慈欣／大森 望,立原透耶,上原かおり,泊功＝【訳】	早川書房
3	225点	宇宙《そら》へ（上・下）	メアリ・ロビネット・コワル／酒井昭伸＝【訳】	ハヤカワ文庫SF
4	220点	第五の季節	N・K・ジェミシン／小野田和子＝【訳】	創元SF文庫
5	208点	マーダーボット・ダイアリー（上・下）	マーサ・ウェルズ／中原尚哉＝【訳】	創元SF文庫
6	201点	シオンズ・フィクション イスラエルSF傑作選	シェルドン・テイテルバウム,エマヌエル・ロテム＝【編】／中村 融,他＝【訳】	竹書房文庫
7	148点	時のきざはし 現代中華SF傑作選	立原透耶＝【編】	新紀元社
8	142点	月の光 現代中国SFアンソロジー	ケン・リュウ＝【編】／大森 望,中原尚哉,他＝【訳】	新☆ハヤカワ・SF・シリーズ
9	131点	荒潮	陳 楸帆／中原尚哉＝【訳】	新☆ハヤカワ・SF・シリーズ
10	86点	となりのヨンヒさん	チョン・ソヨン／吉川 凪＝【訳】	集英社

集計方法●「マイ・ベストSF」アンケート回答者（国内90名／海外102名）の国内篇・海外篇それぞれのベスト5を、1位10点、2位9点、3位8点、4位7点、5位6点で集計。順不同の場合には、1位から5位までに均等に8点ずつを与えた。

BEST SF 2020

【国内篇】

ベスト30作品ガイド

——香月祥宏

BEST SF 2020 第11～29位

順位	作品
11（70点）	**100文字SF** 北野勇作／ハヤカワ文庫JA
12（57点）	**首里の馬** 高山羽根子／新潮社
13（56点）	**銀河英雄伝説列伝1　晴れあがる銀河** 田中芳樹＝【監修】／創元SF文庫
14（54点）	**抵抗都市** 佐々木譲／集英社
15（48点）	**ピエタとトランジ〈完全版〉** 藤野可織／講談社
16（44点）	**おおきな森** 古川日出男／講談社
17（43点）	**ツインスター・サイクロン・ランナウェイ** 小川一水／ハヤカワ文庫JA
18（41点）	**2010年代SF傑作選（1・2）** 大森 望・伴名 練＝【編】／ハヤカワ文庫JA
19（40点）	**未知の鳥類がやってくるまで** 西崎 憲／筑摩書房
20（38点）	**ピュア** 小野美由紀／早川書房
21（37点）	**黄色い夜** 宮内悠介／集英社
22（35点）	**約束の果て　黒と紫の国** 高丘哲次／新潮社
23（34点）	**オーラリメイカー** 春暮康一／早川書房
24（31点）	**ポロック生命体** 瀬名秀明／新潮社
25（30点）	**その果てを知らず** 眉村 卓／講談社
25（30点）	**幻綺行　完全版** 横田順彌／日下三蔵＝【編】／竹書房文庫
27（26点）	**日本SFの臨界点［怪奇篇］　ちまみれ家族** 伴名 練＝【編】／ハヤカワ文庫JA
28（25点）	**不可視都市** 高島雄哉／星海社FICTIONS
29（24点）	**キスギショウジ氏の生活と意見** 草上 仁／日下三蔵＝【編】／竹書房文庫
29（24点）	**この本を盗む者は** 深緑野分／KADOKAWA
29（24点）	**絶対猫から動かない** 新井素子／KADOKAWA
29（24点）	**中国・SF・革命** 河出書房新社＝【編】／河出書房新社

BEST SF 2020

2020年ベスト総括

【国内篇】

今年度は、短篇集とアンソロジーの年だった。しかも、連作やテーマ競作ではない純粋な短篇集の強さが目立った。

そんな年を象徴する第一位が、酉島伝法初の短篇集『オクトローグ　酉島伝法作品集成』。二〇一三年度の連作集『皆勤の徒』以来、二度目の栄冠だ。昨年は長篇『宿借りの星』で二位に入っており、これまで刊行した三冊がいずれも二位以内。寡作ながら非常に高い評価を受けている。

続く第二位、柴田勝家の『アメリカン・ブッダ』も、著者にとって初の短篇集だ。昨年『ヒト夜の永い夢』で記録した六位を上回って、自己最高位となった。今後がますます楽しみになってくる。

昨年度『なめらかな世界と、その敵』でブレイクした伴名練も、短篇ＳＦ好きを公言し、埋もれた作品の発掘・復権に力を注ぐ一人。その短篇ＳＦ愛が注ぎ込まれた二冊組アンソロジー『日本ＳＦの臨界点［恋愛篇］［怪奇篇］』が四位（［怪奇篇］は単独でも二十七位）、大森望と共編の『２０１０年代ＳＦ傑作選（１・２）』が十八位にそれぞれランクインした。編者による作者紹介や編集後記は、格好の短篇ＳＦガイドにもなっている。

さらにベストテン内を見て行くと、七位に柞刈湯葉のこれも初短篇集『人間たちの話』、別々に発表された掌篇を枠物語で束ねた石川宗生『ホテル・アルカディア』が十位に入り、約半数を連作ではない作品集が占めた。そのすぐ下にも、〝マイクロノベル〟を提唱する北野勇作『１００文字ＳＦ』が十一位、短文集《kaze no tanbun》の編集や電子書籍レーベル《惑星と口笛ブックス》を手掛ける西崎憲の『未知の鳥類がやってくるまで』が十九位、ネットで無料公開された表題作が話題を呼んだ小野美由紀『ピュア』が二十位と、短篇の新たな可能性を感じさせてくれる作者と作品が並ぶ。

短篇集は売れないという声を聞いた時期もあったが（当ランキングも売上に直結するものではないとはいえ）、ネットと電子書籍を中心に短篇発表の場や形式が多様化してきており、若干風向きが変わってきているのかもしれない。

もちろん、連作や長篇の収穫もちゃんとある。三位に入ったのは、高山羽根子が初めて手掛けた本格的な長篇『暗闇にレンズ』。『うどん、キツネつきの』の七位（二〇一五年度）を更新して、初のベスト３入りだ。必ずしもジャンルＳＦど真ん中の書き手ではないにもかかわらず、幅広く票を集めた。なお、第一六三回芥川賞を受賞した『首里の馬』も十二位にランクインしている。

五位につけた菅浩江『歓喜の歌　博物館惑星Ⅲ』は、単発ものに比べると年間ベストでは苦戦しがちなシリーズもので堂々のベストテン入りを果たした。以降には、藤井太洋、野﨑まど、小川一水らおなじみの中堅実力派、ベストＳＦには初登場だが実績十分の佐々木譲、藤野可織らが名を連ねる。

新顔としては、先述した小野美由紀をはじめ、『約束の果て　黒と紫の国』が二十二位となったファンタジーノベル大賞受賞者の高丘哲次（ゲンロンＳＦ講座の卒業生でもある）、ハヤカワＳＦコンテスト優秀賞の『オーラリメイカー』で二十三位に入った春暮康一などが初登場。上位陣の壁は厚いが、いずれもスケールの大きい新人で、今後のさらなる活躍に期待が膨らむ。

そして今年度最大のトピックと言えば、新型コロナウイルスの大流行だろう。『復活の日』をはじめ感染症を扱った作品の再評価やディストピアものへの関心の高まりなど、すでに「読まれ方」の変化は始まっている。

一方「書かれ方」については、今年度の対象作品に関して言えば直接的な影響を感じるものはまだ少なかった（そもそもコロナ禍以前から書かれていたものがほとんど）。しかし、今後は何らかの影響が表れてくるはずだ。引き続き注目していきたい。

BEST SF 2020

第1位 オクトローグ 酉島伝法作品集成

酉島伝法　早川書房

酉島伝法ワールドへの格好の入り口にして異様で豊穣な世界を堪能できる全八篇

作者にとって三冊目の単著であり、連作を除くと初めてとなる短篇集。全八篇から成り、酉島作品の魅力を硬軟取り混ぜてさまざまな角度から堪能することができる。

巻頭の「環刑錮《かんけいこ》」は、父を殺した罪で環形生物のような姿に変えられ、地中の刑務所に収監された男の物語。互いに口を利くこともできない環刑囚たちと蠕動する日々と、人間時代の記憶や面会に来る母の一方的な語りかけが交差する。異様な語彙がちりばめられた文章を読み進めるうちに、蚯蚓《みみず》の感覚と人の感情が親和してゆく奇妙な感覚が味わえる、作者の持ち味が出た一篇。刷版工場で働く男を襲う強烈な便秘から別の日常が引きずり出される「金星の蟲《むし》」とあわせて、酉島ワールドへの格好の入り口になっている。

その先には、怪獣の死体処理業者に焦点を当てたウルトラマン小説「痕《あと》の祀《まつ》り」、SF漫画『BLAME!』の世界を舞台に落下し続ける塔という特異な空間を描く「堕天の塔」、変容を遂げた人類が宇宙の驚異と出遭うポスト・ヒューマン&異星探査SF「ブロッコリー神殿」「クリプトプラズム」、小惑星帯に住む無機的生命体親子の物語「彗星狩り」など、異様さの裏に理や情の通った豊穣な世界が広がる。二度三度と読み返したくなる作品が詰まった一冊だ。

BEST SF 2020

第2位 アメリカン・ブッダ

柴田勝家　ハヤカワ文庫JA

民俗学的モチーフと科学的アイデアが見事に絡み合った著者初の短篇集

民俗学的なモチーフと科学的なアイデア・ガジェットが見事に絡まった全六篇を収録する、著者初の短篇集。とくに巻末に置かれた表題作が圧巻だ。

〝大洪水〟と呼ばれる複合的な大災害により、国民の多くが仮想世界に移住したアメリカ。実世界の一秒が四時間弱に相当する仮想世界内に、約三千年ぶりに現実世界から声が届いた。「僕の名前は〝奇跡の人《ミラクルマン》〟」——そう名乗った自称インディアンの若者は、部族に伝わるという仏陀《ブッダ》の教えを交えながら、復興しつつある〝向こう側《エンプティ》〟の現状を話し始める……。仮想世界でユートピアを拓いたアメリカ人に仏教を信じるインディアンが現実への帰郷を促すという、短い中に柴田作品のエッセンスが詰まった一篇。国家や宗教といった人類史全体と関わるテーマを扱いながら、大統領選をめぐる混乱が続く現在と呼応する要素も含んでいる。

この他にも、生後すぐヘッドセットを装着し仮想世界で生きる民族「雲南省スー族におけるVR技術の使用例」(表題作との対照性もおもしろい)、リニアコライダーを誘致した近未来の岩手が舞台の少女成長譚「鏡《きょ》石異譚《うせきいたん》」、物語が禁じられた国の水際対策「検疫官」など、人の営みのなかで生まれる信仰や物語と真摯に向き合い、紡ぎ出された力作揃いだ。

BEST SF 2020

第3位 暗闇にレンズ

高山羽根子

東京創元社

芥川賞受賞後第一作となる著者初の長篇 映像の世紀を力強く生きた女性たちの年代記

芥川賞受賞後第一作となった、著者にとって初めての書き下ろし長篇。百二十年あまりにわたる映像制作の歴史を、女性たちの活躍を中心に据えて虚実交えて描いた偽史小説だ。

物語は、時代の異なる二つのパートが並行する形で語られる。SideAは、現代〜近未来と思しき監視カメラに囲まれた街が舞台。女子高生二人組が、携帯端末のレンズで切り取った日常を素材に動画を作り、ネットの片隅にアップしている。もう一方のSideBの起点は、十九世紀末。娼館のやり手女将を母に持つ少女・照《テル》は、幼い頃から写真技術に興味を持っており、単身パリに渡って映像制作スタジオで働き始める。そこで日本からやって来た幼馴染と結婚、同時に亡き娼妓の娘を引き取った。やがて成長した娘は記録映画に関わるようになり、さらにその娘はアメリカのアニメスタジオに……と、世界を股にかけて力強く生きた女性たちの年代記が続く。

大筋では現実の歴史をなぞりながら両パートが漸近《ぜんきん》してゆくが、その合間に挿入される、脳に直接作用する兵器として映像を研究・利用してきた戦争偽史がスリリング。撮る・撮られる・見るという関係に潜む暴力性を意識しながら、そこに込められた祈りや希望も描き出した、高山版「映像の世紀」だ。

BEST SF 2020

第4位 日本SFの臨界点【恋愛篇】【怪奇篇】

伴名練＝【編】

ハヤカワ文庫JA

埋もれた名作を発掘して最前線と接続する 綿密な編者解説付きの二冊組アンソロジー

『なめらかな世界と、その敵』で昨年度の一位を獲得した編者による二冊組アンソロジー。一九九〇〜二〇一〇年代の埋もれた名作を中心に掘り出し、それ以前の日本SFと現代SFの最前線を接続する。

『恋愛篇』には、何らかの愛を扱った（いわゆるラブストーリーとは限らない）九篇を収録。遠宇宙から届く時系列に沿わない手紙が切なく胸に迫る中井紀夫「死んだ恋人からの手紙」に始まり、AR溢れる京都の町を舞台にした扇智史の百合SF「アトラクタの奏でる音楽」、数を人として認識する少女の見る世界を描く円城塔の数学SF「ムーンシャイン」と、徐々に〝恋愛〟を拡張するような作品も織り交ぜてゆく。

『怪奇篇』のほうは全十一篇。中島らもが描く異形のバンド「DECO‐CHIN」、第一世代女性作家・光波耀子の一九六一年〈宇宙塵〉初出作「黄金珊瑚」、短い中にスケールの大きな異形の戦争絵巻を詰め込んだ谷口裕貴「貂《てん》の女伯爵、万年城を攻略す」など、恐怖というより文字通り「怪《あ》／奇《や》しい」魅力を放つ物語がそろう。

収録作の前に置かれた詳細な著者紹介と巻末の編集後記（読者の興味別読書案内つき）には、編者の熱い思い入れと有用な書誌情報が詰まっており、こちらも読み応え十分だ。

BEST SF 2020

第5位 星系出雲の兵站（全9巻）

第 林 譲治

ハヤカワ文庫ＪＡ

兵站を中心に据えたミリタリーSFシリーズ 本格SFとしての骨格も備え全九巻で完結

二〇一八年にスタートしたシリーズが、『星系出雲の兵站』四巻、『同 ─遠征─』五巻、合わせて全九巻で完結。

地球を遠く離れた人類は、出雲を中心とした五つの星系に植民し、人類コンソーシアムを形成していた。その辺境に当たる壱岐星系で、異星人のものと思しき探査衛星が発見される。有事に対応するため戦時体制を取りたい出雲と、内政干渉を危惧する壱岐。星系間での駆け引きが続く中で、ついに人類は異星人ガイナスと接触、戦闘状態に突入する。

戦場で活躍する英雄を背後で支える要素として政治や輸送に触れる作品は多いが、まず兵站を中心に据えその反映としての最前線を描くという珍しいタイプのミリタリーSF。序盤は局地的かつ苦しい戦いになるが、人類側の体制が整ってくるにつれて、謎の知性体ガイナスの正体や出雲文明誕生の秘密に迫る本格SFとしての骨格が立ち上がり始める。

また、登場人物も切れ者ぞろい。戦闘の足場を整える水神《みずかみ》・火伏《ひぶし》の士官学校同期コンビ、降下部隊を率いる「最凶の女」シャロン隊長、おじゃる言葉で巨大ロボットを操りガイナスと意思疎通を試みる烏丸司令など、ひと癖あるが仕事はきちんとこなす、存在感抜群のキャラたちが物語を彩る。

BEST SF 2020

第6位 歓喜の歌 博物館惑星Ⅲ

第 菅 浩江

早川書房

宇宙のあらゆる美を蒐集する連作集 華やかさと迫力に満ちた圧巻の第三弾

月と地球のラグランジュ点に浮かび、宇宙のあらゆる美を蒐集研究する博物館苑惑星〈美の女神《アフロディーテ》〉を舞台にした《博物館惑星》シリーズの第三作。『不見《みず》の月』から引き続き、新人警備員・兵藤健の奮闘を描く〈ルーキー〉篇の完結篇だ。

連作形式で、遺伝子操作されたタマムシ捕獲騒動「一寸の虫にも」、AIにも見分けがつかない壺の真贋「にせもの」、銀塩カメラにこだわる写真家の苦悩に〈はぐれAI〉の謎が絡む「笑顔の写真」「笑顔のゆくえ」、薬効植物をめぐる確執とその真相「遙かな花」、〈アフロディーテ〉五十周年記念フェスティバルを描く表題作の全六篇を収録。シリーズ当初から続くミステリ的な趣向ももちろん健在で、本書では各篇の背後に犯罪組織の影がちらつき、謎解きの緊張感はいっそう高まっている。また、健を取り巻く人々──同期の学芸員・尚美、情動学習型データベース〈正義の女神《ダイク》〉、行方不明の叔父・丈次、上司の立場となった旧作の登場人物たち──も魅力的だ。

すべての集大成である最終話は、SF的な風景のなかで印象的な音楽が鳴り響く、華やかさと迫力に満ちた圧巻の大団円。芸術作品だけでなく、観る者の運命まですべてが美しいと思える幸せなひとときを読者にも味わわせてくれる。

BEST SF 2020

第7位 人間たちの話

柞刈湯葉　ハヤカワ文庫JA

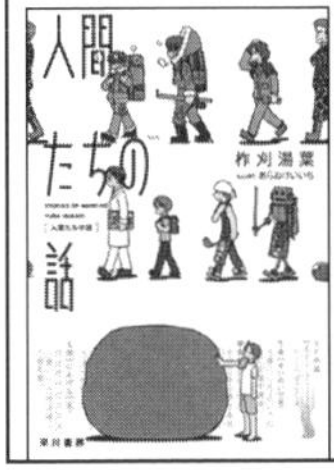

『横浜駅SF』著者が上梓した初の短篇集 世界の拡張や人間の変化を描く多彩な一冊

二〇一六年にデビュー作『横浜駅SF』で注目を集めた作者が初めて上梓した短篇集。

書き下ろしの表題作は、三十五歳の科学者・新野境平《しんのきょうへい》が、姉の息子・累《るい》を預かるところから始まる物語。科学の発展という人間の都合によって書き換えられてゆく世界――鳥みたいな姿に変わった恐竜、準惑星となった冥王星――が、同じく人間の都合によって振り回され、折り合いをつけてきた累の境遇と重なってゆく。わずかな世界の拡張が不器用な人間たちの関係を少しだけ変化させる、作者の新境地を見せてくれる一篇だ。

この他に、環境の激変により雪に覆われた日本列島で中途半端に稼働する前時代の遺物（生物・機械問わず）と出会いながら旅する二人を描いた椎名誠オマージュ「冬の時代」、国民間の相互監視が当たり前となった社会を描く「たのしい超監視社会」、地球人が営む太陽系外縁のラーメン屋にとんでもない客がやって来る「宇宙ラーメン重油味」、主人公の部屋に突然出現した巨大な白い岩「記念日」、物理的にも透明で反作用が働かない透明人間の悲哀「No Reaction」の全六篇を収録。作者の新たな一面を見せてくれる作品から相変わらずとんでもない設定で驚かせてくれる奇想SFまで、多彩な味つけを楽しめる一冊になっている。

BEST SF 2020

第8位 ワン・モア・ヌーク

藤井太洋　新潮文庫

オリンピックを控えた東京にテロの危機が迫る 現代に刺さるタイムリミット・サスペンス

二〇二〇年三月六日、オリンピックを間近に控えた東京に、一人の男が降り立つ。身分を偽り、不穏な金属の塊とともに入国した男の名はイブラヒム。元イラクの核物理学者だ。そして流暢なアラビア語で彼を案内する三十代の女性通訳ボランティアは、新進気鋭のデザイナー但《た》馬樹《じまいつき》。二人は、東京で原爆テロを起こし、新たな核被災地とするための協力関係にあった。警視庁で外国人が絡む犯罪を担当する早瀬隆二と高嶺秋那、かつてイブラヒムのテロに巻き込まれた経験を持つ国際原子力機関の技官・舘埜《たての》らは、テロリストの真意を探るため奔走。原爆の実現可能性について検討を重ねるが、三月九日、ついにテロ予告動画が流れる――《ユー・シュッド・フィアー、ワン・モア・ヌーク（もう一度、核の怖さを味わってください）》《四十八時間後、三月十一日の午前零時に爆発します》。

日付が示唆する通り、東日本大震災と福島原発事故をふまえたタイムリミット・サスペンス。リアルな人物・技術描写に引かれて読み進めるうちに、あの時悩んだこと、思い至らなかったこと、そしてこれからも考え続けなければならないことが、次々と脳裏をよぎる。二〇二〇年の五輪は幻になったが、むしろそんな現在を生きる我々にこそ、刺さってくる物語だ。

BEST SF 2020

第9位 タイタン

野崎まど

講談社

二二〇五年、人工知能技術が支える社会で《仕事》の在り方を問い直す驚天動地の長篇

二二〇五年、《仕事》は過去の概念になっていた。かつて人間が担っていた作業のほとんどは、人工知能技術に支えられ、ロボットで代替されている。そんな世界で《趣味》として心理学を研究していた内匠成果《ないしょうせいか》のもとに、思わぬ依頼が（強制に近い形で）舞い込んだ。現在の世界を支える世界標準AI『タイタン』のひとつ、北海道にある知恵の神《コイオス》が不具合を起こしたので、対話によって原因を聞き出して――つまりAIのカウンセリングという《仕事》をして――ほしいというのだが……。

序盤は仕事をめぐる人間とAIのディスカッション小説として進むが、中盤で驚天動地の大ネタが炸裂。意外な形でロードノベルの要素が加わってくる。人間とAIのコンビが旅をする話は珍しくないが、ここまで絵的にド派手な旅はそうそうない。もちろん絵の勢いで押すだけではなく、対話で得られた考察と旅で得られた知見が互いに響き合い、仕事についての議論はさらに深化してゆく。

自分の仕事は〝不要不急〟なのか。新型コロナウイルス禍の下、誰もが自らの仕事の意義について考えざるを得ない時期に出たのも、何かのめぐり合わせだろう。奇才がSFならではの手法を生かして、大胆に《仕事》を問い直す、規格外の〝お仕事小説〟だ。

BEST SF 2020

第10位 ホテル・アルカディア

石川宗生

集英社

芸術家たちの集まるホテルで紡がれる物語 想像力を刺激する曲者ぞろいの掌篇集

芸術家に無償で制作場所を提供しているホテル〈アルカディア〉。その支配人のひとり娘プルデンシアが、敷地のはずれにあるコテージに閉じこもってしまった。宿に集まった七人の芸術家たちは、彼女ゆかりのものをモチーフにした物語を語り聞かせ元気づけて、外に出てきてもらおうと試みる――という枠で括られた掌篇集。日本SF大賞候補になった前作『半分世界』から、さらに凝縮・濃縮された奇想が詰まった一冊だ。

収録作は、仮想空間内に五感情報を再現し体験者の心身に直接物語をタイピングする店の話「タイピスト〈I〉」、身体に極小サイズの動物が棲みつきやがて文明が勃興する「代理戦争」、奇妙な達人たちを訪ね歩いた旅の記録「わた師」、ゾンビパウダーで手軽かつ安全にゾンビになれる社会「ゾンビのすすめ」、方舟に乗せる一種族一対を選ぶためのバトルロイヤル「恥辱」、シナリオAIの脚本通りに進む街「機械仕掛けのエウリピデス」など、奇抜な設定から細部へ踏み込み、行き止まりと思ったらまた捻れ方向へ物語を発生させていっそう奇抜な絵を描き出すような曲者ぞろい。あちこちにちりばめられた、既存の作品・人物・地理などからの引用も読者の想像力を刺激する。外枠の物語も含めて、隅々まで楽しい。

BEST SF 2020

第11位 100文字SF

北野勇作
ハヤカワ文庫JA

ツイッターから二百篇を精選 魅力溢れるマイクロノベル

著者がツイッターで書き続けている「ほぼ百字小説」から精選した二百篇を収録したマイクロノベル集。SFの魅力のひとつに、時間の流れや空間の広がりを数行に折り畳んでしまう語りの魔力があるが、その極致というべき一冊だ。わずか百字だが決して詰め込み過ぎないスタイルで、各篇ごとに独特の予感や余韻が漂う。声に出して読むのも楽しい（著者によると一冊買えば朗読も自由とのこと）。各篇にタイトルがつけられていないことや、ページの真ん中に小説が居座り贅沢に余白が使われていることも読者の想像力を刺激する。

また、表紙から帯から巻末広告までとことん「ほぼ百字」にこだわった造本にも注目。児童書向けとして刊行された《じわ100》シリーズ（キノブックス）とはまた違った味わいがある。

BEST SF 2020

第12位 首里の馬

高山羽根子
新潮社

記録と記憶の蓄積をめぐる 第一六三回芥川賞受賞作

沖縄に住む未名子は、仕事がない時間に、元民俗学者の老女が貯め込んだ雑多な資料の整理を手伝っている。彼女の本来の仕事は、クイズの出題だ。指定された時間に事務所に行き、どこか遠方にいるらしき人にオンラインで問題を出すというちょっと変わった仕事。そんな生活を送る彼女だったが、沖縄を大きな台風が襲った翌朝、家の庭に一匹の宮古馬を発見する。

第一六三回芥川賞受賞作。全体を駆動する大きなストーリーはなく、知識や情報の蓄積をめぐる細部が折り重なる。得た情報をいかに広く早く拡散するかを競う時代に放たれた、一見意味があるのかわからない個人的な記録や記憶についての物語。核心部の周辺を丁寧に撫でる作者の手つきは相変わらず繊細で、現在の世相のなかで読むことで思わぬ鋭さを生む作品でもある。

BEST SF 2020

第13位 銀河英雄伝説列伝1 晴れあがる銀河

田中芳樹＝【監修】
創元SF文庫

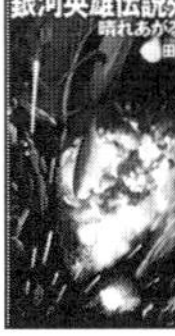

《銀英伝》世界を舞台にした 充実のアンソロジー全六篇

田中作品の中でも根強い人気を誇る《銀英伝》世界を舞台にした、公式トリビュート・アンソロジー。皇帝ラインハルトとヒルダの新婚旅行のひとコマに小ネタも豊富にちりばめた小川一水「竜神滝《ドラッハ・ヴァッサーフェル》の皇帝陛下」、のちのキャゼルヌ夫人が探偵役をつとめる石持浅海「士官学校生の恋」、銀英伝の華とも言える艦隊戦が展開される小前亮「ティエリー・ボナール最後の戦い」、ラインハルトと出会う前のオーベルシュタインが謎を解く太田忠司の「レナーテは語る」、士官学校時代のヤンを演劇の舞台に立たせる高島雄哉「星たちの舞台」、一見さわやかなタイトルでルドルフ時代の不穏な幕開けを描いた藤井太洋の表題作と、本篇に軸足を残しつつそれぞれの持ち味を生かした全六篇を収録。単なる歴史の穴埋め、設定の補足に留まらない充実ぶりだ。

BEST SF 2020

第14位 抵抗都市

佐々木譲

集英社

舞台は日露戦争に敗れた日本 改変歴史×警察小説

日露戦争に敗れた日本では、東京は実質的にロシアの統治下に置かれていた。大正五年十月、日本橋川に中年男の水死体が上がったため、警視庁の新堂は捜査を開始。しかし、反体制運動を取り締まる官房室の巡査、反露活動に目を光らせる統監府保安課のロシア人将校らが次々と現場に現れる。単なる水死体ではなさそうだが……。

複数の組織の思惑が入り乱れる改変歴史+警察小説で、ロシアという重しが随所で利いてくる。敗戦を「御大変」、ほぼ支配されている関係を「二帝同盟」と言い換える日本政府や、ニコライ堂を中心にしたロシアによる統治体制など、リアリティのある改変の数々も読みどころ。冒険小説でも知られるベテランは、時間SF短篇集『図書館の子』も刊行し、本書の続篇『偽装同盟』を〈小説すばる〉で連載中だ。

BEST SF 2020

第15位 ピエタとトランジ〈完全版〉

藤野可織

講談社

クールでパワフルな二人が 様々な謎に挑むSFミステリ

身の周りで起こる殺人事件を次々と解決する――つまり身の周りで次々と殺人事件が起きてしまう厄介な天才トランジは、高校二年の春にピエタの学校に転入してきた。それから学校ではたくさんの事件が起こり始めたが、トランジが推理してピエタはその助手をつとめて、二人の捜査でそのほとんどを解決した。卒業したときには、生徒は半分以下に減っていたけれど。

高校で出会った二人が、年齢を重ねて関係を変化させながらも、ともに事件を解決してゆく女性バディもの。体裁はミステリだが、中盤から異色のSFでもあることが明らかになる。女子高生として登場した二人は終章では八〇代になるが、変に老成したところがないのが自然かつ新鮮。〝女の幸せ〟を押し付けてくる理不尽な世界を、クールでパワフルに駆け抜ける。

BEST SF 2020

第16位 おおきな森

古川日出男

講談社

圧倒的な文章と物量・熱量で 世界を揺さぶるギガノベル

メガノベルならぬ〝ギガノベル〟の惹句が踊る大長篇。文士探偵・坂口安吾がコールガール失踪事件を追う「第一の森」、ラテンアメリカ作家をモデルにした三人組（ボルヘス、コルタサル、ガルシア＝マルケス）の旅を描く「第二の森」、現代作家の〝私〟が文人や土地の来歴について考察しながら創作を語る「消滅する海」の三つのパートから成る。タイトルが示す通り分け入れば分け入るほど構造は複雑になるが、列車内溺死事件、DJ（宮沢）ケンジ、三つの京都、斥候もこなす馬の嘉助など、ちりばめられた要素はどれも魅力的。

一本で立つ木の確かさが林になり森になるにつれて不穏で曖昧になるように、圧倒的な文章と物量・熱量で、世界の境界線をはじめとして確かだと思われたものを揺さぶる力作だ。

第17位
ツインスター・サイクロン・ランナウェイ　小川一水

ハヤカワ文庫JA

BEST SF 2020

窮屈さをぶっちぎる女性ペアの冒険SF

巨大ガス惑星の軌道上に住む「周回者《サークス》」たちは、生き延びるため漁に出る。漁場は目下のガス惑星「ファット・ビーチ・ボール」、狙う獲物は貴重な資源を含む「昏魚《ベッシュ》」。船には男女の夫婦で乗り込むのが普通なのだが、テラは相性の良いパートナーをなかなか見つけられない。そんな彼女の前に、謎の家出少女ダイが現れ、異例の女性ペアを組むことになり……。

百合SFアンソロジーに書き下ろされた作品の長篇化だが、軽快さはそのままに、キャラの魅力と世界設定がさらに掘り下げられた。空間的にも社会的にも窮屈な世界をぶっちぎってゆく、痛快な冒険SFだ。

第18位
2010年代SF傑作選（1・2）　大森　望・伴名　練＝【編】

ハヤカワ文庫JA

BEST SF 2020

二〇一〇年代ベスト盤ハズレなしの二十篇

アンソロジストとして二〇一〇年代SFを牽引した大森望と作家・伴名練がタッグを組んで編んだ二冊組アンソロジー。第一巻に神林長平「鮮やかな賭け」、飛浩隆「海の指」など比較的キャリアの長い作家の作品、二巻に宮内悠介「スペース金融道」、野崎まど「第五の地平」ほか新鋭の作品、二巻あわせて二十篇を収録している。

名品ぞろいでハズレなしのベスト盤。そのぶん熱心なSFファンにとっては既読作も多いだろうが、どれも再読に耐える傑作であり、ここに割り込める作品を探す、自分なりのベストを編んでみる……など、ファンならではの楽しみ方もできる。

第19位
未知の鳥類がやってくるまで　西崎　憲

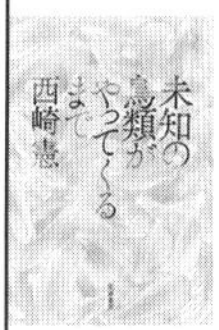

筑摩書房

BEST SF 2020

端正な文章で忘れ難い印象を残す短篇集

《NOVA》や〈たべるのがおそい〉に掲載された作品を集めた短篇集。〝人から借りた著者の赤が入った校正刷り〟を失くすという落ち着かない状況を、落ち着いた文章とエピソードの積み重ねで綴って居心地の悪さが際立つ書き下ろしの表題作をはじめ、端正な文章から不穏さや奇妙なイメージが起ち上がる全十篇を収録。地震で荒れ果てた東京を地図上の〈北極星〉目指して少年たちが歩く「おまえ知っているか、東京の紀伊國屋を大きい順に結ぶと北斗七星になるって」、他人の身体に扉が見えるという女性が語り手の「開閉式」など、どの作品も一読忘れ難い印象を残す。

第20位
ピュア　小野美由紀

早川書房

BEST SF 2020

寓話性と迸る想い、官能が融合した全五篇

遺伝子改変によって強靭な鱗や牙を獲得した女たちは、荒廃した地球を脱出し人工衛星上で暮らしていた。そして月に一度、地上に降りて子を産むために男と交わり、相手を食うのだ。それが普通。しかし〝普通の女の子〟ユミが出会った男は、すこし変わっていて……。

表題作はネットで無料公開され、衝撃的な設定が話題を呼んだ。この他に、自分を縛ってきた父を文字通り乗り越える「幻胎」、表題作を食べられる男の側から描いた「エイジ」など、設定の突破力が生む寓話性と迸る生々しい想いや官能の融合した、性や身体改変がテーマの全五篇を収録。

第21位 黄色い夜
宮内悠介 集英社

エチオピアから独立してカジノ経営に頼る「E国」が舞台のギャンブル小説。主人公は己の夢のため、カジノ塔を勝ち上がり、頂上で国王との勝負を目論むが……。個人とは重さの質が異なる「国」が懸かった大勝負がおもしろい。

第22位 約束の果て 黒と紫の国
高丘哲次 新潮社

かつて存在した国にまつわるふたつの書物から起ち上がる、五千年の悲恋を描いた架空歴史小説。全体に大きな仕掛けが施されたファンタジイだが、中盤にSF的なネタも投入される。ファンタジーノベル大賞二〇一九受賞作。

第23位 オーラリメイカー
春暮康一 早川書房

表題作は、生物系と情報系の二派の知性が対立する遠未来で、恒星系を意図的に改造する存在の謎に迫る本格SF。硬質な叙情を湛え、第七回ハヤカワSFコンテスト優秀賞を受賞した。雲状生物が住む惑星を描く「虹色の蛇」を併録。

第24位 ポロック生命体
瀬名秀明 新潮社

AIと文化・芸術が交差する地点から〝人間らしさ〟の輪郭を浮かび上がらせる全四篇を収録。対局用のロボットアームに焦点を当てた将棋AIもの「負ける」、AIが小説を書くようになった時代を描く「きみに読む物語」など。

第25位 その果てを知らず
眉村 卓 講談社

作者自身を思わせるSF作家が、時折訪れる実在感のある幻覚と付き合いつつ、病床で原稿用紙に向かう。日本SF黎明期の貴重な記録と空想や幻覚を混ぜ合わせ、書くことで死と向き合った、しなやかさと強さを併せ持つ作者の遺作。

第25位 幻綺行 完全版
横田順彌、日下三蔵＝【編】 竹書房文庫

自転車で世界一周旅行を成し遂げた中村春吉を主人公にした明治冒険活劇を集めた一冊。スマトラからアフリカまで、化け物や宇宙人と出会いながら、春吉一行が冒険を繰り広げる。巻末には、編者による詳細な解説と著作リストつき。

第27位 日本SFの臨界点［怪奇篇］ ちまみれ家族
伴名 練＝【編】 ハヤカワ文庫JA

二冊まとめて四位に入ったアンソロジーから、改めて単独でランクイン。津原泰水によるインパクト抜群の壮絶ギャグ・ホラー「ちまみれ家族」、見事な締めの逸品である石黒達昌の医学×民俗学SF「雪女」などを収録している。

第28位 不可視都市
高島雄哉 星海社FICTIONS

二一〇九年、謎の存在〈不可視都市〉によって交通もネットも遮断され、人類は都市ごとに孤立して暮らすことになる。引き裂かれた恋人に再会するため奮闘する数学者の物語と、不可視理論をめぐるパートが絡み合うハードSF。

第29位 キスギショウジ氏の生活と意見
草上仁、日下三蔵＝【編】 竹書房文庫

単行本未収録作十八篇と書き下ろし一篇から成る短篇集。収録作の要素がぎゅっと詰まった賑やかな表紙が示す通り、バラエティ豊かな短篇SFの愉しみが詰まった一冊。アイデアを捏ね上げて小説にする手つきの滑らかさに唸らされる。

第29位 この本を盗む者は
深緑野分 KADOKAWA

稀覯本を多数収めた御蔵《みくら》館《かん》には、盗難防止のため魔術が施されていた。管理人の娘・深冬《みふゆ》は、その呪いによって変容したと思しき町を冒険する羽目になる。多彩な世界を舞台に繰り広げられる、本と物語をめぐる冒険ファンタジイ。

BEST SF 2020

第29位
絶対猫から動かない
新井素子　KADOKAWA

たまたま同じ地下鉄に乗り合わせて悪夢の世界に囚われてしまった五十〜六十代男女や中学生たちが、知恵と勇気と経験を出し合って、悪夢の支配者と対峙する。作者とともに歳を重ねてきた読者の心に刺さる、新井流中高年冒険SF。

BEST SF 2020

第29位
中国・SF・革命
河出書房新社＝【編】　河出書房新社

〈文藝〉の二〇二〇年春季号で好評を博した同題特集の掲載作に、ケン・リュウ「トラストレス」、郝景芳「阿房宮」の初訳二作品、柞刈湯葉の書き下ろし「改暦」を加えて単行本化。読み応えのある中国SFアンソロジーになっている。

BEST SF 2020

ランク外の注目作【国内篇】

総括欄で短篇集が豊作だと述べたが、ランク外にも見逃せない作品がいくつか。

貴志祐介**『罪人の選択』**（文藝春秋）は〈SFマガジン〉に掲載された幻のデビュー短篇「夜の記憶」など四篇を収め、うち三篇がストロングスタイルの本格SF。

早瀬耕**『彼女の知らない空』**（小学館文庫）は、開発者の意志に反して軍事転用される化粧品の技術「思い過ごしの空」など、透明感のある文章で個人と組織や世界との葛藤を描き出す全七篇を収録。

その他にも、前作より二分増量で職人技を楽しめる草上仁のSF短篇集**『7分間SF』**（ハヤカワ文庫JA）、悩みを抱える人々が科学的なものの見方に触れて変化してゆく伊与原新の理系小説集**『八月の銀の雪』**（新潮社）、違和感が日常にじわりと染み込む短めの二十篇から成る藤野可織**『来世の記憶』**（KADOKAWA）などが要注目だ。

アンソロジーでは、惜しまれつつ終了した《年刊日本SF傑作選》の後継企画として、大森望編**『ベストSF2020』**（竹書房文庫）が始動。円城塔、岸本佐知子らの二〇一九年初出の傑作十一篇を収録している。

東京創元社の書き下ろしアンソロジー《**Genesis**》も、**『白昼夢通信』『されど星は流れる』**の二冊を刊行。空木春宵、水見稜、オキシタケヒコ、宮澤伊織、宮西建礼、堀晃らの新作が掲載されている。

長篇では、インタビュー形式のミステリ連作が徐々にSFになってゆく山田正紀の**『デス・レター』**（創元日本SF叢書）、SFコンテスト特別賞を受賞した葉月十夏の冒険SFファンタジイ**『天象の檻』**（早川書房）、機巧人形・伊武《イヴ》の遍歴を描く乾緑郎の改変歴史時代SF**『機巧のイヴ　帝都浪漫篇』**（新潮文庫）、タイムスリップした武蔵が剣をペンに持ち替える田中啓文**『文豪宮本武蔵』**（実業之日本社文庫）などが収穫。

また、寓話的な語りで無関心や妥協からくる世界の澱みを描き出す太田愛**『彼らは世界にはなればなれに立っている』**（KADOKAWA）や、再び地震と津波に襲われた東北が独立を目指す赤松利市の群像劇**『アウターライズ』**（中央公論新社）は、現在の状況下で読むとより心に響く作品だ。

昨年早すぎる訃報が飛び込んできた小林泰三は、電動車椅子の老人たちの施設脱出劇から始まるSF**『未来からの脱出』**（KADOKAWA）、《メルヘン殺し》シリーズの**『ティンカー・ベル殺し』**（東京創元社）などを上梓。最後まで、ひとすじ縄では行かない展開と謎解きで楽しませてくれた。

国内篇第1位『オクトローグ　西島伝法作品集成』

自作解題

絵・文
西島伝法

『オクトローグ』をお読みくださった皆様、投票頂いた皆様にお礼を申し上げます。

本書の担当編集者である溝口力丸氏は、リモートワークでいろいろ不便を強いられながらも、素晴らしい本に仕上げてくれました。各短篇の担当者や大量の造語と対峙してくれた校正者の方々、イメージを刷新する装丁を手掛けてくれた水戸部功さんにも感謝です。

これまで書いてきた短篇は、ちょうど地中から、地上へ、宇宙へ、という流れで発表されていたので、そのままの順で収録することになった。タイトルは一箇月以上悩んでも良いものが浮かばず困っていたが、久々にキェシロフスキが監督した十話のドラマ『デカローグ』を見ていて、ふと八話なら『オクトローグ』か、それだ、となった。

「環刑錮《かんけいこ》」

初出は二〇一四年の〈SFマガジン〉四月号「ベストSF2013　上位作家競作企画」。初めての〈SFマガジン〉からの依頼に、もともと長篇で使うつもりだったアイデアを投入した。

カフカの「巣穴」でアナグマっぽい語り手が地中で正体の見えない相手にぐるぐる迫られる場面の不穏さと、『ショーシャンクの空に』の淡々としながらも鮮やかな脱獄を、興味の尽きない生物である蚯蚓で繋ぐことで本作は生まれた。牢獄そのものである自らの肉体からどうやって脱獄するのか、は難問だった。

「環刑錮《かんけいこ》」ラフ

蚯蚓の動きの実感が欲しくて、実際に床に腹這いになって両手を太腿につけたまま全身でうねうね動いてみたりもした。環状筋と縦走筋がなければ、進むにはかなりの体力がいる。

環刑囚が脳を失った後でも体を制御し続ける叉任哨《さにんしょう》は、小説における三人称を反映させたもの。過去の思い出では、実体験を元にしたエピソードも織り交ぜている。例えば、架空の友達に変装して自宅のチャイムを鳴らして自分を訪ねたことや、昆虫を描く宿題でバイオリン虫を描いて、ありもしない虫を描くなと怒られたことなど。

母親が喋る蛇者語《ぜいじゃ》は、子供の頃、種子島の祖母と電話で話す時に、日本語っぽいのに全然意味が判らなかった経験が元になったのかもしれない。古語やラフカディオ・ハーンが普段喋っていたというすこしずれた日本語、牧野修さんの電波語なども咀嚼してああいう形になったのだと思う。蛇者語の接続詞「ら」は、スペイン語みたいな歯茎顫動音《巻き舌》の「るらぁ」だということが、イベントで朗読して初めて判った。

当時は読める小説を書くことにまだ抵抗があり、担当の井手聡司氏に、長時間電話で不明点を次々と指摘されては設定を説明し、それを書いてください……と言われ続けた。第二十六回SFマガジン読者賞を頂いたり、複数のアンソロジーに採録されるなど、いろいろと思い出深い作品となった。

「金星の蟲《むし》」

初出ははるこんの同人誌『夏色の想像力』。だが元となった短篇を書いたのは、「皆勤の徒」の二年ほど前のこと。長篇を応募しては落選することが続いて疲弊し、一度短篇を試してみようと、『日本ホラー小説大賞』の短編部門に送った。一次審査には通ったものの二次審査で落選。このとき受賞したのは、田辺青蛙さんの「生き屏風」だった。『夏色の想像力』に寄稿するにあたって、造語を含め大きく手を加えている。

当時働いていた刷版工場の機材や仕事内容のディティールを細かく反映させたが、そうでなければ殆ど忘れてしまっていただろう。

この短篇で、日常がすこしずつ異形世界に変わる様を描いたことが足がかりとなり、異形世界だけで成り立つ「皆勤の徒」を書くことができた。

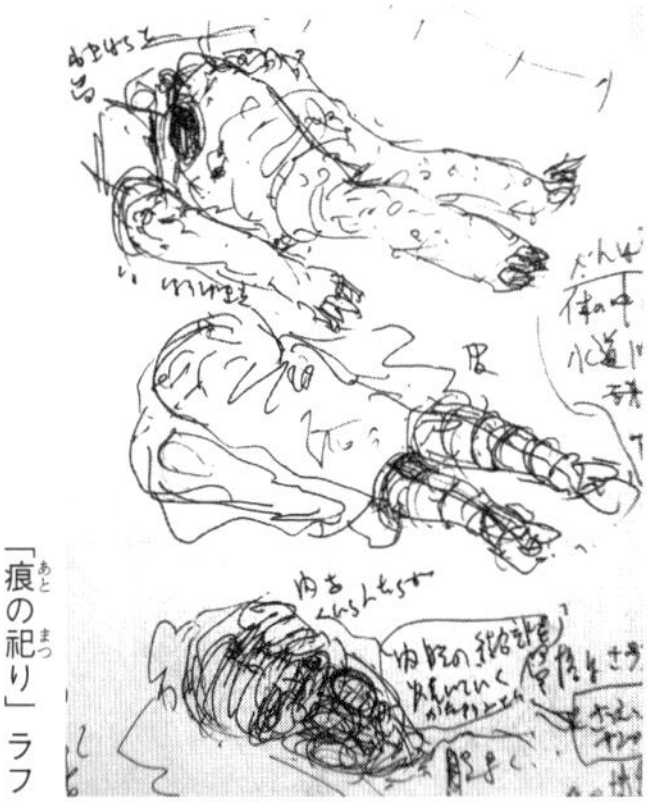

「痕《あと》の祀《まつ》り」ラフ

「痕《あと》の祀《まつ》り」

ウルトラマンのトリビュート小説企画のために書いた。参加作家の中には当然小林泰三さんの名前があり、影響を受けた『AΩ』のウルトラマンをハードSFとして再構築する方法論を自分なりに試みた。

倒されて死体となった怪獣がどう処理されるのかはずっと気になっていたので、J・G・バラードの「溺れた巨人」や、九相図、スターログ誌に載った大友克洋のゴジラを解体するイラストなどからイメージを膨らませた。人間が怪獣の巨体を迅速に解体するのは難しいだろうと思い、パワーローダー的な加功機を出すことにした。加藤直之さんの挿画は、イメージ通りかつそれ以上の素晴らしさで、本書にも再録させて頂いた。

ウルトラマンネタも色々と鏤めている。万状顕現体の骨格が人間に似ているのは、スーツアクターと怪獣の着ぐるみに因んだもの。帰宅した降矢が、布団を干したか、などと息子に言うのは「ウルトラ五つの誓い」から。

スペシウム光線的なエネルギー、絶体子が〝チェコの小説から取られた〟とあるのは、カレル・チャペックの『絶対子工場』

（平凡社ライブラリーでは『絶対製造工場』）のこと。原子力発電のような機械が作られ膨大なエネルギーを供給しはじめるが、同時にあらゆる物質から神を解放してしまう、という話だ。最初の原子力発電所が作られる三十年以上も前の一九二二年に書かれたことに驚かされる。

「橡《つるばみ》」

〈現代詩手帖〉二〇一五年五月号のSF×詩特集のために書いた。タイトルの「橡」は、どんぐりの古名のこと。どんぐりは戦時中などに代用珈琲として飲まれていたし、その傘は喪服の染料にも使われたので、幽霊が珈琲の詩を飲む物語のタイトルに相応しいと思った。

　コーヒーが日本に登場した当初は、加非、咖啡、哥非乙、黒炒豆、香湯、骨喜、膏喜、など様々な表記が入り乱れていたそうだが、定着した〈珈琲〉は、元素名をはじめ数多くの造語を生み出した蘭学者の宇田川榕菴が、コーヒーの木に赤い実のついた様子を、珈（簪の玉飾り）と琲（玉飾りの紐）になぞらえて考案したものだという。〈珈琲〉はもちろん、忘れ去られた異名の数々もまた、コーヒーを再現しようとする詩だった。

　珈琲の詩は大森望さんの解説にある通り木下杢太郎の『食後の唄』で、〝猫についての言葉〟は、『ボードレール詩集』の「猫」という詩のこと。〝わが家を歩きまわるかのように、ぼくの脳髄のなかをさまよう、強く、優しく、愛らしく、美しい猫〟（佐藤朔訳より）。なおこの詩集には、「猫」と題した詩が三作もある。

「ブロッコリー神殿」

〈別冊文藝春秋〉から植物エロをお願いします、と依頼され、植物動かないしな……と悩んだが、『世界で一番美しい花粉図鑑』で、目に見えないほど小さな花粉の奥深い世界に魅了され、花粉が飛ぶのを描くだけの、SF植物詩のような作品を書きたくなった。植物主観なら、SF小説の定番である惑星探査ものに新味を出せるかもしれないとも考えた。

　植物主観だけに、いつにも増して造語を多く作らねばならなかったが、この世界に相応しい語感がなかなか摑めず繰り返し考え直したし、植物の気持ちになれず一日一枚くらいしか進まない日もあるほど難航した（まだ川で書くことも知らなかった）。それだけに、ようやくラストの飛翔にたどり着けたときには、本当に飛翔しているような開放感があった。

　いま思うと、この造語だらけの短篇が、「皆勤の徒」における「金星の蟲」のように、『宿借りの星』の異世界を描くための足がかりとなったのだと思う。

「ブロッコリー神殿」ラフ

「堕天の塔」

弐瓶勉さんのコミック『BLAME!』のトリビュートアンソロジーのために書いたもの。連載時には夢中で読んでいたし、デビュー後は作風が似ているとよく言われていただけに、依頼に喜びつつもプレッシャーは強かったが、原作の世界設定の深遠さに助けられた。

　アリスが穴の中をひたすら落ちていく様子を描いたスティーヴン・ミルハウザーの短篇「アリスは、落ちながら」（『バーナム博物館』収録）がすごく好きで、そういう状況をＳＦでうまく描けないものかと以前から考えていたので、霧亥が重力子放射線射出装置で開けた穴にすっとつながり、その中を果てしなく落ちていく塔や、そこに生活する代理構成体たちの物語を思いついた。ただ、様々な穴が繋がって大陥穽をなしている、という設定にしたため、背景を超構造体が角度を変えて流れていくことになり自分でも混乱し、紙で塔や背景を簡単に作って把握した。

　原作の様々な風景や小道具をあちこちに鏤めているが、特に思い入れがあるのは、塔で栽培している〈ヤキの実〉。一巻でクモイが分けてくれる謎の食べ物で、作り方を教えてくれたというヤキも含め印象的で、その名と共にあちこちに伝わっている、という自分の願望を交えた設定にした。

「彗星狩り」

　肉々しい作品が多かったので、硬質な世界を書いてみたくなり、宇宙に暮らす機械生命の部族の話をぼんやりと温めていたところ、〈小説すばる〉から宇宙テーマの依頼を頂いた。スバルにちなんで散開星団を舞台にし、気持ちだけは、宮沢賢治が描いたＳＦ――を目指して書いた。映像作品で宇宙空間の姿勢制御の場面が昔から好きだったので、生来的な機能として描くのは楽しかった。

　植物のない宇宙空間で暮らす生物なのに〝芽生える〟と書いてしまって変更し、さらに木偏の漢字を使うのもおかしいのではないか、と悩みだしたが、それを徹底すると、漢字じたいが使えなくなりそうなので諦めた。

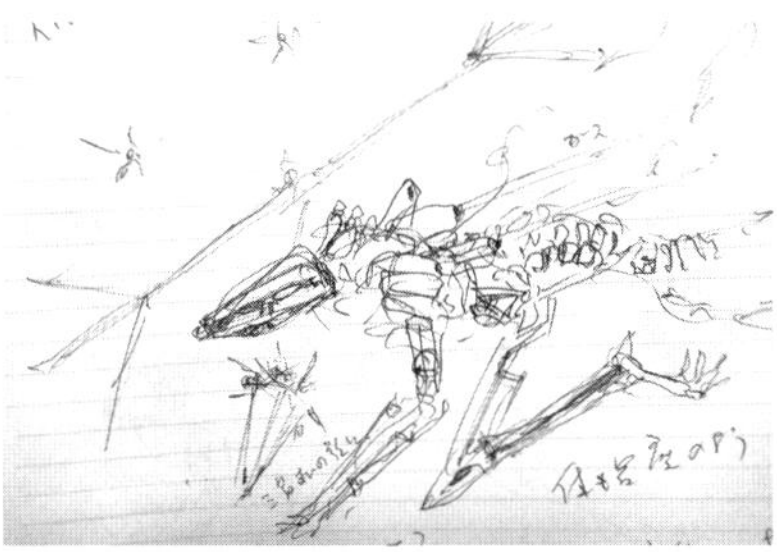

「彗星狩り」ラフ

「クリプトプラズム」

　初めて早川書房から出る本の書き下ろし作、ということで、正面からＳＦと向き合って、次の十年をつなぐ作品を書いてみようと思った。「ブロッコリー神殿」で名称だけが出てくるグラヴィシュニク市街船がどうなっているのか自分でも気になっていたので、そこが舞台となる姉妹篇にした。

　途中まで書いたあたりで、グスタフ・マイリンクの『ゴーレム』の、過去を思い出せない男が取り違えられた帽子の裏にあるペルナートという名前を夢うつつに思い出しペルナートとして目覚める――という場面を思い出し、その共通点から主役の名に借りると、物語が生気を帯びだした。

「ブロッコリー神殿」にも出てくる筮算機関のクエビコが、『宿借りの星』で御《お》侃彌《かんみ》の脳から人類側が作り出したものと同じ名称と設定なのは、時空がねじれる形でどこかで繋がっているから（同じ宇宙とは限らない）。クエビコ（久延毘古）とは、古事記に出てくる案山子の神であり、天の下のあらゆることを知ると言われる学業や知恵の神でもある。

　最後に市街船がその景観を模す古代エジプトの神話では、生前の悪事は心臓に残るため、死者は審判で女神マアトの真実の羽根と自らの心臓を天秤に掛けられた。羽根と釣り合いが取れれば楽園アアルに入ることができるが、心臓の方が重ければ第二の死を迎えることになる。それを踏まえると、この物語の印象はすこし変るかもしれない。

BEST SF 2020

【海外篇】ベスト30作品ガイド

――冬木糸一

BEST SF 2020 **第11〜30位**

順位	点数	作品
11	81点	**茶匠と探偵** アリエット・ド・ボダール／大島 豊＝【訳】／竹書房
12	78点	**メアリ・ジキルとマッド・サイエンティストの娘たち** シオドラ・ゴス／鈴木 潤・他＝【訳】／新☆ハヤカワ・SF・シリーズ
13	72点	**誓願** マーガレット・アトウッド／鴻巣友季子＝【訳】／早川書房
14	70点	**バグダードのフランケンシュタイン** アフマド・サアダーウィー／柳谷あゆみ＝【訳】／集英社
15	66点	**キャプテン・フューチャー最初の事件** アレン・スティール／中村 融＝【訳】／創元SF文庫
16	65点	**タボリンの鱗　竜のグリオールシリーズ短篇集** ルーシャス・シェパード／内田昌之＝【訳】／竹書房文庫
17	64点	**鳥の歌いまは絶え** ケイト・ウィルヘルム／酒匂真理子＝【訳】／創元SF文庫
18	63点	**アンドロメダ病原体―変異―（上・下）** マイクル・クライトン＆ダニエル・H・ウィルソン／酒井昭伸＝【訳】／早川書房
19	58点	**空のあらゆる鳥を** チャーリー・ジェーン・アンダーズ／市田 泉＝【訳】／創元海外SF叢書
20	54点	**サイバー・ショーグン・レボリューション** ピーター・トライアス／中原尚哉＝【訳】／新☆ハヤカワ・SF・シリーズ，ハヤカワ文庫SF
20	54点	**時間旅行者のキャンディボックス** ケイト・マスカレナス／茂木 健＝【訳】／創元SF文庫
22	45点	**現想と幻実　ル＝グウィン短篇選集** アーシュラ・K・ル＝グウィン／大久保ゆう、小磯洋光、中村仁美＝【訳】／青土社
23	36点	**最後の竜殺し** ジャスパー・フォード／ないとうふみこ＝【訳】／竹書房文庫
24	35点	**ナインフォックスの覚醒** ユーン・ハー・リー／赤尾秀子＝【訳】／創元SF文庫
25	33点	**量子魔術師** デレク・クンスケン／金子 司＝【訳】／ハヤカワ文庫SF
26	31点	**フレドリック・ブラウンSF短編全集2　すべての善きベムが** フレドリック・ブラウン／安原和見＝【訳】／東京創元社
27	30点	**鉤十字の夜** キャサリン・バーデキン／日吉信貴＝【訳】／水声社
28	29点	**眠れる美女たち（上・下）** スティーヴン・キング＆オーウェン・キング／白石 朗＝【訳】／文藝春秋
29	28点	**雲** エリック・マコーマック／柴田元幸＝【訳】／東京創元社
30	27点	**ダフォディルの花　ケネス・モリス幻想小説集** ケネス・モリス／館野浩美，中野善夫＝【訳】／国書刊行会

BEST SF 2020

2020年ベスト総括
【海外篇】

今年度の海外篇ベストを飾ったのは、テッド・チャン十七年ぶりの短篇集『息吹』。三十年のキャリアの中で出したのは短篇集二作のみの寡作の王だが、第一短篇集『あなたの人生の物語』も二〇〇三年の海外篇一位と、その高い評価は安定している。第二位には、昨年第一位に輝いた劉慈欣『三体』の続篇。三部作の第二部は票が集まりにくいものだが、本国でも三部作の中で第二部の評価が最も高いと言われるだけあって、ものともせずに二位の位置につけた。両方の訳者である大森望はワンツーフィニッシュである。

三位のメアリ・ロビネット・コワル『宇宙《そら》へ』、四位のN・K・ジェミシン『第五の季節』はともに女性の力強さ、タフさが印象に残る作品だ。前者は、一九五〇年代に発生した巨大隕石の衝突によって地球が大規模な気候変動にみまわれ、脱出のためにパイロットを志す主人公の奮闘を女性の権利問題とともに描く、現代性を感じさせる作品だ。後者は、練り込まれたファンタジイ的な世界設定の中で、強大な力を持つがゆえに向けられる強烈な差別に苦しみ、抗おうとするタフな女性たちの姿を描き出している。

一昨年は『折りたたみ北京　現代中国ＳＦアンソロジー』、昨年は『三体』と中国ＳＦが続けて一位だったが、その流れはいったんここで途絶えた。しかしランキングを見ると中国ＳＦは十位以内に実に四作（『三体Ⅱ』、『時のきざはし　現代中華ＳＦ傑作選』、『月の光　現代中国ＳＦアンソロジー』、『荒潮』）もランクインしていて、中国ＳＦの刊行が増えているだけにとどまらず、ちゃんと評価を受けていることも窺える。

あわせて今年度の傾向として興味深いのは、海外ＳＦの多様性が増していることだ。竹書房から刊行された『シオンズ・フィクション』はイスラエルＳＦの傑作選だし、十位の『となりのヨンヒさん』は韓国ＳＦ（ランクインはしていないが、韓国ＳＦとしては他にも『保健室のアン・ウニョン先生』、投票期間外だが『わたしたちが光の速さで進めないなら』などが刊行）、十四位にはアラビア語からの翻訳であるイラクＳＦの『バグダードのフランケンシュタイン』がランクインしている。これまで圧倒的に英語圏優位だった海外ＳＦランキングだが、様々な言語からの翻訳が増えるのは喜ぶべきことである。

それは、海外のＳＦを翻訳しようとする出版社が増えていることも関係しているだろう。近年躍進目覚ましい竹書房は今年も良質な作品を出しているし（アジアンティストな世界観のスペース・オペラである十一位『茶匠と探偵』も竹書房。二〇二一年にはギリシャＳＦアンソロジーも出すとか）、投票期間外ではあるが、中央公論新社は十一月に郝景芳の中国×『一九八四年』な『１９８４年に生まれて』を刊行。中公は、二〇二一年中には歴史改変ものを中心にした中国ＳＦアンソロジーを刊行する予定だといい、ＳＦをこれからも出していく意欲をみせている。

そうした流れを受けて、この十年でランクインする作家の顔ぶれが大きく変わっている。今年はワッツ、イーガン、プリースト、ミエヴィルといった上位安定陣の新作が刊行されなかったこともあるが、十位以内の作家の半分が新登場の作家である（さらに他の三作はアンソロジーである）。二〇一六年はエリスンの『死の鳥』が一位をとり、ティプトリー、ヴァンス、スラデックが十位以内にランクインしていて、内心ここまで昔の作家ばかりで大丈夫かなと少し不安になったものだったが、今年の様子をみると入れ替わりはきちんと行われているように見える。

三十位まで見渡しても、今年は質の高い作品が揃っていて、海外ＳＦガイド担当としても充実した一年となった。訳される言語が増え、多様性が増すということは、新しい価値観や世界観を示す作品が増えるということでもあり、海外ＳＦを読むことが年々楽しくなっていると感じる。二〇二一年も素晴らしい作品が多数刊行されることだろう。

BEST SF 2020

第1位 息吹

テッド・チャン／大森 望＝【訳】
早川書房

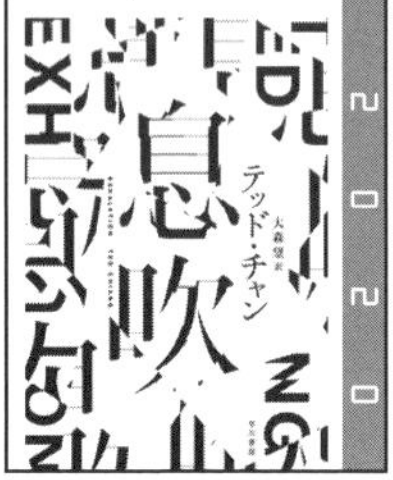

とてつもなく濃密で、ありえないほど美しい SFの醍醐味が詰まった傑作短篇集

今年度の海外SF一位を制したのは、テッド・チャンの十七年ぶりとなる短篇集『息吹』！

三十年のキャリアの中で著作は本作を含む二冊のみ。寡作極まりない作家だが、時間がかかるだけのことはある。チャンが描き出す世界は濃密で、ありえないほどに美しい。このような作品に出会うためにSFを読んでいるのだ、とあらためて実感させてくれる傑作揃いである。

二十年前と二十年後に移動することができる〈門〉を軸とし、過去を変えられないとしても、それでもなお過去を深く知ることの意義が語られていく「商人と錬金術師の門」。肺を日々交換することで寿命もなく生き続けることができる人々の話を通して、彼らの意識が何によって生み出されているのか。空気が彼らにどのように作用しているのかといったこの世界のルールを探求していく、科学の喜びに満ちた表題作。並行世界の自分と対話する装置が生まれたことで、人間社会の倫理観がどのように変質していくのかを描き出す「不安は自由のめまい」など、世界を探求する喜びや、あるテクノロジーが生まれた時に、個人だけではなく人類社会の在り方がどのように変わっていくのか、といった巨視的な視点がつぶさに描きこまれていく。SF短篇の醍醐味がすべてここに詰まっている、最高の短篇集だ。

BEST SF 2020

第2位 三体Ⅱ 黒暗森林（上・下）

劉慈欣／大森 望、立原透耶、上原かおり、泊 功＝【訳】
早川書房

手に汗握る三体星人と人類の知略バトル 世界的大ヒットの三部作二作目

全世界の累計部数が二千九百万部を超えたバケモノ級のSF、劉慈欣《リウ・ツーシン》『三体』三部作の第二部『三体Ⅱ　黒暗森林』が二位にランクイン！　第一部からして破壊的におもしろかったとはいえ内容的にはまだプロローグで、人類の敵となる三体世界と人類が初接触し、三体星人が地球に攻めてくることが明らかになるだけだった。この第二部では三体星人と人類の熾烈な知略バトルが繰り広げられる。三体星人も光速を超えることができないので、地球到着は四百年後。それまでに人類は自分たちより技術力の勝る敵を打ち倒す術を編み出す必要があるが、三体文明から送り込まれた智子《ソフォン》と呼ばれる極小のコンピュータが地球にばら撒かれていて、情報は筒抜けになってしまっている。

そこで人類が考え出した対抗策は、智子であっても傍受されない、個人の思考能力を信頼した「面壁計画《ウォールフェイサー・プロジェクト》」。面壁者と呼ばれる人類最高の知性四人にあらゆる権限を与え、彼らの頭の中だけで三体星人撃退の策を練らせるのだ！　三体星人に肩入れする勢力もあり、面壁者の頭の中を解き明かすために動き回る。面壁者らが繰り出す策はトンデモながらも物理法則に従っていて、尋常ならざるスケールを堪能させてくれる。本当に幸せな読書体験をもたらしてくれる、傑作中の傑作だ！

BEST SF 2020

第3位 宇宙《そら》へ（上・下）

メアリ・ロビネット・コワル／
酒井昭伸＝【訳】
ハヤカワ文庫SF

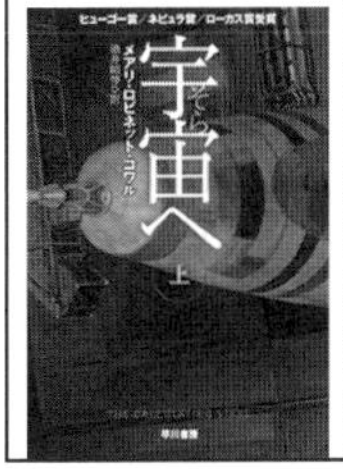

ありえたかもしれない宇宙開発を描く
主要SF賞三冠受賞の話題作

ヒューゴー、ネビュラ、ローカスの主要SF賞を総なめにした話題作が三位にランクイン。本作は、宇宙開発が盛り上がっていた一九五〇年代のアメリカを舞台に、ありえたかもしれない歴史を描き出していく宇宙開発SFだ。

この世界では一九五二年にワシントン沿岸の海上に巨大な隕石が落下。巻き上げられた粉塵は太陽光を遮り、数年にわたって地球は寒冷化状態になる。しかし真のリスクは、隕石によって海水が水蒸気化し、温暖化が進行することだ。いずれ地球は人の住めない気温になるという試算が出され、国家的な事業として地球外への入植が真剣に検討されることに。現実の歴史では月着陸以後宇宙開発予算は減少するが、ここでは人類の生存をかけて逆に拡大していく。

本作は女性宇宙飛行士らの物語でもある。その数は現在でさえ少ないが、より女性の権利が制限されているこの時代に、パワフルな女性らが自分たちの能力を証明していく過程が丹念に描かれていく。実際、入植を前提に考えるのであれば、宇宙飛行士が男だけなどありえない。宇宙開発史の最初から女性が関わっていたらというイフの観点からも、「ありえたかもしれない宇宙開発史」の物語であり、様々な軸から楽しませてくれる傑作だ。

BEST SF 2020

第4位 第五の季節

N・K・ジェミシン／
小野田和子＝【訳】
創元SF文庫

「生きていくこと」の意味を描き出す
厳しくも美しい破滅SF三部作

史上はじめて三部作が三年連続ヒューゴー賞を受賞した、超弩級の破滅SFの開幕篇。数百年ごとに環境がめちゃくちゃになる天変地異〈第五の季節〉に襲われ、多くの生物が死滅する大陸スティルネスを生きる人々を描き出していく。〈第五の季節〉が起こるたびに人類文明もあらかた滅んできたが、すべての人間が死ぬわけではない。いつかその時が来ることはわかっているわけだから、食料を備蓄し壁を築き井戸を掘り、と必死にその時に備えることはできる。そして、なによりオロジェンと呼ばれる熱や運動エネルギーを操作する特殊能力者たちが存在するおかげで、人類はかろうじてその命脈をつなげてきた。

しかし、最新の〈第五の季節〉は、数百、数千年にわたって続く可能性があるという。いったい、なぜ今回に限ってそんな破滅的なことが起こってしまったのか。そもそも、〈第五の季節〉とは何なのか。オロジェンとは？　といった幾つもの謎を、オロジェンの三人の女性を通して描き出していく。オロジェンは時にその力が暴走して周りの人間に危害を加えることから、この世界では差別の対象でもあり、生き延びるだけで精一杯のこの世界で、きちんと「生きていくこと」の意味を描き出していく。

BEST SF 2020

第5位 マーダーボット・ダイアリー(上・下)

マーサ・ウェルズ／中原尚哉＝【訳】
創元SF文庫

陰気な語り口に内省的な性格 魅力的な警備ユニット「弊機」を描く物語

五位には陰気な殺人機械を語り手にしたSFアクション中篇集がランクイン。上巻収録の「システムの危殆」はヒューゴー、ネビュラ、ローカス、続く「人工的なあり方」もヒューゴー、ネビュラの各ノヴェラ部門を受賞している世評の高い作品だが、実際これがおもしろい！

自身を一人称で「弊機」と呼び、企業の所有物である人型警備ユニットが本作の主人公。弊機は統制モジュールをハッキングすることで組織から自由になるが、すぐに逃げ出さずに、表向き支配下にあるように振る舞っている。何をしているのかといえば、衛星から流れる娯楽チャンネルにアクセスし、映画や連続ドラマを堪能する日々。だが、それに対して『冷酷な殺人機械のはずなのに、弊機はひどい欠陥品です』と内省的に捉えていく部分に語りの魅力がある。

物語は、表向きは警備ユニットとしての活動を続ける弊機が、警備の仕事中に様々な騒動に巻き込まれることで展開していく。弊機の戦闘能力は高く、通信網や認証システムをハックする電子戦を含めたアクションも読みどころの一つだが、狭い世界で鬱屈していた弊機が、任務をこなし様々な人間と出会う中で本当の自由を知り、自分なりの自我を確立させていく、爽やかなロボット・テーマの物語としても十全に堪能させてくれる。

BEST SF 2020

第6位 シオンズ・フィクション イスラエルSF傑作選

シェルドン・テイテルバウム＆エマヌエル・ロテム／中村 融・他＝【訳】
竹書房文庫

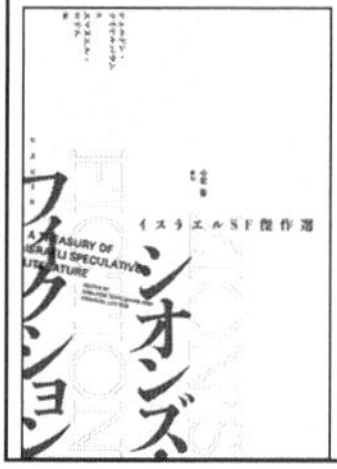

「SFの国」イスラエル その文化や歴史を色濃く反映したアンソロジー

近年、SF的な躍進著しい竹書房からはイスラエルSFの傑作選がランクイン。異常に質が高い短篇が揃っているだけでなく、その文化や歴史が反映された作品ばかりで、イスラエルにこんなにすごい書き手が存在していたとは……と驚いた。編者二人による「イスラエルSFの歴史」と題された文章では、『イスラエルという国家は、本質的にサイエンス・フィクション（SF）の国とみなしてもかまわない』と宣言されている。理由は、ヘブライ語の聖書と、シオニストの理論的支柱であるユートピア小説「古く新しい国」という、二冊の影響力ある書を霊感源として生まれた国だからだ、というのだ。

収録作は、中国、ロシア、ユダヤと複雑な来歴を持つ一族と土地の記憶についての物語であるラヴィ・ティドハー「オレンジ畑の香り」や、加速促進幼児成長技術が生まれた社会でスローでいることを選んだスロー族と、彼らを保護地区に押し込み管理しようとする人々との、埋められない認識の差異と差別を描き出すガイル・ハエヴェン「スロー族」といったイスラエルらしいものから、超巨大マウスとの戦いを描き出す「シュテルン・ゲルラッハのネズミ」など内容は多様。文庫だがハードカバーのような装幀も素晴らしく、紙の手触りが良い。

BEST SF 2020

第7位 時のきざはし　現代中華SF傑作選

立原透耶＝【編】

新紀元社

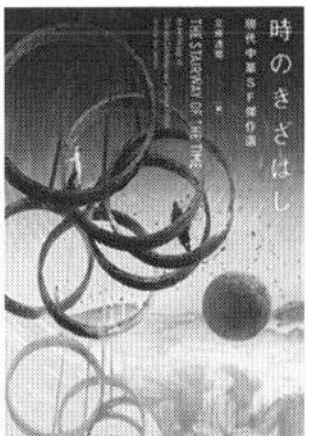

ベテラン勢から若手までバラエティに富んだ中華SFの今が堪能できる一冊

中国SFが刊行されるのは早川だけじゃない！　ということで新紀元社から刊行の中華SF傑作選が本書だ。本邦の中華SF紹介の第一人者である立原透耶編集。書き手は、劉慈欣《リウ・ツーシン》を除いた中国SF四天王（王晋康《ワン・ジンカン》、韓松《ハン・ソン》、何夕《フー・シー》）といったベテラン勢から若手まで。内容もハードSFからVRもの、異種コミュニケーションに、歴史、言語、奇想・スペキュレイティブ系まで多彩に揃っており、中華SFの今が堪能できる一冊に仕上がっている。

ハードSFの旗手と言われる江波《ジアン・ボー》「太陽に別れを告げる日」は、宇宙船の中で「自分を殺して相方を生かすか、またはその逆か」という究極の選択を迫られる様を描く極上の宇宙SF。時の流速を変える技術によって三百億を超える世界人口を食わすために食料を育てていたら、そこに紛れ込んだ生物が驚異的な進化を遂げていた！　というアイデアが光るモンスター×時間SFの何夕「異域」。発音についてのアイデアがある人物の死因と関係している言語SF×ミステリな昼温《ジョウ・ウエン》「沈黙の音節」、中国の皇帝やアッバース朝の帝王など時の権力者らが多数登場し、人類はどこから来て、どこへ行くのかというSFの本質的な問いかけに迫る滕野《トン・イエ》の表題作など、SFの醍醐味を存分に味わえる作品が揃っている。

BEST SF 2020

第8位 月の光　現代中国SFアンソロジー

ケン・リュウ＝【編】／大森 望・中原尚哉・他＝【訳】

新☆ハヤカワ・SF・シリーズ

「いま・ここ」に近い中国SF変化球も入り交じる豊穣なアンソロジー

ケン・リュウ編の中国SFアンソロジー。前作『折りたたみ北京』はド直球におもしろいSFが揃っていたが、第二作目となる本作では変化球も織り交ぜられていて多様性を実感させる作りになっている。

収録作には、人工知能搭載のロボットとの対話によって少しずつ憂鬱が癒やされていく語り手の生活が、知能とは何か、人工知能と人間を真に見分けることは可能なのかといった問いかけとともに描かれていく夏笳《シアジア》「おやすみなさい、メランコリー」。長江に潜水艇で暮らす出稼ぎ農民が集まってきている日常、その異常ながらも美しい情景を描き出す韓松《ハン・ソン》「潜水艇」。『三体』三部作の二次創作作家としてデビューした宝樹《バオシュー》による「金色昔日」は、アラブの春が起きた時代に生まれ、その後中国でオリンピックが開催され……と我々の知るものとは逆行した歴史を描きだし、凄惨さが増していく中国の歴史を体感させてくれる。

中国最初の皇帝である始皇帝が実はゲーム・マニアだったら……という前提からはじまるバカSFの馬伯庸《マー・ボーヨン》「始皇帝の休日」が入っていたり、緩急の激しいアンソロジーだ。ほとんどの作品が二〇一〇年代に入ってから中国語で出版されたもので、これを読むことで「いま・ここ」に近い中国SFを体感できる。

BEST SF 2020

第9位 荒潮

陳楸帆／中原尚哉＝【訳】
新☆ハヤカワ・SF・シリーズ

未来の技術描写を高い解像度で描いた中国で展開されるポスト・サイバーパンク

中国のSF作家を代表する一人である陳楸帆《チェン・チウファン》による初の長篇小説。『三体』の劉慈欣《リウ・ツーシン》をして「近未来SF小説の頂点」とまで言わせた作品なので期待していたが、そのハードルを軽々と超えてくるぐらいおもしろい！　近未来における中国の苦境、進歩したテクノロジーと合わせて変容した文化を描きながら、同時に、世界で中国はどのような立ち位置にあるべきなのか、生物を支配するルール、人類の未来は——といった長篇ならではの壮大なヴィジョンも展開するポスト・サイバーパンク作品だ。

舞台は、中国南東部のシリコン島と呼ばれる場所。そこは日々世界中から電子ゴミが集められる場所で、中国各地からやってきた〝ゴミ人〟と呼ばれる最下層民たちが価値のある部品を抽出して生計を立てている。そこへ、リサイクル技術の大手企業の経営コンサルタントがやってきて、当地で莫大な利益をあげていた御三家の利権構造に切り込み、抗争が勃発していく。同時に、ゴミ人である米米《ミーミー》と企業の通訳としてやってきた陳開宗《チェン・カイゾン》の恋愛譚、最下層民と支配者層の戦いといった複数のプロットが走っており、息つく暇もなく楽しませてくれる。著者はGoogleや百度《バイドゥ》での勤務経験もあり、未来の技術描写の解像度が高いのも魅力。

BEST SF 2020

第10位 となりのヨンヒさん

チョン・ソヨン／吉川凪＝【訳】
集英社

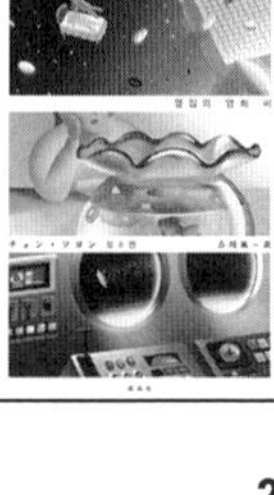

SF的に増幅されゆく日常のさりげない違和韓国注目の女性作家が描く珠玉の短篇集

タイトルだけだとラブロマンス系の作品にしか思えないが、本作は韓国注目の女性作家であるチョン・ソヨンによるSF・幻想系の短篇集である。日常の風景やさりげない違和感がSF的事象の介在によって増幅されていく丁寧な短篇が揃っていて、文学寄りのSFかと思いきや狭義のSF作品も多数収録されている。

たとえば、並行世界に自由に移動し、そこから元の世界が持っていない技術や治療法を持ち帰る仕事に従事する職員が、自殺をすることのなかったティプトリー・Jr.と邂逅する「アリスとのティータイム」。人間に擬態できるエイリアンが人間社会に溶け込む際の苦闘が描かれていく（人間よりも何十倍も長生きなので、普通に生きているとバレる、人間の女性との友人関係など）「養子縁組」。決して理系し得ない異質な存在同志が、それでも手を取り合える可能性についての物語である表題作。地球が戦争によって壊滅的な打撃を受け、火星に移住し長らく会うことのなかった姉と再開する「帰宅」など、異なる文化や認識のもと育った者同士の接触が無数に描かれていく。

朝鮮戦争や過酷な競争社会の側面など、韓国の歴史や文化が各短篇の中に織り込まれているのも韓国作家ならではの作品として楽しませてくれる。

BEST SF 2020

第11位 茶匠と探偵

アリエット・ド・ボダール／大島 豊＝【訳】
竹書房

中国、ベトナム、儒教にお茶 独自の価値観が輝く短篇集

現実とは異なる歴史をたどって、中国やベトナムの文化・価値観が支配的になった〈シュヤ〉宇宙に属する短篇を集めた日本オリジナル短篇集。著者アリエット・ド・ボダールは本としてはこれが初めての邦訳作だが、ネビュラ賞や英国SF協会賞など多数の受賞歴のある作家である。人類が宇宙に広がっていった後の世界を描くものが多く、スペース・オペラに属する作品といえる。が、輪廻転生観であったり儒教的な価値観、深宇宙と呼ばれる空間へ現実感覚を失わずに行くためには茶匠が特別に調合したお茶が必要とする設定があるなど、アジア的価値観が全面に押し出されていて、新しい手触りを感じさせてくれる。この異様な世界観に加えて、詩情豊かに複雑な感情を伝えてくる文体は、スミスの《人類補完機構》を彷彿とさせる。

BEST SF 2020

第12位 メアリ・ジキルとマッド・サイエンティストの娘たち

シオドラ・ゴス／鈴木 潤・他＝【訳】
新☆ハヤカワ・SF・シリーズ

ヴィクトリア朝を舞台に あのキャラの娘たちが大暴れ

ローカス賞受賞の本作は、フランケンシュタインの娘やジキル博士の娘、シャーロック・ホームズにワトスンに……と多数の著名キャラクターが登場してヴィクトリア朝時代のロンドンを舞台に展開するSF冒険譚である。五人のマッド・サイエンティストの娘たちが出てくるのだけれども、みな自身の親の実験体になっており、〝怪物〟と周囲の人々から白い目でみられて――と過酷な境遇がある。しかし、そんな彼女たちがとある事件を通して繋がりを持ち、価値観も考え方もバラバラだったのが一つのチームとしてまとまっていくのがたいへんにエモい。丁寧に作風やキャラクター性を受け継いでいく原典への気配りをした上で、それをどう家族の、歴史の、科学の物語として発展させるのか、という手つきの良さがずば抜けている。

BEST SF 2020

第13位 誓願

マーガレット・アトウッド／鴻巣友季子＝【訳】
早川書房

あの『侍女の物語』から 三十五年を経た続篇

ディストピアSFの金字塔『侍女の物語』の三十五年越しの続篇。前作はアメリカがキリスト教原理主義勢力によって作り直され、健康な女性が子供を産むためだけの存在として支配者層にあてがわれる状況を描き出した。『誓願』では、その十五年後を舞台に、カナダの古着屋の娘、ギレアデの司令官の娘として特権階級に属する少女、強大な権力を持つ侍女たちの指導者と、別々の階層・立場に属する三人の視点からギレアデを批判的に検討し、その内実を解剖してみせる。嘆きと悲しみによって構成されていた前作から、奪われた知と立場を取り戻す戦いへと物語の雰囲気は大きく変わったが、これこそ現代に求められている物語といえる。社会の対立が深まるばかりの昨今、『侍女』と『誓願』が持つ意味はより増している。

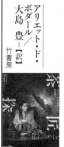

BEST SF 2020

第14位 バグダードのフランケンシュタイン

アフマド・サアダーウィー／柳谷あゆみ＝【訳】
集英社

フセイン政権打倒直後の悲劇をすくい取る幻想怪奇小説

現代のフランケンシュタイン譚ともいえる本作は、二〇〇五年頃のバグダードを舞台にした幻想・怪奇小説だ。当時のバグダードはフセイン政権が打倒された直後で、現政府勢力と旧政府勢力の争いに米軍が関わるカオスな状態。至るところで爆破テロが起こり、市民の生活はめちゃくちゃだ。そんなある日、古物商のハーディがテロの犠牲となった友人の体を、形だけでも落ちているパーツを拾い集めて整えてやったところ、そこに別の人間の霊が入り込み「名無しさん」として動き出す。街の被害者の体によって構成された名無しさんは、体たちの憎しみを一身に受け、復讐のためにバグダードを駆け回ることになる。イラク国民の多層的な構成要素から成る名無しさんを通して、バグダードの悲劇、物語を丁寧にすくい取ってみせた作品だ。

BEST SF 2020

第15位 キャプテン・フューチャー最初の事件

アレン・スティール／中村 融＝【訳】
創元SF文庫

スペオペの代表シリーズを現代版にリブートした快作

スペース・オペラを代表するシリーズ《キャプテン・フューチャー》を、そのオマージュ作でヒューゴー賞受賞のアレン・スティールが現代版にアップデートしリブートしたのが本作である。舞台となるのは地球の資源が枯渇して住むことができなくなり、火星やガニメデに広がっていった二十四世紀。登場人物の基本的な設定は同じだが、後のキャプテン・フューチャーであるカーティス・ニュートンの最初の目的が親の仇を殺すことであったり、展開はほぼオリジナル。太陽系を巻き込んだテロ事件を解決する合間にカーティスと仲間たちの過去が明かされていき、リーダー不在だったこの時代に、新たな英雄が誕生するまでの過程を描き出していく。宇宙活劇であるスペース・オペラの原初的な楽しさをいまあらためて思い起こさせてくれる快作だ。

BEST SF 2020

第16位 タボリンの鱗 竜のグリオールシリーズ短篇集

ルーシャス・シェパード／内田昌之＝【訳】
竹書房文庫

島のごとき巨大な伝説の竜をめぐる「その後」の物語

『竜のグリオールに絵を描いた男』の続篇となる、表題作と「スカル」の二篇を収録した中篇集。どちらも前作で伝説の竜グリオールが殺された後の話で、表題作の方では、死んだはずのグリオールの影響力の大きさが語られていく。千年に一度しか脈を打たない生物が死んだとどう判断したらいいのか、仮に死んだとしても、その精神は大地と一体化しているのではないか、など恐怖は絶えない。そんなある時、グリオールの鱗を触っていた男と娼婦がグリオールが健在だった時代へとタイムスリップしてしまう。「スカル」はさらに後の時代を舞台に、依然としてグリオールが人々の精神を操っていると言われる社会における政治劇がグリオールの再生の物語と並行して展開しており、短篇ごとにまったく違った方向性で魅せてくれる。

第17位

鳥の歌いまは絶え

ケイト・ウィルヘルム／酒匂真理子＝【訳】

創元SF文庫

名作ディストピアSF待望の復刻版

一九八二年にサンリオSF文庫から刊行されたケイト・ウィルヘルムの代表作の復刊版。原書が刊行された七六年の、冷戦下の恐怖を反映した核実験による環境破壊で、疾病、干ばつや不妊が蔓延した人類の姿を描き出していく。窮地を脱するために研究されたクローンたちは、意思疎通能力を有しており、人類に対して反逆をたくらみはじめていた……というのが物語の第一部。本作は三部構成で、第二部では女性がクローンのための生殖員として活用されているディストピア的な状況が描かれていくなど、文明の状況と物語の魅力がどんどん切り替わっていくのがおもしろい。

第18位

アンドロメダ病原体―変異―〔上・下〕

マイクル・クライトン&ダニエル・H・ウィルソン／酒井昭伸＝【訳】

早川書房

クライトンの名作を引き継いだ正統続篇

宇宙空間から採取した微生物が地球にて人類に感染、致死的な影響を引き起こしていく様を、報告書という客観的資料のスタイルで描き出した、マイクル・クライトン『アンドロメダ病原体』。これを、ダニエル・H・ウィルソンが引き継いだ続篇が本作である。前作の五十年後を舞台にかつての病原体が変異して現れたという状況から物語は幕をあける。この病原体は異種知性由来のものでは？　という起源についての問答だけでなく、存在しているはずの異種知性を我々はなぜ見つけられないのか、というフェルミのパラドックス問題まで絡め、SFとして前作よりもさらに飛躍させている。

第19位

空のあらゆる鳥を

チャーリー・ジェーン・アンダーズ／市田　泉＝【訳】

創元海外SF叢書

魔法使いと科学オタクの出会いが生む危機

ネビュラ賞長篇部門、ローカス賞ファンタジイ長篇部門受賞、ヒューゴー賞ファイナリストと高い世評の本作では、ファンタジイとサイエンスの出会いと融合を描く。動物の声を聞いて話すこともできる魔法使いの少女と、科学オタクで二秒だけ未来に飛ぶことのできるタイムマシンを幼少期に作り上げた少年。運命的な出会いと青春を通して、魔法界と科学界の対立、気候変動による地球の危機が描かれていく。魔法と科学、価値体系はまるで違えど世界を一変させるほどの巨大な力を持つ者の責任とは、といったテーマや苦悩は共通していて、二人の青春と合わせて楽しませてくれる。

第20位

サイバー・ショーグン・レボリューション

ピーター・トライアス／中原尚哉＝【訳】

新☆ハヤカワ・SF・シリーズ／ハヤカワ文庫SF

改変歴史×謀略×メカ人気シリーズ完結篇

第二次世界大戦で枢軸側が勝利し、日本合衆国が爆誕。しかもメカと呼ばれる巨大人型ロボット部隊を生み出していた――というキャッチーな設定で話題になった『ユナイテッド・ステイツ・オブ・ジャパン』から始まる三部作が本作にて完結。大日本帝国で発生する、政権打倒を目論む秘密組織〈戦争の息子たち〉による革命を描き出す本作は、二〇一九年頃を舞台にして、一作目を彷彿とさせる国家的な謀略・政治劇、二作目の『メカ・サムライ・エンパイア』的な迫真のメカ、サイボーグ・バトルを随所に入れ込んで発展させた、完結篇にふさわしいスケールの作品に仕上がっている。

BEST SF 2020

第20位 時間旅行者のキャンディボックス

ケイト・マスカレナス／茂木 健＝【訳】

創元SF文庫

時間旅行が一般的になった世界での病理とは

著者のデビュー作である本作は、時間旅行が一般的になった世界における精神的な病理を暴き出す時間SFだ。普通は時間を移動して何をなすのかが重要になるが、本作の場合は時間旅行を繰り返すことで起こる精神・価値観の変容が重点的に描かれていく。人の死を何度も体験することで死生観がめちゃくちゃになる、記憶の時間軸がぐちゃぐちゃになるといった問題がこと細かに描かれていく。あらかじめ知っていた出来事を実際に体験することを〈完了体験〉と名付けていたり、細かな用語・定義付けがなされているのも時間旅行が一般化した世界の表現としておもしろい。

第22位 現想と幻実 ル＝グウィン短篇選集

アーシュラ・K・ル＝グウィン／大久保ゆう、小磯洋光、中村仁美＝【訳】 青土社

著者の自選短篇集をもとにして、未邦訳短篇を集めた一冊。リアルか幻想寄りの作品が多いが、代表作である『闇の左手』が属する《ハイニッシュ・ユニヴァース》の一部をなす「背き続けて」が収録されているので読み逃さないように。

第23位 最後の竜殺し

ジャスパー・フォード／ないとうふみこ＝【訳】 竹書房文庫

科学の発展とともに魔法の力が弱まった世界を描き出すファンタジイ。最後のドラゴンも近日死を迎えるとみられているが、ドラゴンの住まう土地の権利を得ようと人間が醜い争いを繰り広げる。リリカルな文体と設定の詰めが素晴らしい。

第24位 ナインフォックスの覚醒

ユーン・ハ・リー／赤尾秀子＝【訳】 創元SF文庫

数学と暦に基づき、物理法則を超越した科学体系「暦法」を操る星間専制国家六連合と「異端」の戦いを描き出していくスペースオペラ。膨大な設定、東アジアの文化を背景にしている国家描写、魔術とSFの混合など読みどころは多い。

第25位 量子魔術師

デレク・クンスケン／金子 司＝【訳】 ハヤカワ文庫SF

遙かな未来、魔術師と呼ばれる腕を持つ詐欺師のもとに、厳重な警備によって守られた敵国のワームホール・ゲートに艦隊を通してほしいと依頼がくる。そこから詐欺師は仲間を集めるのだが――SF版「オーシャンズ11」ともいえる作品。

第26位 フレドリック・ブラウンSF短編全集2 すべての善きベムが

フレドリック・ブラウン／安原和見＝【訳】 東京創元社

執筆順に短篇を収録する全集の第二巻。二つの文明から代表選手が選出され、種の存亡をかけて雌雄を決する「闘技場」、宇宙の星々が一斉に動き出した不可解な状況を描き出す「夜空は大混乱」など十五篇を収録。我々にはブラウンが必要だ。

第27位 鉤十字の夜

キャサリン・バーデキン／日吉信貴＝【訳】 水声社

ナチス・ドイツと日本が世界を支配しヒトラーが神として崇拝される世界を舞台にした古典的ディストピアSF。ヒトラーがただの人間であることを示す歴史が、ある一族の間で脈々と受け継がれていて……と真実を知るものの決断が描かれる。

第28位 眠れる美女たち（上・下）

スティーヴン・キング＆オーウェン・キング／白石 朗＝【訳】 文藝春秋

女だけを眠りにつかせる疾病が蔓延した世界を描き出していく感染症SF。女性の権利を制限したい差別主義者らによるレイプや暴行などの暴挙やフェイクニュースの蔓延など、現代の混乱を写し取ったかのような狂騒が描き出される。

第29位 雲

エリック・マコーマック／柴田元幸＝【訳】 東京創元社

古本屋で手に入れた本を読むと、黒曜石のような雲についての記述があった。しかし、類似する気候の記録が見つからない……という冒頭から雲についての調査、主人公の過去にまつわる異常なエピソードが連続する幻惑的な幻想小説だ。

第30位 ダフォディルの花
ケネス・モリス幻想小説集

ケネス・モリス／館野浩美、中野善夫＝【訳】
国書刊行会

ル＝グウィンがトールキン、E・R・エディスンと並んでその文体を評価した著者による幻想小説。著者は神智学者であり、神話や、出身地であるウェールズの民話をベースに、あまりに美しい、歌うような文体で物語を綴っていく。

ランク外の注目作【海外篇】

アナリー・ニューイッツ『**タイムラインの殺人者**』（幹遙子訳／ハヤカワ文庫ＳＦ）は、数億年前から存在する五基のタイムマシンによって時間旅行が可能になった世界を舞台に、女性の権利侵害を望む歴史改変勢力と、それに対抗する人々の戦いが繰り広げられる時間ＳＦ。女性の権利問題に絡む時代の人々の思考や社会情勢を丹念に描き出しているのが魅力だ。時間ＳＦとしてはジョディ・テイラー『**歴史は不運の繰り返し　セント・メアリー歴史学研究所報告**』（田辺千幸／ハヤカワ文庫ＳＦ）も良い。時間旅行を歴史研究に用いる人たちの物語だが、第一次世界大戦に飛んだかと思えば白亜紀に飛ぶ、といったスピード感で、ラブロマンスとともに展開していく。時間ＳＦ好きは押さえておくべし。

『ガンメタル・ゴースト』のガレス・Ｌ・パウエルによる、二〇一八年の英国ＳＦ協会賞受賞作のスペースオペラ『**ウォーシップ・ガール**』（三角和代訳／創元ＳＦ文庫）も記憶に残った一冊。星間紛争中の事件でトラウマを負い、終戦後に軍を辞した重巡洋艦のＡＩ（自意識としては十四歳の少女）が主人公。その後彼女は人命救助団体に加わるのだが、敵を倒すために作られた彼女が人を救うために活動をするジレンマと、彼女を中心とした魅力的なキャラクターたちが最大の魅力。

ミリタリーＳＦの新シリーズとしては、異星人の攻撃によって人口の六割が死亡した地球を舞台に、小説家を志す心優しき少年が兵士として巻き込まれていく『**地球防衛戦線1　スカム襲来**』（金子浩訳／ハヤカワ文庫ＳＦ）が、幼馴染の女の子や兵士になってから出来た彼女との三角関係に巻き込まれていくロマンス展開と合わさって素晴らしかった。最初の三部作が完結済み。リチャード・フォックス『**鉄の竜騎兵　新兵選抜試験、開始**』（置田房子訳／ハヤカワ文庫ＳＦ）は装甲機動兵物で『機龍警察』的な魅力を感じさせてくれた。ニック・ウェブ『**伝説の艦隊1　〈コンスティテューション〉**』（置田房子訳／ハヤカワ文庫ＳＦ）は『バトルスター・ギャラクティカ』的な導入でどストレートなミリタリーＳＦのおもしろさを堪能させてくれた。

文学系としては、予知能力者の少女の人生を主軸に、一九九〇年代から環境破壊により終末を迎えつつある地球に変貌した二〇四三年までを追うデイヴィッド・ミッチェル『**ボーン・クロックス**』（北川依子訳／早川書房）。地上で最後の一人になった女性による狂気の内面世界を描いたデイヴィッド・マークソン『**ウィトゲンシュタインの愛人**』（木原善彦訳／国書刊行会）も素晴らしかった。

Message

海外篇第１位『息吹』著者
テッド・チャンからのメッセージ

I am delighted that Exhalation has been so well received in Japan. We often turn to art for comfort in difficult times; I hope my book has provided Japanese readers with some relief from the troubling events of 2020. I have loved Japan every time I have visited, and I hope to be able to return before too long.

–Ted Chiang

『息吹』が日本でこれほどの好評を得たことをうれしく思います。困難な時代にあって、人間はしばしば芸術に慰めを求めるものですが、日本の読者にとって、わたしの本が、2020年のつらい出来事をひとときでも忘れさせる気晴らしになったのなら、著者として望外の喜びです。わたしは日本を訪れるたびに日本のことが好きになりました。そう遠くないうちに、また日本を訪問できることを祈っています。

テッド・チャン
（大森望訳）

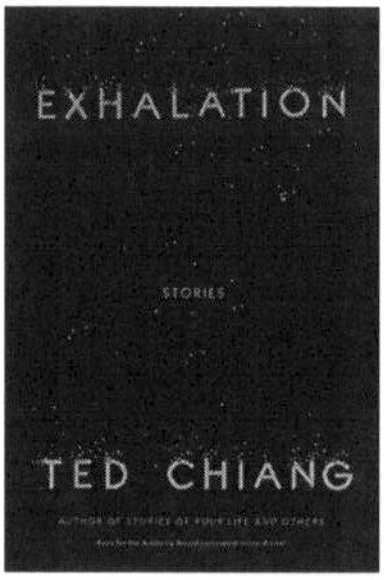

『息吹』原書の *Exhalation*

●テッド・チャン　Ted Chiang

1967年、ニューヨーク州ポート・ジェファーソン生まれ。ブラウン大学でコンピュータ・サイエンスを専攻。1990年に発表したデビュー作「バビロンの塔」がネビュラ賞を受賞。その後、ヒューゴー賞を「地獄とは神の不在なり」「商人と錬金術師の門」「息吹」「ソフトウェア・オブジェクトのライフサイクル」で４度受賞。現代ＳＦ界を代表する作家である。代表作「あなたの人生の物語」は、2016年にドゥニ・ヴィルヌーヴ監督により映画化され（映画化名「メッセージ」）、原作者チャンの名はジャンル・国を越えて世界中に広まった。

息吹

テッド・チャン

大森 望訳

第一短篇集『あなたの人生の物語』から十七年ぶりの刊行となる最新作品集。人間がひとりも出てこない世界、その世界の秘密を探求する科学者の、驚異の物語を描く表題作「息吹」、『千夜一夜物語』の枠組みを使い、科学的にあり得るタイムトラベルを描いた「商人と錬金術師の門」、「ソフトウェア・オブジェクトのライフサイクル」をはじめ、タイムトラベル、AIの未来、量子論、自由意志、創造説など、科学・思想・文学の最新の知見を取り入れた珠玉の九篇を収録。

装幀:水戸部功
本体価格◎1900円

【収録作】
商人と錬金術師の門／息吹／予期される未来／ソフトウェア・オブジェクトのライフサイクル／デイシー式全自動ナニー／偽りのない事実、偽りのない気持ち／大いなる沈黙／オムファロス／不安は自由のめまい

早川書房

マイ・ベスト5　国内篇

全アンケート回答90名
（回答者50音順）

SF界で活躍する作家・評論家・翻訳家の方々に、2020年度（2019年11月〜2020年10月）の新作SFから、印象に残った国内作品5点を選んでもらいました。

掲載作品については、174ページからの「2020年度SF関連書籍目録」に書誌情報の記載があります。また、右記の期間外の作品については、※印をつけ集計の対象外としました。

縣　丈弘　レビュアー

①『約束の果て　黒と紫の国』高丘哲次
②『アメリカン・ブッダ』柴田勝家
③『暗闇にレンズ』高山羽根子
④『ボクは再生数、ボクは死』石川博品（角川書店）
⑤『ワン・モア・ヌーク』藤井太洋

①繊細かつ大胆な構成で中華風偽史を描いたこれぞ日本ファンタジーノベル大賞受賞作といいたくなる傑作。②各篇アイディアが凝縮されており、長篇よりも興味深く読んだ。表題作が素晴らしい。③著者の作品で最もSF度が高いが、あくまで高山小説の手触りは失われない。過去と現代二つのパートの交錯が大変スリリング。④近未来のVRをテーマにしたピカレスク。今どきのサイバーパンクとして楽しんだ。⑤東京を舞台に核テロを描いた至近未来小説だが、テクノスリラーとしての完成度が大変高い。

秋山　完　作家

●『抵抗都市』佐々木譲
●『幻綺行　完全版』横田順彌／日下三蔵＝編
●『このぬくもりを君と呼ぶんだ』悠木りん
●『100文字SF』北野勇作
●『アメリカン・ブッダ』柴田勝家

〝コロナ禍〟は世界を変えた。東京五輪がワクチン無しで決行されたと仮定すれば、巨大かつリスキーな疫学上の実験となる。ぞっとするほどSF的。目に見えない死神が着々と人類を殺しているのに、そのリアルさが何者かの意図で薄められる恐怖。個人と個人、人と社会、生者と死者、それらの関係性と〝距離感〟が変質し、人間の本性があぶり出される。きっとSFも変化する。そんなことを思いつつ、カクヨムサイトなどに書いていきます。

天野護堂　SF愛好家

①『抵抗都市』佐々木譲
②『絶対猫から動かない』新井素子
③『タイタン』野﨑まど
④『デス・レター』山田正紀
⑤《SCIS　科学犯罪捜査班》中村啓（光文社）

新型コロナウイルス感染症で、重苦しい雰囲気な中、唯一無二の心の支えは小説に没頭する事でした。御陰様で何とか正常な精神状態を保つ事が出来ました。作家の皆様、どうもありがとうございます。他に気になった作品として、『ワン・モア・ヌーク』、『機巧のイヴ 帝都浪漫篇』、『錬金術師の密室』、『彼女は弊社の泥酔ヒロイン』、『宇宙船の落ちた町』、『現代マンガ選集 異形の未来』、『月の落とし子』、『宇宙からの帰還 望郷者たち』、『白銀の墟 玄の月 第三巻／第四巻』、『EYES 廃物件捜査班』、『覇界王～ガオガイガー対ベターマン 中巻』、『西遊妖猿伝 西域編 火焔山の章1』、『ベストSF2020』、『幻綺行 完全版』、『オクトローグ 西島伝法作品集成』、『日本SFの臨界点［恋愛篇・怪奇篇］』、『罪人の選択』、『約束の果て 黒と紫の国』、『不可視都市』、などなど。いや～SFって本当に素晴らしいですね！

池澤春菜
声優・書評家

① 『歓喜の歌 博物館惑星Ⅲ』菅浩江
② 《星系出雲の兵站》林譲治
③ 『日本SFの臨界点［恋愛篇・怪奇篇］』伴名練＝編
④ 『ホテル・アルカディア』石川宗生
⑤ 『アメリカン・ブッダ』柴田勝家

博物館惑星の最後、あの鳥肌のたつような昇華はSFを読んできて良かったと思える美しさだった。星系出雲はとても林さんらしい描き方（時折挟まれる意地悪さったら、もう）、個性溢れるキャラクターたちが好き。伴名練はSFの神様が連れてきて下さった賜物だと思う。『ホテル・アルカディア』の日本文学の枠を軽々越えていく綺想!! 柴田勝家もやがて世界に読まれる作家になるはず。日本SFの未来は豊かです。

石和義之
SF評論家

● 『日没』桐野夏生
● 『ワン・モア・ヌーク』藤井太洋
● 『2010年代SF傑作選（1・2）』大森望・伴名練＝編
● 『死神の棋譜』奥泉光（新潮社）
● 『金閣を焼かなければならぬ』内海健（河出書房新社）

コロナ禍で存在感が薄くなってしまったが、今年は「東京オリンピック」と「三島由紀夫没後五十年」が時代の二つ表情というものであった。虚ろな祭りの共同体と美学の不在への激しい苛立ち。文学の言葉は三島が感受した以上の文化の崩壊現象に向き合っている。『日没』はその現象への直截な反応のようだ。均一社会に飲み込まれない新しい自主的結社の創設が望まれる。引き籠り部屋での怠惰な安眠を許されない状況に追い込まれている。

いするぎりょうこ
SF＆ファンタジー・ファン

① 『オクトローグ 西島伝法作品集成』西島伝法
② 『オーラリメイカー』春暮康一
③ 《辺境の老騎士》支援BIS
④ 『白銀の墟《おか》 玄《くろ》の月』小野不由美
⑤ 『ピュア』小野美由紀

リアルワールドは地球人類すべてを当事者とするパンデミックSFに変じ、新型コロナ以前の普通を描いた小説がファンタジーとも読めてしまう。西島伝法は生理的嫌悪が愛おしさに変わる瞬間が堪らないのだが、「彗星狩り」の美しく硬質な味わいも好き。『オーラリ…』は壮大なヴィジョンを納得のいく形で見せてくれる、好みのハードSFで嬉しい。他に、蟻愛溢れる筆致が楽しい村上貴弘『アリ語で寝言を言いました』の、すぐそこにある異質な生命体の異質な世界がとってもSF。

礒部剛喜
UFO現象学者

① 『Genesis 白昼夢通信』水見稜・他
② 『堕地獄仏法／公共伏魔殿』筒井康隆／日下三蔵＝編
③ 『永遠の夏をあとに』雪乃紗衣（東京創元社）
④ 『ティンカー・ベル殺し』小林泰三

⑤『デス・レター』山田正紀
　文明批評はSFの初期の機能ではあるが、未曾有のコロナウイルスのパンデミックのなかで、小松左京さんの『復活の日』が再評価されたことを鑑みれば、小松左京SFのすべて見られる人類とその文明の評価というテーマが再考されるべき時代が来たように思われる。SFの原点への回帰として、（すべてが文明批評につながっているわけではないが）この五作品を評価したい。

市田 泉
翻訳家

①『ホテル・アルカディア』石川宗生
②『暗闇にレンズ』高山羽根子
③『ピエタとトランジ〈完全版〉』藤野可織
④『オクトローグ　西島伝法作品集成』西島伝法
⑤『未知の鳥類がやってくるまで』西崎憲

　①各短篇の面白さもさることながら、ふつうの枠物語とは異なる、枠部分のややこしさに翻弄される感じが実に楽しかった。②今年は高山羽根子の著作が三冊も読めて幸せだった。わけても本作は登場する女性たちの強さが深く心に残った。③は元になる短篇を読んだときから首を長くして刊行を待っていた。友情が爽快。④に収録された「橡《つるばみ》」と⑤の表題作は、今年読んだ短篇の中でもとりわけ忘れがたい。

岩郷重力
SF・ミステリ畑デザイナー

●『四畳半タイムマシンブルース』上田誠＝原案／森見登美彦
●『デス・レター』山田正紀
●『その果てを知らず』眉村卓
●『歓喜の歌　博物館惑星Ⅲ』菅浩江
●『アメリカン・ブッダ』柴田勝家

卯月 鮎
書評家・ゲームコラムニスト

●『ホテル・アルカディア』石川宗生
●『暗闇にレンズ』高山羽根子
●『人間たちの話』柞刈湯葉
●『未知の鳥類がやってくるまで』西崎憲
●『帝国』花村萬月

『ホテル・アルカディア』は、物語の迷宮に閉じ込められて出られない至福。『暗闇にレンズ』は、レンズを武器にした巫女たちのサーガ。光は暴力でもあり、希望でもある。『人間たちの話』は、つまるところ人間たちの話。人間の冬も笑い飛ばせば温まる。『未知の鳥類が～』は、不可思議と不穏の薄布を重ねたドレスを着たアリスになった気分。『帝国』は、破天荒な発想と卑屈すぎる皇帝のギャップがクセになる。

榎本 秋
著述業

①『銀河英雄伝説列伝1　晴れあがる銀河』田中芳樹＝監修
②『王の祭り』小川英子
③『辺境の老騎士　Ｖ　バルド・ローエンと始祖王の遺産』支援BIS
④『火狩りの王〈四〉　星ノ火』日向理恵子
⑤『抵抗都市』佐々木譲

　一位は「実力者揃いの執筆陣による銀河英雄伝説のアンソロジー」という、往年のファンにも新アニメから入ったファンにも新たな発見がある企画。二位は綿密な世界観のファンタジー。三位は「小説家になろう」発の、世界設定からストーリーのロジックからしっかり作り込まれた作品の完結篇。四位は新進気鋭の作家による大河ファンタジイで、最後の五位には歴史改変ものとしてリアリティが抜群な作品を挙げさせていただいた。

海老原豊
SF評論家

●『人間たちの話』柞刈湯葉
●『ピュア』小野美由紀
●『タイタン』野﨑まど
●『枝角の冠』琴柱遥
●『日本SFの臨界点［恋愛篇・怪奇篇］』伴名練＝編

気付けば短篇集ばかりなり……。

大倉貴之
書評家

①『首里の馬』高山羽根子
②『丸ノ内魔法少女ミラクリーナ』村田沙耶香
③『ベストSF2020』大森望＝編
④『Genesis　されど星は流れる』堀晃・他
⑤『大江戸火龍改』夢枕獏

　創元日本SFアンソロジー『Genesis　されど星は流れる』に収録の堀晃「循環」は時の流れを静かな筆致で描いた沁みる中篇。眉村卓の遺作『その果てを知らず』は、哀しくて読み終えることができなかった。小林泰三氏の訃報に大きな喪失感を感じている。

大阪大学SF研究会
大学サークル

①『タイタン』野﨑まど
②『アメリカン・ブッダ』柴田勝家
③『ツインスター・サイクロン・ランナウェイ』小川一水
④『100文字SF』北野勇作
⑤『日本SFの臨界点［恋愛篇・怪奇篇］』伴名練＝編

　本年は二〇二〇年という区切りの年であったこともあり、一〇年代、ひいては二十一世紀突入以降の総括としての傑作選などが多く見られた印象がある。また、伴名練編の『日本SFの臨界点』に代表されるような独特な切り口の短篇集なども見られ、より多彩な観点から作品を楽しめるようになった。

大野典宏
会社経営

①《星系出雲の兵站》林譲治
②『暗闇にレンズ』高山羽根子
③『歓喜の歌　博物館惑星Ⅲ』菅浩江
④『タイタン』野﨑まど
⑤『日本怪奇実話集　亡者会』東雅夫＝編

　壮大なシリーズの終わり、感動的なシリーズの続刊。期待を大きく上回ると嬉しいものです。

大野万紀
SF翻訳家・書評家

①『人間たちの話』柞刈湯葉
②《星系出雲の兵站》林譲治
③『オクトローグ　酉島伝法作品集成』酉島伝法
④『ツインスター・サイクロン・ランナウェイ』小川一水
⑤『7分間SF』草上仁

　『人間たちの話』がいい。これがSFだといえるような傑作短篇がそろっている。完結した『星系出雲の兵站―遠征―』では異星人との戦争は背景に退き、宇宙における知的生命の恐るべき悲劇を描く本格SFとなった。『オクトローグ』は作者の初短篇集で異形の生き物たちがそれに相応しい言葉で描かれている。小川一水の長篇は軽やかに描かれたスピード感溢れる宇宙SF。草上仁の短篇集はどの作品も見事としかいいようがない。

大森　望
SF業

①『白銀の墟　玄の月（三・四）』小野不由美
②《星系出雲の兵站》林譲治
③『暗闇にレンズ』高山羽根子
④『オクトローグ　酉島伝法作品集成』酉島伝法
⑤『約束の果て　黒と紫の国』高丘哲次

　《十二国記》十八年ぶりの新作長篇（の後半）が出て、『魔性の子』から始まった二十八年間の長い旅がついに目的地にたどりついた。徹底的に理詰めで構築されたこの世界がこれだけ大きな支持を得たことはSFが持つ潜在的可能性の証拠だと思う。②は、全九冊のシリーズが完結。後半、まさかの本格SF展開が連続する。⑤は日本ファンタジーノベル大賞受賞のデビュー作。自ら〝日本SF第七世代〟を名乗る著者の今後に大いに期待したい。

岡田靖史
飲食店店主

①《星系出雲の兵站》林譲治

②『アメリカン・ブッダ』柴田勝家
③『歓喜の歌　博物館惑星Ⅲ』菅浩江
④『暗闇にレンズ』高山羽根子
⑤『ワン・モア・ヌーク』藤井太洋

一位はめでたく完結。ミリタリーSFとしてでもあるが異星文化学作品としても名作。二位は民俗学SFというジャンルを確とした。三位は安定ながら次々繰り出されるアイデアに酔う。四位は高山氏はほかにもあったが今年はこれが一番キタ。五位はいつもながら少し先の未来を怖さとリアリティで描ききる筆者に脱帽。ほかに上位にあげられなかったが新人ベテランを問わず多様なイメージを喚起させてくれる作品に恵まれた一年だった。『オーラリメイカー』『天象の檻』『機巧のイヴ　帝都浪漫篇』『ポロック生命体』『ピエタとトランジ』『ホテル・アルカディア』『すべて名もなき未来』『オクトローグ』『楽園とは探偵の不在なり』『SIGNAL』『記憶翻訳者』など順不同。

岡本俊弥

SFブックレビュアー

●『抵抗都市』佐々木譲
●《星系出雲の兵站》林譲治
●『オクトローグ　西島伝法作品集成』西島伝法
●『日本SFの臨界点［恋愛篇・怪奇篇］』伴名練＝編
●『暗闇にレンズ』高山羽根子

今年は女性を主体に描くSFが多く書かれたが、代表として高山羽根子を選ぶ。芥川賞受賞作よりも作者らしい作品といえる。ベテラン佐々木譲の歴史改変もの、林譲治の宇宙もの大作、西島伝法のバラエティ豊かな短篇集、レア作品も含め丁寧に解説した伴名練アンソロジーと多様にセレクトしてみた。他では、復活した年刊SF傑作選『ベストSF2020』が嬉しい。別格として、眉村卓『その果てを知らず』を挙げたい。

小川一水

SF作家

①『ワン・モア・ヌーク』藤井太洋
②『タイタン』野﨑まど
③『人間たちの話』柞刈湯葉
④『黄色い夜』宮内悠介
⑤《星系出雲の兵站》林譲治

『ワン・モア・ヌーク』は優れた原子力科学小説であり、多国籍テロリズム小説だが、全篇を希望と善意で支え切ったことが、もっとも特徴的だった。この人は本当に甘い絶望に頼ろうとしない。『タイタン』は突き抜けた叡智を持つ巨人AIが、予想のはるか先まで歩を進めて行くのが魅力。『人間たちの話』『黄色い塔』は奇想が楽しく、また儚く、《星系出雲の兵站》は、異星人の異質な思考に長いあいだ唸らされた。結末は苦かったが。

岡和田晃

SF評論家／現代詩作家

●『イヴの末裔たちの明日　松崎有理短編集』松崎有理
●『ノトーリアス　グリン　ピース』田中さとみ（思潮社）
●『小さき者たち』粕谷知世
●『落ちていた青白い運命　倉田啓明探偵怪作撰』倉田啓明／片倉直弥＝編（書肆盛林堂）
●『ダークユールに贖いを』友野詳／グループSNE

『イヴの末裔たちの明日』は「図書新聞」二〇二〇年三月一四日号で評したが、底力のある松崎作品にSF界は向き合うべき。『ノトーリアス　グリン　ピース』は、空白の活かし方がSF詩を立ち上がらせている。ほかはファンタジイの深化、埋れ木発掘、マーダーミステリの傑作。その他、〈ナイトランド・クォータリー〉vol.19の図子慧「残像の女」や石神茉莉「I am lost」、vol.20の樺山三英「post script」、vol.21のフーゴ・ハル「失物之城　ピレネーの魔城・異聞」も力作。

忍澤勉

ライター

●『オクトローグ　西島伝法作品集成』西島伝法

●『黄色い夜』宮内悠介
●『ハッピーライフ』北大路公子
●『抵抗都市』佐々木譲
●『図書館の子』佐々木譲

SFの豊潤さを改めて感じる五冊。『オクトローグ』では短篇という形で異世界の極北を彷徨い、『黄色い夜』では熟練の感さえある書き手の術中に心地よくはまり込み、『ハッピーライフ』では日常に潜むスリリングな不可思議を堪能。さらに今年の収穫はベテランの作家がSF界へ本格的に参入したこと。『抵抗都市』に展開するロシアに支配された日本の情景の緻密さに驚愕し、『図書館の子』に詰まった時間SFも味わい深い。

尾之上浩司
怪獣小説翻訳家

①『その果てを知らず』眉村卓
②《星系出雲の兵站》林譲治
③『この素晴らしい世界に祝福を！17』暁なつめ（角川スニーカー文庫）
④『ウイルスVS人類』瀬名秀明・押谷仁・五箇公一・岡部信彦・河岡義裕・大曲貴夫・NHK取材班（文春新書）
⑤『彼女は弊社の泥酔ヒロイン』梶尾真治

このアンケートを書いているときも訃報が立て続けに流れてきて愕然としている。文章メディアに限らず昭和を彩っていた才人たちが身を引く時期になっているのだ。①はその代表格の一人、眉村氏の遺作。半自伝的な散文詩といった作品でベストではないが、最後の一冊を意識してこういう作品を遺されたことにしみじみとさせられた。読み逃しそうだったところに一声かけてくださったY先生に感謝。以下、ご機嫌なシリーズの完結篇など。

小山正
ミステリ研究家

①『暗闇にレンズ』高山羽根子
②『我々は、みな孤独である』貴志祐介
③『ワン・モア・ヌーク』藤井太洋
④『ポロック生命体』瀬名秀明
⑤『パンダ探偵』鳥飼否宇

『暗闇にレンズ』の作者はヴィジュアリストである。登場人物たちの存在感が抜群だし、凝った構成もすばらしい。でも、なんといっても圧巻なのは、映像世界の本質に迫る思索の深さ。虚構と事実が混然となりえる危うさや、被写体に容赦なく斬り込むカメラとレンズの破壊力を見事に描き出している。「うんうん、その通り！」と心底納得することしきりである。小説でありながら極めて映像的。脳髄を直接刺激する傑作だった。

片桐翔造
レビュアー

①『アメリカン・ブッダ』柴田勝家
②『キスギショウジ氏の生活と意見』草上仁／日下三蔵＝編
③『オーラリメイカー』春暮康一
④『透明人間は密室に潜む』阿津川辰海
⑤『ムシカ　鎮虫譜』井上真偽

香月祥宏
レビュアー

①『歓喜の歌　博物館惑星Ⅲ』菅浩江
②『暗闇にレンズ』高山羽根子
③『オクトローグ　酉島伝法作品集成』酉島伝法
④《星系出雲の兵站》林譲治
⑤『約束の果て　黒と紫の国』高丘哲次

SF的な想像力を存分に生かして〝美〟を見出す心の動きを描き出した①と、独特の抑えた筆致ながら刺激的な映像偽史小説②が今年度の双璧。ともに記録・記憶から再生・喚起されるものについての物語でもある。今年度は他にも傑作ぞろいで最後まで迷ったが、短篇集から著者のさまざまな魅力が詰まった③、長篇ではミリタリー×ファーストコンタクトSFの快作④、新人ながら巧みな構成と奔放なイメージで読ませる⑤を挙げておく。

勝山海百合
小説家

①『暗闇にレンズ』高山羽根子
②『未知の鳥類がやってくるまで』西崎憲
③『日没』桐野夏生

④『オクトローグ　西島伝法作品集成』西島伝法
⑤『ピエタとトランジ〈完全版〉』藤野可織

権力と暴力で表現の自由が脅かされたとき、諦めて黙る前には抵抗したいと『日没』を読んで思った。

鼎元亨
一介のSF者

●『ワン・モア・ヌーク』藤井太洋
●『２０１０年代ＳＦ傑作選（１・２）』大森望・伴名練＝編
●『首里の馬』高山羽根子
●『中国・ＳＦ・革命』河出書房新社
●『銀河英雄伝説列伝１　晴れあがる銀河』田中芳樹＝監修

「コロナ禍」という雲が眼から上を覆ってしまった日々。あまりの鬱陶しさに「コロナ下」と言い直したくなる。遠く異朝をとぶらへば『虐殺器官』を見るごとく、近く本朝をうかがふに『１９８４』国柱。とてもフィクションに遊べない心境だ。中国簡体ＳＦのブームもどうしても中国の経済、軍事に次ぐ文化覇権の一環とも見えてしまう。それゆえか、国内は過去から現代を撃つ視点の作品に目が留まる。先鋭を疎うのは歳のせいか。

川合康雄
SFアート研究家

①《星系出雲の兵站》林譲治
②『歓喜の歌　博物館惑星Ⅲ』菅浩江
③『ピュア』小野美由紀
④『アメリカン・ブッダ』柴田勝家
⑤『機巧のイヴ　帝都浪漫篇』乾緑郎

今年はあげたい作品が多すぎて本当に困った。藤井太洋の『ワン・モア・ヌーク』も捨てがたいし、みやざき文化村が発行した『生頼範義展　創作の軌跡と秘密を探る』は非売品ながら一読に値する。ぜひ研究書として出しなおしてほしい一冊だ。

川又千秋
作家

●『ティンカー・ベル殺し』小林泰三
●『おおきな森』古川日出男
●『小さき者たち』粕谷知世
●『日本怪奇実話集　亡者会／屍衣の花嫁』東雅夫＝編（創元推理文庫）
●『日本アニメ誕生』豊田有恒

巣ごもりの毎日、新刊より未読の大作に集中していたため、読み逃した傑作が多いはず。とりあえず、記憶に残ったタイトルをセレクトしてみました。

北原尚彦
作家・翻訳家

①『オクトローグ　西島伝法作品集成』西島伝法
②『暗闇にレンズ』高山羽根子
③『黄色い夜』宮内悠介
④『ワン・モア・ヌーク』藤井太洋
⑤『幻綺行　完全版』横田順彌／日下三蔵＝編

①はバラエティ豊かな短篇集。一気に西島伝法ワールドが広がりましたよ。②は映像一家（特に女性）の一代記なんだけど、それが一筋縄ではいかない。③非常にエキゾチックな異邦、しかも賭け事がテーマと、宮内氏の得意技がダブル。④はこの作者ならではのテーマ。ほんの近未来を描いたはずだったが、すっかり色々異なる時間線のＳＦに。⑤は横田さんの明治ＳＦ連作の完全版。横田さんのイマジネーションと優しさに溢れているねえ。

日下三蔵
SF研究家

①『日本ＳＦの臨界点［恋愛篇・怪奇篇］』伴名練＝編
②『アメリカン・ブッダ』柴田勝家
③『歓喜の歌　博物館惑星Ⅲ』菅浩江
④『ポロック生命体』瀬名秀明
⑤『その果てを知らず』眉村卓

今年も短篇集、連作短篇集を中心に収穫を選んでみた。特にハイレベルなアンソロジーの①は、作品そのものだけでなく、詳細な各篇解説からセレクトに至った理由まで想像することが出来て大満足。おそらく編者の次にこの二冊を楽しんだのは私だろうと思う。⑤は西島伝法『オクトローグ』の予定だったが、SF界の先達の業績に敬意を込めて。

草野原々
SF作家

①『おおきな森』古川日出男
②『オクトローグ　西島伝法作品集成』西島伝法
③『未来からの脱出』小林泰三
④『アノマロカリス解体新書』土屋健（ブックマン社）
⑤『惑星クローゼット』つばな（コミック）

①千両ある電車で海のない森の惑星を旅せよ。②世界は変容し蟲となる。③何が起こってるの？　ホワットダニットの末に「未来」が開く。④アノマロカリス、アノマロカリス、アノマロカリス。⑤世界をべりべりめくる感覚。

小谷真理
SF&ファンタジー評論家

①『ピュア』小野美由紀
②『萩尾望都　紡ぎつづけるマンガの世界　女子美での講義より』萩尾望都（ビジネス社）
③『人間たちの話』柞狩湯葉
④『100文字SF』北野勇作
⑤《ソナンと空人《そらんと》》沢村凛

地球上全てのミソジニストの神経を逆なでにするような百合怪物SF『ピュア』に痺れた。真性SF少女の萩尾さんと宇宙飛行士・山崎直子さんとの夢のSF対談を実現した②にも大興奮。③はラーメンの話に笑い、政治ツイートが乱舞する中で連射された④の洞察の深さに癒され、そして全てを忘れて読みふけった⑤と、コロナ下でもSF読書は充実してました。

齋藤隼飛
メディア編集者

①『首里の馬』高山羽根子
②『距離の嘘』藤井太洋（U-NEXT）
③『2010年代SF傑作選（1・2）』大森望・伴名練＝編
④『木になった亜沙』今村夏子
⑤『Genesis 白昼夢通信』水見稜・他

様々な出版社から優れたSF書籍が発売された一年でした。『中国・SF・革命』（河出書房新社）もよかった。〈SFマガジン〉の各特集も楽しませて頂きました。

堺 三保
文筆業

①『ワン・モア・ヌーク』藤井太洋
②『暗闇にレンズ』高山羽根子
③『この本を盗む者は』深緑野分
④《星系出雲の兵站》林譲治
⑤『裏世界ピクニック4　裏世界夜行』宮澤伊織

坂永雄一
会社員・SF系業

●『日本SFの臨界点［恋愛篇・怪奇篇］』伴名練＝編
●『暗闇にレンズ』高山羽根子

「月を買った御婦人」（新城カズマ）や「貂《てん》の女伯爵、万年城を攻略す」（谷口裕貴）が読みやすくなったのがめでたいです。

坂村 健
電脳建築家

①『人間たちの話』柞狩湯葉
②《星系出雲の兵站》林譲治
③『歓喜の歌　博物館惑星Ⅲ』菅浩江
④『ツインスター・サイクロン・ランナウェイ』小川一水
⑤『キッドの運命』中島京子

理系・文系のラベル貼りはうっとおしいとも思うが、一種の文化圏を形成しているのも事実。「理系あるある」を面白がる漫画はジャンルになっている。その意味でいうと『人間たちの話』の表題作は、理系大学人にはストーリーも主人公の内面も、いろいろな意味でほろ苦い。「たのしい超監視社会」は、共産主義に対する民主主義のシステム欠陥に危倶する例が増えた現代には笑えない喜劇。全篇通して、重層的な深読みができる作品群だ。

佐々木敦　元批評家

①『暗闇にレンズ』高山羽根子
②『オクトローグ　酉島伝法作品集成』酉島伝法
③『ホテル・アルカディア』石川宗生
④『100文字SF』北野勇作
⑤『百年と一日』柴崎友香（筑摩書房）

芥川賞受賞第一作がSF長篇だなんて、時代は本当に変わった。高山さんは勿論、酉島短篇集も石川変則長篇も北野ツイフィクションも、二十一世紀の日本語SFが奇想と言語と思弁の試行であることを如実に示している。柴崎友香の連作短篇集は伸縮し跳躍する「時間」がテーマの傑作。ますます「エスエフ」と「文学」が近接してきているのを感じる。

佐藤 大　脚本家

①『日本SFの臨界点［恋愛篇・怪奇篇］』伴名練＝編
②『ワン・モア・ヌーク』藤井太洋
③『アメリカン・ブッダ』柴田勝家
④『ホテル・アルカディア』石川宗生
⑤『サピエンス前戯　長編小説集』木下古栗

日本のSFが文字で描く物語だけでなく、空間や思考だけでも娯楽となることを教えてくれるような読書に心を奪われた一年でした。石川、木下両氏の持つパロディ的着想から物語を超える言葉の冒険を楽しみました。藤井氏の現実と併走する物語には、同時代SFの醍醐味。柴田氏の多様性を持つ視点の断片。伴名氏が選抜した様々な物語からは、あらためて日本SFの持つ強度を感じました。

三方行成　小説家

①『オクトローグ　酉島伝法作品集成』酉島伝法
②『2010年代SF傑作選（1・2）』大森望・伴名練＝編
③『日本SFの臨界点［怪奇篇］ちまみれ家族』伴名練＝編
④『オーラリメイカー』春暮康一
⑤『ホテル・アルカディア』石川宗生

『オクトローグ』は「ブロッコリー神殿」がよかったです。『臨界点』は谷口裕貴や田中哲弥、「雪女」「ぎゅうぎゅう」なにより「DECO-CHIN」がとても嬉しかったです。恋愛篇も読め。『2010年代SF傑作選』には傑作と拙作が収録されています。『オーラリメイカー』はうらやましい。『ホテル・アルカディア』はチママンダの話がよかったです。

志村弘之　SF読者

①『オーラリメイカー』春暮康一
②『暗闇にレンズ』高山羽根子
③《星系出雲の兵站》林譲治
④『日本SFの臨界点［恋愛篇・怪奇篇］』伴名練＝編
⑤『辺境の老騎士V　バルド・ローエンと始祖王の遺産』支援BIS

ゲンロンSFは『推しの三原則』も良かった。創元の『Genesis』はじめ短篇集はほかにも収穫が多かった。そして『7分間SF』『キスギショウジ氏の生活と意見』と、草上仁の短篇集も続いている。柞刈湯葉は『人間たちの話』。あと『四畳半タイムマシンブルース』はとても楽しかった。一方『ワン・モア・ヌーク』春には時宜を得た刊行だった。

下楠昌哉　英文学者

①『オクトローグ　酉島伝法作品集成』酉島伝法
②『未知の鳥類がやってくるまで』西崎憲
③『幻想小説とは何か　三島由紀夫怪異小品集』三島由紀夫／東雅夫＝編
④『アメリカン・ブッダ』柴田勝家
⑤『泉鏡花〈怪談会〉全集』東雅夫＝編

①テーマ、統語、文字、全てのレベルで幻

想文学の極北へと突っ走る。②王様だ、王様だ、この本には小さな王様がいっぱいだ。③東雅夫編集の文豪怪異小品集で、ついに幻想が前面に。「朝顔」まじ恐い。④「先生、オンライン飽きた」という声と、今年一番共鳴したのがこれ。⑤みんな、鏡花全集の『怪談會』序」の続きが読みたかった。

十三不塔
作家

①『アメリカン・ブッダ』柴田勝家
②『暗闇にレンズ』高山羽根子
③『タイタン』野﨑まど
④『日本SFの臨界点［恋愛篇・怪奇篇］』伴名練＝編

どれも面白く、またバラエティに富んでいたが、柴田勝家さんの『アメリカン・ブッダ』表題作と「邪義の壁」がそれぞれ強く印象に残りました。『暗闇にレンズ』には消化しきれない読後感があり、再読を促す力があります。窃視と暴力の不穏さにどんどん心が削られていく浸食度がヤバすぎてあえて二位にランクダウン。

水鏡子
SFロートル

①『オクトローグ　酉島伝法作品集成』酉島伝法
②『日本SFの臨界点［恋愛篇・怪奇篇］』伴名練＝編
③『歓喜の歌　博物館惑星Ⅲ』菅浩江
④『人間たちの話』柞刈湯葉
⑤《魔法科高校の劣等生》佐島勤（アスキー・メディアワークス電撃文庫）

「なろう」の里程標である⑤が、初掲載から十二年目で完結した。最終巻の翌月には社会人篇の続篇が刊行されたが、一応区切りということで。②は、趣味に淫した正統派アンソロジー。短篇SFの案内人を標榜する編者の面目躍如の快作。「黄金珊瑚」の収録には虚をつかれた。①は個別の作品集であるぶん、ある意味過去の二長篇よりも、通底する特異っぷりが高い密度で輻輳する。

鈴木力
ライター

①『国境のエミーリャ』池田邦彦（コミック）
②『日本SFの臨界点［恋愛篇・怪奇篇］』伴名練＝編
③『記憶翻訳者　いつか光になる』門田充宏
④『Genesis　されど星は流れる』堀晃・他
⑤『いまこそ「小松左京」を読み直す』宮崎哲弥

①は米ソ冷戦下の一九六〇年代を舞台に、資本主義国家と社会主義国家に分断された日本を描いた物語です。設定は平凡ですが料理の仕方が抜群に上手く、歴史改変SFとして出色。③は純粋な新刊ではないのですが、昨年『追憶の杜』がランク外だったことにビックリしたのであえて推します。このシリーズくらい現代を呼吸していて、かつSFとは縁遠い読者にも届く力を持った作品は稀だと思っています。

代島正樹
SFセミナースタッフ

①『日本SFの臨界点［恋愛篇・怪奇篇］』伴名練＝編
②『オクトローグ　酉島伝法作品集成』酉島伝法
③『幻綺行　完全版』横田順彌／日下三蔵＝編
④『幻想と怪奇』新紀元社
⑤『武部本一郎　画集Ⅰ〈美女〉／画集Ⅱ〈戦士〉』武部本一郎／大橋博之＝編（復刊ドットコム）

①共編の『2010年代SF傑作選』も含め、アンソロジスト伴名練の熱量が圧巻。編者の個性が全面に溢れるイメージにおいて、比肩するは『危険なヴィジョン』か。②遂に姿を現した異形を紡ぐ作品集。③竹書房が国内SF進出！　そのコンセプトが凝縮された本書を。年間傑作選開始も一大慶事。④〈幻想と怪奇〉の新たなる門出。⑤いつまでも色褪せぬ躍動と気品を新編集で。《SFショートストーリー傑作セレクション》第二期も快

進撃。

高島雄哉

小説家＋SF考証

①『星に仄めかされて』多和田葉子
②『ピエタとトランジ〈完全版〉』藤野可織
③『銀河英雄伝説列伝1　晴れあがる銀河』田中芳樹＝監修
④『サーストン万華鏡　人と数学の未来を見つめて』小島定吉・藤原耕二＝編（共立出版）
⑤『彼らは世界にはなればなれに立っている』太田愛

今のSFの豊かな多様性を広く捉える五作を。自作は選ばない方針なのだけれどアンソロジーということで『列伝1』——発売前重版出来と刊行三週間で四刷はSF全体の活況の証左に他ならない。『サーストン万華鏡』は幾何化予想の数学者ウィリアム・サーストンを複数著者が描き出す（アンソロジーは今年も豊作）。今がいわゆるSFの夏だとして、初夏なのか盛夏なのか。晩夏ではないことは自明だ。熱はさらに高まっている。

高槻真樹

SF評論・映画研究者

①『真鍋博の世界』愛媛県美術館
②『ワン・モア・ヌーク』藤井太洋
③『日本SFの臨界点［恋愛篇・怪奇篇］』伴名練＝編
④『人間たちの話』柞刈湯葉
⑤『約束の果て　黒と紫の国』高丘哲次

プロパー小説の健闘が光った年だが、①の充実ぶりは注目せざるを得ない。やはりSFにとって特別な人だった。②〜④は、プロパー作家が、外側に向けて可能性の広がりを提示したものと言える。特に時代の一瞬を描くはずが、永遠の現代にピン留めしてしまった②は衝撃的である。SF出身者がジャンル外で新たな可能性を見せた⑤にも注目したい。不完全さを謙虚に受け止める作風には、新たな可能性を感じる。

竹田人造

会社員

①『ワン・モア・ヌーク』藤井太洋
②『アメリカン・ブッダ』柴田勝家
③『日本SFの臨界点［怪奇篇］　ちまみれ家族』伴名練＝編
④『売国のテロル』穂波了
⑤『推しの三原則』進藤尚典

①社会性とエンタメ性を兼ね備えた作品。壮大ながらリアリティある物語。知識の格好良さを描く小技が光る。②印象に残ったのは「邪義の壁」。壁の分厚さが気にならない怖さ。ヒト夜ファンに嬉しい前日譚付き。③馬鹿げた発想を馬鹿で終わらせない作品が多く、笑いつつ怖い。④ジャンルのスイッチングがキレイに決まった作品。⑤同ジャンルで濾過されがちな泥（オタク）を見事に抽出。泥が輝いていた。脂汗で。

立原透耶

中華SF愛好家

●《星系出雲の兵站》林譲治
●『日本SFの臨界点［恋愛篇・怪奇篇］』伴名練＝編
●『歓喜の歌　博物館惑星Ⅲ』菅浩江
●『この本を盗む者は』深緑野分
●『銀河英雄伝説列伝1　晴れあがる銀河』田中芳樹＝監修

選ぶのに苦労するほど豊作な一年であった。惜しくも選抜漏れになった作品の多くは若手のものであったが、フレッシュな新人や若手がたくさん輩出されているという印象が強く、日本SFの豊かさを感じ取ることができた。

巽 孝之

SF批評家

①『人間たちの話』柞刈湯葉
②『有翼女神伝説の謎　蝦夷地に眠る古代シュメルの遺宝』荒巻義雄（小鳥遊書房）
③『中国・SF・革命』河出書房新社
④『火星の旅人　パーシヴァル・ローエルと世紀転換期アメリカ思想史』入江哲朗（青土社）
⑤『未来のコミューン　家、家族、共存のか

たち』中谷礼仁（インスクリプト）

注目の俊英・作刈湯葉は、どれを読んでもハズレがない。ウェルズからオーウェルに及ぶパロディからは、日本政府から米国Black Lives Matter運動にまで通じる「現在」の戯画が浮かび上がる。ノンフィクションを二作選んだのは、一方は現代SFの影の立役者を膨大な調査のもと説得力豊かに再評価し、他方は現代SFの正典作家オルダス・ハクスリーの世界観を斬新に再評価してみせた、ともに力作であるからだ。

田中すけきよ
フリーアーキビスト

●『くらげ色の蜜月』戸川昌子／日下三蔵＝編（竹書房文庫）

●『サメのアゴは飛び出し式　進化順に見る人体で表す動物図鑑』川崎悟司（SBビジュアル新書）

●『「侵攻小説」というプロパガンダ装置の誕生』深町悟（溪水社）

●『幻綺行　完全版』横田順彌／日下三蔵＝編

国内は全然読めていないので順不同で。竹書房の新装書《日本SF傑作シリーズ》《異色短編傑作シリーズ》は装丁に毎回楽しませていただきました。

田中 光
イラストレーター

●『キスギショウジ氏の生活と意見』草上仁／日下三蔵＝編

●『ベストSF2020』大森望＝編

●『日本SFの臨界点［恋愛篇・怪奇篇］』伴名練＝編

●『2010年代SF傑作選（1・2）』大森望・伴名練＝編

●『中国・SF・革命』河出書房新社

タニグチ リウイチ
書評家

①『不可視都市』高島雄哉

②『竜と祭礼　魔法杖職人の見地から』筑紫一明

③『きのうの春で、君を待つ』八目迷

④『星継ぐ塔と機械の姉妹』佐藤ケイ

⑤『さよなら異世界、またきて明日　旅する絵筆とバックパック30』風見鶏

斜線堂有紀、野﨑まどによる単行本を避けてラノベ系レーベルから選んだ。①はコロナ下に似て都市間の交流が遮断された世界で科学を哲学する物語で考えさせ、②はファンタジイ世界に伝わる祭りのルーツを文化人類学的な考察で探る物語で読ませた。遡る時間の中で過去を変える手がかりを探すSFミステリの③、下ネタ満載の会話劇にAIの進化ネタを絡めた④、転生した異世界が滅びかけているという⑤。捻りの効いた着想に感心した。

津久井五月
作家

①『星に仄めかされて』多和田葉子

②『オクトローグ　酉島伝法作品集成』酉島伝法

③『おおきな森』古川日出男

④『変半身』村田沙耶香

⑤『バッコスの信女　ホルスタインの雌』市原佐都子（白水社）

Covid-19の影響か、今年は国家の境界や人間の輪郭を語り直すような作品にSF的な関心を抱きました。①は三部作の二冊目。日本語でものを書くことの豊かさと限界を同時に思う。②は各篇のしっかりした骨格と、その上の文字通りの肉付けに陶然。③は国家と言葉に関する長い思索の過程をそのまま本にしたよう。④は作中世界の構築と崩し方が巧み。⑤は戯曲。文明批評的な部分と動物というテーマにおいて印象に残りました。

東北大学SF・推理小説研究会
大学サークル

①『日本SFの臨界点［恋愛篇・怪奇篇］』伴名練＝編

②『オクトローグ　酉島伝法作品集成』酉島伝法

③『人間たちの話』柞刈湯葉
④『アメリカン・ブッダ』柴田勝家
⑤『ツインスター・サイクロン・ランナウェイ』小川一水

①この本が無かったら出会えなかったであろう多くの短篇に出会うことができた。扉裏の作者解説も新たな発見があり良かった。②まさに副題の通り西島伝法ワールドを楽しめる短篇集。③④ファン待望の短篇集。それぞれの作者らしさとともに、新たな側面も感じられた。⑤爽快感溢れる百合SF。また、惜しくも選から漏れたが、草上仁『キスギショウジ氏の生活と意見』を推す声もあった。今後も過去の名作の復刊・発掘が進むことに期待大。

中村 融

翻訳家・アンソロジスト

①『千弥の秋、弥助の冬　妖怪の子預かります10』廣嶋玲子（創元推理文庫）
②『100分 de 名著「アーサー・C・クラーク スペシャル」』瀬名秀明
③『記憶翻訳者　いつか光になる』門田充宏
④『断頭台／疫病』山村正夫／日下三蔵＝編
⑤『シトロン坂を登ったら　大正浪漫　横濱魔女学校1』白鷺あおい（創元推理文庫）

①は《妖怪の子預かります》シリーズの完結篇。江戸の長屋を舞台に、妖怪と人間が入り乱れる人情噺で、笑いあり、涙ありだが、生きていくうえで避けては通れない「残酷さ」に向きあっているので余韻が残る。終盤にかけての伏線の張り方も巧みで、堂々の大団円を迎えた。カラス天狗の双子など、脇役の造形もすばらしく、文字通りの意味でフィギュアがほしい。

長山靖生

評論家

①『おおきな森』古川日出男
②《星系出雲の兵站》林譲治
③『暗闇にレンズ』高山羽根子
④『日本SFの臨界点［恋愛篇・怪奇篇］』伴名練＝編
⑤『すべて名もなき未来』樋口恭介

番外で横田順彌『幻綺行　完全版』、眉村卓『その果てを知らず』も。特に後者は、自分が通信を受け取っているかのような感覚がある。お会いできないものの、とりあえず作品をお送り頂けるなら……。

名古屋大学SF・ミステリ・幻想小説研究会

大学サークル

①『日本SFの臨界点［怪奇篇］』伴名練＝編
②『銀河英雄伝説列伝1　晴れあがる銀河』田中芳樹＝監修
③『ピエタとトランジ〈完全版〉』藤野可織
④『令夢の世界はスリップする　赤い夢へようこそ　前奏曲』はやみねかおる
⑤『アメリカン・ブッダ』柴田勝家

①「怪奇」だけにぞっとする話から何となく笑える不思議なものまで、粒ぞろいの話が楽しめた。②銀英伝、SFファンともに歓喜。③大量に人が殺される話でありながら、女性二人の強い絆のおかげで爽やかささえ感じた。④はやみねファンとしては喜ばしいが単体で見るとあと一声欲しい。続篇に期待。⑤SFと民俗学の融合が特徴的な短篇集。突飛なテーマの組み合わせをセンスと知識により接続し美しく仕上げている。

難波弘之

ミュージシャン／東京音楽大学教授

①『日本SFの臨界点［恋愛篇・怪奇篇］』伴名練＝編
②『ワン・モア・ヌーク』藤井太洋
③『ポロック生命体』瀬名秀明
④『タイタン』野﨑まど
⑤『不可視都市』高島雄哉

編者の個性と好みが明確に出た①のアンソロジーからは、懐古ではなく、新時代へのメッセージを感じた。②は、ウイルスの攻撃がなければ、二度目のオリンピックに（ある程度は）浮かれていたかもしれない日本に衝撃を与えるエンタメ。⑤はラノベとは思えない本格SFの質感。

橋 賢亀

絵描き

● 『木になった亜沙』今村夏子
● 『絶対猫から動かない』新井素子
● 『首里の馬』高山羽根子
● 『オクトローグ　酉島伝法作品集成』酉島伝法
● 『この本を盗む者は』深緑野分

面白いなと感心したり、良く出来てるなと感心したり、こんなんよく思いついたなと感心したり、理由は様々ですが、心が動いたものを挙げました。

葉月十夏

物語愛好家

①『機巧のイヴ　帝都浪漫篇』乾緑郎
②『アメリカン・ブッダ』柴田勝家
③『ツインスター・サイクロン・ランナウェイ』小川一水
④『絶対猫から動かない』新井素子
⑤『変半身』村田沙耶香

①②③別の世界の大正浪漫、興味深い異なる歴史、魅惑的な宇宙。会って話してみたい人たちがなんとたくさんいることか。④やはり引き寄せられます。⑤平凡な日常が他人には非日常。読みたいものはたくさんあったんですが、追いつかず。

林 譲治

作家

①『アメリカン・ブッダ』柴田勝家
②『日本SFの臨界点［恋愛篇・怪奇篇］』伴名練＝編
③『ワン・モア・ヌーク』藤井太洋

今年も豊作の年だと思うが、諸般の事情で腰を据えて読める状況ではなかった。それでもこの順位に大きなハズレはないものと思う。時代が書かせる小説というのは確かにある。

林 哲矢

SFレビュアー

①『ホテル・アルカディア』石川宗生
②『オクトローグ　酉島伝法作品集成』酉島伝法
③『人間たちの話』柞刈湯葉
④『暗闇にレンズ』高山羽根子
⑤『ピュア』小野美由紀

漫画では、肋骨凹介『宙に参る』、牡丹もちと『コーヒームーン』、とこみち『君が肉になっても』、迷子『プリンタニア・ニッポン』、ヤスダスズヒト『ブーツレグ』、山田鐘人・アベツカサ『葬送のフリーレン』などが良かった。

樋口恭介

SF作家

①『100文字SF』北野勇作
②『日本SFの臨界点［恋愛篇・怪奇篇］』伴名練＝編
③『オクトローグ　酉島伝法作品集成』酉島伝法
④『アメリカン・ブッダ』柴田勝家
⑤『人間たちの話』柞刈湯葉

詩と呼ぶほどには奇抜でなく、短歌と呼ぶほど形式的ではない、新たなフィクションジャンルが生まれる過程を、私たちは目撃しているのかもしれません。

福井健太

書評系ライター

①『アメリカン・ブッダ』柴田勝家
②『プロジェクト・インソムニア』結城真一郎
③『キッドの運命』中島京子
④『人間たちの話』柞刈湯葉
⑤『死神の棋譜』奥泉光

①は民俗学スタイルの面白さにスキルが追いついた傑作短篇集。②は被験者たちが共有する夢世界の特質を活かしたSFミステリ。③は胡乱な近未来のビジョンを淡々と綴った連作集。④の超然とした視座と語り口には中毒性がある。⑤は将棋を扱ったミステリだが、終盤の幻惑的なイメージは忘れ難い。

『日本ＳＦの臨界点』『２０１０年代ＳＦ傑作選』は別枠。年鑑アンソロジーの復活も朗報だった。

福江 純　天文楽者

①《星系出雲の兵站》林譲治
②『鹿の王　水底の橋』上橋菜穂子※
③『星継ぐ塔と機械の姉妹』佐藤ケイ

シリーズ完結篇でさまざまな謎が明らかになって、ようやくスッキリした『星系出雲の兵站』シリーズ。『鹿の王』の後日譚だが、単独で読んでも問題ないスリリングでサスペンスに富んだ『水底の橋』。ラノベにしては割としっかりしたテイストだった『星継ぐ』。珍しく三点しか挙げられなかったが、骨太のＳＦがもっと欲しいと思うのはぼくだけじゃないよね。

福本直美　書評子

●『日本ＳＦの臨界点［恋愛篇・怪奇篇］』伴名練＝編
●『アメリカン・ブッダ』柴田勝家
●『楽園とは探偵の不在なり』斜線堂有紀
●『名探偵のはらわた』白井智之

『日本ＳＦの臨界点』二冊はいずれも編者の意向がいかんなく発揮され、食べごたえがあった。短篇集『アメリカン・ブッダ』はどれも達者な語り口で、静かにスケールが大きい。「検疫官」は好みの一作だ。『楽園とは探偵の不在なり』と『名探偵のはらわた』は作風はまったく異なるけれど、どちらも本格的なミステリでありながら、この世にあり得ない特殊な設定下で繰り広げられる世界に驚かされる。

藤田雅矢　作家・植物育種家

①『暗闇にレンズ』高山羽根子
②『彼女の知らない空』早瀬耕
③『オクトローグ　酉島伝法作品集成』酉島伝法
④『歓喜の歌　博物館惑星Ⅲ』菅浩江
⑤『１００文字ＳＦ』北野勇作

粕谷知世『小さき者たち』、眉村卓『その果てを知らず』、笹公人『念力レストラン』も入れたかったところ、最後まで迷った。

冬木糸一　書評家

①『人間たちの話』柞刈湯葉
②『ホテル・アルカディア』石川宗生
③『楽園とは探偵の不在なり』斜線堂有紀
④『世界樹の棺』筒城灯士郎
⑤《星系出雲の兵站》林譲治

『タイタン』や『オクトローグ』、『日本ＳＦの臨界点［恋愛篇・怪奇篇］』、『アメリカン・ブッダ』あたりも入れたかったな。

古山裕樹　書評家

①『オクトローグ　酉島伝法作品集成』酉島伝法
②『アメリカン・ブッダ』柴田勝家
③『未来からの脱出』小林泰三
④《星系出雲の兵站》林譲治
⑤『タイタン』野﨑まど

①高密度の異界。読後、戻ってくるのに少し時間を要する。②ゆったりと大ボラを吹くさまに心惹かれた。③こういう着想と衝撃を、もう新たに味わうことができないとは……。④無事完結。前巻を読み終えた時点では、あと一冊でこんなにきれいに着地するとは思わなかった。⑤ひねった設定のお仕事小説として楽しめた。

片理 誠　作家

●『錬金術師の密室』紺野天龍
●『人間たちの話』柞刈湯葉
●『１００文字ＳＦ』北野勇作

すみません、今年は「ＳＦ Prologue Wave」の引っ越し等があり、あまり本を読めませんでした。

細谷正充 文芸評論家

①『アメリカン・ブッダ』柴田勝家
②『日本SFの臨界点［恋愛篇・怪奇篇］』伴名練＝編
③『ホテル・アルカディア』石川宗生
④『歓喜の歌 博物館惑星Ⅲ』菅浩江
⑤『タイタン』野崎まど

短篇集やアンソロジーが多いのは、私が短篇スキーだからである。田中芳樹監修の公式トリビュート・アンソロジー『銀河英雄伝説1 晴れあがる銀河』も面白かった。そして「幻影城」に載った、李家豊名義の『銀河のチェスゲーム』の近刊予告を見てワクワクした時から、ずいぶん遠くまで来たものだという感慨に浸ったりした。

牧眞司 SF研究家

①『オクトローグ 西島伝法作品集成』西島伝法
②『ピエタとトランジ〈完全版〉』藤野可織
③《星系出雲の兵站》林譲治
④『歓喜の歌 博物館惑星Ⅲ』菅浩江
⑤『黄色い夜』宮内悠介

ときに初期ブラッドベリを思わせる叙情で、ときにポストサイバーパンクの感覚で、画像的想像力を喚起する西島伝法に唸らされました。『ピエタとトランジ』は究極のバディ小説にして先鋭的な終末SF。突きぬけた感覚が素晴らしい。

牧紀子 雑誌編集者

①『アメリカン・ブッダ』柴田勝家
②『オクトローグ 西島伝法作品集成』西島伝法
③『歓喜の歌 博物館惑星Ⅲ』菅浩江
④『暗闇にレンズ』高山羽根子
⑤『銀河英雄伝説列伝1 晴れあがる銀河』田中芳樹＝監修

一位から四位は、読んで好きだなあ、と感じた順番です。五位は、十月までは別のアンソロジーを選んでいたのですが、小川さんの「龍神滝皇帝陛下」を読んだ瞬間に、締め切りギリギリまで読んで入れさせていただきました。

増田まもる 翻訳家

①《星系出雲の兵站》林譲治
②『ホテル・アルカディア』石川宗生
③『黄色い夜』宮内悠介
④『首里の馬』高山羽根子
⑤『オクトローグ 西島伝法作品集成』西島伝法

今年特筆すべきは、二年越しで刊行されてきた林譲治の《星系出雲の兵站》シリーズが九冊目にして完結したことである。ひさびさに本格的なハードコアSFを読む快感を満喫することができた。地球人の社会構成から、地球人とまったく異質な異星人像の構築、そして不可能とも思える意思疎通の手段まで、みごとなスペキュレーションは細部にわたる。文句なしの傑作であった。

松崎健司（らっぱ亭） 放射線科医（ラファティアン）

①『暗闇にレンズ』高山羽根子
②『ボクは再生数、ボクは死』石川博品（KADOKAWA）
③『未知の鳥類がやってくるまで』西崎憲
④『オクトローグ 西島伝法作品集成』西島伝法
⑤『死の谷』間瀬純子（ストレンジブックス）

①は映像に携わる一族の女性達と虚実入り乱れた映像の歴史を血と物語《ストーリー》ではなくミームで紡ぎ上げた野心的なインスタレーション。アンソロジストとしての立ち位置と矜持が通底する大森・日下→伴名練という継承、西崎憲のBFCや北野勇作のマイクロノベルなどSNSを通した拡散と派生が盛り上がりをみせ、そしてToshiya Kamei氏らによる海外への展開と、日本の文芸とSFのミームは果てしなく。彌榮《いやさか》！

三村美衣　レビュアー

●《十二国記》小野不由美
●『暗闇にレンズ』高山羽根子
●『幻影の戦　水使いの森』庵野ゆき（創元推理文庫）
●『オクトローグ　酉島伝法作品集成』酉島伝法
●『タイタン』野崎まど

　年度を跨ぐ刊行になったが、なにはともあれ《十二国記》。息苦しい密度のまま加速する後半。もっと枚数を費やして欲しかったとも思うが、緊張感を残した幕引きの潔さ。庵野ゆき『幻影の戦』は創元ファンタジー新人賞を受賞した『水使いの森』の続篇。新人賞自体は今年で休止となったが、面白い作家を輩出したんではないだろうか。庵野ゆきの脱皮ぶりを見て改めて思うと同時に、あまり伝わってないもどかしさを感じる。

宮樹弌明　会社員・ライター

①『オクトローグ　酉島伝法作品集成』酉島伝法
②『日本ＳＦの臨界点［恋愛篇・怪奇篇］』伴名練＝編
③『ワン・モア・ヌーク』藤井太洋
④『キスギショウジ氏の生活と意見』草上仁／日下三蔵＝編
⑤『首里の馬』高山羽根子

　①④はそれぞれ著者の作品世界が濃密に堪能できて満足度高かった。②は編者と日本ＳＦ界の作家たちの実力に圧倒された。③は今こそ読まれるべき作品。この時世に文庫で出してくれたのもありがたい。⑤は正直ＳＦ要素少ないが、沖縄県民の自分にとっては忘れられない余韻があった。

森下一仁　本読み／著述

①《星系出雲の兵站》林譲治
②『暗闇にレンズ』高山羽根子
③『１００文字ＳＦ』北野勇作
④『歓喜の歌　博物館惑星Ⅲ』菅浩江
⑤『その果てを知らず』眉村卓

　五作では収まりません。あと思いつくままに、牧野修『万博聖戦』、酉島伝法『オクトローグ』、春暮康一『オーラリメイカー』、小川一水『ツインスター・サイクロン・ランナウェイ』、山田正紀『デス・レター』、柞刈湯葉『人間たちの話』、瀬名秀明『ポロック生命体』、高井信編『石原藤夫ショートショート集成』、伴名練編『日本ＳＦの臨界点［恋愛篇・怪奇篇］』……。

山岸　真　ＳＦ翻訳業

①『歓喜の歌　博物館惑星Ⅲ』菅浩江
②『彼らは世界にはなればなれに立っている』太田愛
③『人間たちの話』柞刈湯葉
④『タイタン』野崎まど
⑤『文豪宮本武蔵』田中啓文

　二位以下は実質順位なし、ほぼ同点入替可の作品が十以上。次点をひとつだけあげれば『ボクは再生数、ボクは死』石川博品。お薦め短篇を商業出版紙媒体一作家一作順不同で五つだけ、「虹色の蛇」春暮康一（『オーラリメイカー』）、「白萩家食卓眺望」伴名練（ＳＦマガジン四月号）、「クランツマンの秘仏」柴田勝家（同十月号）、「円の終端」高丘哲次（小説新潮六月号）、「されど星は流れる」宮西建礼（アンソロジー表題作）。

山之口洋　作家／大学講師

①『夢七日　夜を昼の國』いとうせいこう
②『ポロック生命体』瀬名秀明
③『小さき者たち』粕谷知世
④『約束の果て　黒と紫の国』高丘哲次
⑤『抵抗都市』佐々木譲

「お染久松の世界」という言い回しは江戸時代からあり、一八〇一（享和元）年に刊行された本邦初の戯作ハウツー本にも「竪筋（たてすじ）は世界（世界観）、横筋は趣向（ストーリー）」と記されているほどだ。「夜を昼の國」はその「世界」に新たに投入されたセカイ系浄瑠璃。『虚人たち』など、ＳＦでは知られたメタフィクション的建て付けにネットの誹謗中傷という優れて現代的なテーマを密結合した手腕はさすがいとうせいこう。

YOUCHAN イラストレーター

①《星系出雲の兵站》林譲治
②『断頭台／疫病』山村正夫／日下三蔵＝編
③『われ清盛にあらず』若木未生（祥伝社）
④『7分間ＳＦ』草上仁
⑤『ワン・モア・ヌーク』藤井太洋

《星系出雲の兵站》シリーズは、多様性に満ちた、オールタイム・ベスト級のＳＦ作品だと思う。『断頭台／疫病』は不穏な今こそ出版される意義を感じる。『われ清盛にあらず』は歴史小説でありながら幻想小説としての側面が重要。激推ししたい。

ゆずはらとしゆき ライトノベル作家&企画編集者

①『てのひら創世記1』小川麻衣子（コミック）
②『羊角のマジョロミ1』阿部洋一（コミック）
③『サピエンス前戯　長編小説集』木下古栗
④『錆喰いビスコ6　奇跡のファイナルカット』瘤久保慎司（アスキー・メディアワークス電撃文庫）
⑤『魔女と猟犬』カミツキレイニー

①ひとりぼっちの二人が互いに傷つけ合う幼年期の終わりから、疑似家族の欺瞞と融和へ。②少年のリアルタイムな白日夢から、ありもしない過去へ回帰する甘美な悪夢へ。③シンギュラリティとはなんぞや。技術をひたすら悪用する思考のナンセンス。富永一朗的。④『I・餓男』と『ファイアパンチ』を踏まえた、愉快痛快ポストアポカリプス。模範的。⑤エモへ全振りした和製ゲーム・オブ・スローンズ。または中二病への魔改造。

吉上亮 作家

①『タイタン』野﨑まど
②『オクトローグ　酉島伝法作品集成』酉島伝法
③『アメリカン・ブッダ』柴田勝家
④『ツインスター・サイクロン・ランナウェイ』小川一水
⑤『ワン・モア・ヌーク』藤井太洋

今年の春頃、外出自粛で都内の仕事場にも行けず、自宅から徒歩一時間の距離が生活の全範囲となっていた時期、ちょうど手元にあった本が『タイタン』でした。散歩の折に小脇に抱え、公園のベンチで少しずつ読み進めながら、「我々の未来はどうなるのか」ということを繰り返し考えました。忘れ難い記憶です。それゆえ同作を筆頭に挙げました。

吉田親司 小説家

①『タイタン』野﨑まど
②『不可視都市』高島雄哉
③『抵抗都市』佐々木譲
④『銀河英雄伝説列伝1　晴れあがる銀河』田中芳樹＝監修
⑤『星継ぐ塔と機械の姉妹』佐藤ケイ

ＡＩエンタメ小説として白眉の①と、都市に引きこもりを強要された世界観の②が個人的に大当たり。オルタナティブ・ヒストリーとして興味深い③と極上のトリビュートを味わえた④、そしてラノベ枠から⑤を推したい。

吉田隆一 SF音楽家

①『歓喜の歌　博物館惑星Ⅲ』菅浩江
②『100文字ＳＦ』北野勇作
③『首里の馬』高山羽根子
④『オクトローグ　酉島伝法作品集成』酉島伝法
⑤『Genesis　白昼夢通信』水見稜・他

①あえてシリーズ「第二期」と呼びたい連作完結篇。キャラクターノベルとして大きな跳躍を遂げた本シリーズ、当然のように第三期も期待します。②はモノとしての本の価値を再確認させられました。言葉とデザインでメディアを綴れ織りにしたような在り様自体

が「現代ＳＦ」です。著者の芥川賞受賞直後に刊行された堂々たる③。収録作に私が関われて光栄な④。そして⑤には水見稜氏の商業出版カムバック作が収録されており、感涙。

ワセダミステリ・クラブ　大学サークル

①『オクトローグ　西島伝法作品集成』西島伝法
②『日本ＳＦの臨界点［恋愛篇・怪奇篇］』伴名練＝編
③『アメリカン・ブッダ』柴田勝家
④『ボクは再生数、ボクは死』石川博品
⑤『坂下あたると、しじょうの宇宙』町屋良平

まだ見ぬ世界への入り口を今年もまた垣間見せてくれた①と、中島らもの遺作を始め異色短篇が満載の［怪奇篇］を特に推したい②に加え、民族と歴史の在り方を問う巨大なテーマに挑んだ傑作を表題作に持つ③、性と暴力が渦巻くＶＲ生配信を独自の文体で書ききった④、書くことに対するナイーブかつ切実な自意識がＳＦ的ガジェットとともにまとまった⑤を入れて、今年の国内作品ベストとしたい。

渡邊利道　作家・評論家

●『イヴの末裔たちの明日　松崎有理短編集』松崎有理
●『ピエタとトランジ〈完全版〉』藤野可織
●『オクトローグ　西島伝法作品集成』西島伝法
●『死の谷』間瀬純子
●『暗闇にレンズ』高山羽根子

他に、《星系出雲の兵站》（シリーズ完結）林譲治、『人間たちの話』柞刈湯葉、『ホテル・アルカディア』石川宗生、『彼女の知らない空』早瀬耕、『未知の鳥類がやってくるまで』西崎憲、『不可視都市』高島雄哉などが面白かったです。

マイ・ベスト5 海外篇

全アンケート回答102名（回答者50音順）

ＳＦ界で活躍する作家・評論家・翻訳家の方々に、２０２０年度（２０１９年11月～２０２０年10月）の新作ＳＦから、印象に残った国内作品５点を選んでもらいました。

掲載作品については、１７４ページからの「２０２０年度ＳＦ関連書籍目録」に書誌情報の記載があります。また、右記の期間外の作品については、※印をつけ集計の対象外としました。

縣 文弘（レビュアー）

① 『息吹』テッド・チャン
② 『三体Ⅱ 黒暗森林』劉慈欣
③ 『空のあらゆる鳥を』チャーリー・ジェーン・アンダーズ
④ 『マーダーボット・ダイアリー』マーサ・ウェルズ
⑤ 『宇宙《そら》へ』メアリ・ロビネット・コワル

①思弁の限りを尽くしてテクノロジーと人間性との関係を精緻に描き出した傑作集。②破天荒にすぎるきらいもあるが、とにかく豪腕で読ませるエンターテインメント。③現実を色濃く反映した寓話的な設定と瑞々しい心理描写があいまって読み応えのある一品。④展開に物足りなさもあるが、語り手のロボットのキャラ設定が秀逸。⑤隕石落下によって宇宙開発が加速された改変世界を女性計算者の視点で描いたリーダビリティ抜群の良作。

秋山 完（作家）

● 『息吹』テッド・チャン
● 『宇宙《そら》へ』メアリ・ロビネット・コワル
● 『アンドロメダ病原体―変異―』マイクル・クライトン＆ダニエル・Ｈ・ウィルソン
● 『ウォーシップ・ガール』ガレス・Ｌ・パウエル
● 『第五の季節』Ｎ・Ｋ・ジェミシン

ＴＶで観る大統領選は、さながら銀河帝国vs惑星連合の壮大なスペースオペラだった。戦局が動くたびに各州が赤と青に染まり、〝赤い蜃気楼〟がたなびく激戦地の成り行きにやきもきさせられ、形勢不利なラスボスがしぶとく延長戦を仕掛ける場外バトルのパワフルなこと、さすがにハミルトンやＥ・Ｅ・スミス以来、スペオペの大家を輩出してきたお国柄だなあ、と感心させられる。これ、ＳＦの傑作を産み出す〝風土〟なのかもしれない。

天野護堂（ＳＦ愛好家）

① 『ボーン・クロックス』デイヴィッド・ミッチェル
② 『ベレンとルーシエン』Ｊ・Ｒ・Ｒ・トールキン
③ 『茶匠と探偵』アリエット・ド・ボダール
④ 『眠れる美女たち』スティーヴン・キング＆オーウェン・キング
⑤ 『ナインフォックスの覚醒』ユーン・ハ・リー

今年も素晴らしい作品が有り過ぎて、選ぶ

のに非常に悩みました。この五作品以外にも、気になった作品として、《ゴーストシリーズ　ゴーストソング／ゴーストダンス》、『トンネル』、『ハンターキラー　最後の任務』、『血まみれ鉄拳ハイスクール』、『レッド・メタル作戦発動』、『雲』、『量子魔術師』、『息吹』、『マーダーボット・ダイアリー』、『となりのヨンヒさん』、『タボリンの鱗』、『暇なんかないわ　大切なことを考えるのに忙しくて』、『草地は緑に輝いて』、『銀をつむぐ者』、『保健室のアン・ウニョン先生』、『キャプテン・フューチャー最初の事件』、『空のあらゆる鳥を』、『アンドロメダ病原体―変異―』、『最後の竜殺し』、『ライフ・アフター・ライフ』、『第五の季節』、『影を呑んだ少女』、『メアリ・ジキルとマッド・サイエンティストの娘たち』、『ウォーシップ・ガール』、『宇宙へ』、『現想と幻実』、『サイバー・ショーグン・レボリューション』、『シオンズ・フィクション』、『誓願』、『アニーはどこにいった』などなど。素晴らしい作品を翻訳して頂いた翻訳者の皆様どうもありがとうございます。

池澤春菜
声優・書評家

① **『時のきざはし　現代中華SF傑作選』立原透耶＝編**
② **『第五の季節』N・K・ジェミシン**
③ **『三体Ⅱ　黒暗森林』劉慈欣**
④ **『シオンズ・フィクション　イスラエルSF傑作選』シェルドン・テイテルバウム＆エマヌエル・ロテム＝編**
⑤ **『となりのヨンヒさん』チョン・ソヨン**

わたしの選んだ五作を改めて見て、非英語圏の多さにびっくり。中国、イスラエル、韓国。もはやSFは欧米主流じゃないのだ。中国SFの躍進はもう言うまでもないけれど、韓国の動きもすごい。シオンズ・フィクションで知る中東の面白さ。ジェミシンのスケールと、うまさ、そして公正で誇り高い視点。国境も、民族も、性別も、あらゆる境界線を軽々と越えていけるのがSF。日本SFもここに続きますように。

石和義之
SF評論家

● **『三体Ⅱ　黒暗森林』劉慈欣**
● **『荒潮』陳楸帆**
● **『息吹』テッド・チャン**
● **『十二月の十日』ジョージ・ソーンダーズ（河出書房新社）**
● **『スミス・マルクス・ケインズ　よみがえる危機の処方箋』ウルリケ・ヘルマン（みすず書房）**

中国SFが相変わらず強い。とりわけ『三体Ⅱ』は、「サバイバル」という主題がコロナ禍とシンクロしつつ、大柄な作風は往年の小松左京作品のようで懐かしく、と同時に習近平のドヤ顔がちらちらと思い浮かび、読みながら複雑な気持ちにさせられた。世界の各所で習近平的膨張主義が露出してきている。この流れはまだまだ終わらない。その流れへのアンチが『スミス・マルクス・ケインズ』である。もはやSFはオタクのままではいられない。

いするぎりょうこ
SF&ファンタジー・ファン

① **『マーダーボット・ダイアリー』マーサ・ウェルズ**
② **『茶匠と探偵』アリエット・ド・ボダール**
③ **『現想と幻実　ル＝グウィン短篇選集』アーシュラ・K・ル＝グウィン**
④ **『第五の季節』N・K・ジェミシン**
⑤ **『宇宙《そら》へ』メアリ・ロビネット・コワル**

その世界では普遍とされる、確固として揺るぎのない規範からの脱却を闘い、アイデンティティーの確立にあがく、異端を自認する存在の苦悩。置かれた立場の故に理不尽な制約を課され、意に染まぬことをせざるを得ないがために傷ついた魂の再生……。『マーダー～』のうぶで健気な主人公が痛々しくて愛おしく、『茶匠～』に、欧米的価値観と東アジア的価値観の狭間に揺れる、デラシネの自分を思う。

磯部剛喜
UFO現象学者

①『キャプテン・フューチャー最初の事件』アレン・スティール
②『鳥の歌いまは絶え』ケイト・ウィルヘルム
③『フレドリック・ブラウンSF短編全集2 すべての善きベムが』フレドリック・ブラウン
④『フレドリック・ブラウンSF短編全集4 最後の火星人』フレドリック・ブラウン
⑤『現想と幻実 ル＝グウィン短篇選集』アーシュラ・K・ル＝グウィン

古典的なスペースオペラをモダンな英雄譚に脱構築したスティールの『キャプテン〜』は、二十一世紀のSFの方向性を示唆した傑作として評価したい。日本でこれに続く作品が書かれることを熱望する。ブラウンの短篇全集はSF本来のおもしろさを満喫できる。現代SFは文学性のたかまりとともに、ブラウンが描いたような楽しさを失ってしまったのではないだろうか？

市田 泉
翻訳家

①『第五の季節』N・K・ジェミシン
②『ダフォディルの花 ケネス・モリス幻想小説集』ケネス・モリス
③『鳥の歌いまは絶え』ケイト・ウィルヘルム
④『息吹』テッド・チャン
⑤『マーダーボット・ダイアリー』マーサ・ウェルズ

①は圧倒的な面白さ。構成が見事で長さを感じさせない。いま一番続きが気になる。②まさにこういうのが読みたかったという作品集。どの話も清澄な空気が漂っていてラストは鮮やか。③登場人物の痛みが胸に突き刺さる。④の表題作に感嘆し、⑤に登場するボットたちに夢中になったのはコロナ前。すごく昔のことのよう……。あと、『ライフ・アフター・ライフ』が面白かったです。

乾石智子
ファンタジイ作家

①『銀をつむぐ者 氷の王国と魔法の銀』ナオミ・ノヴィク
②『第五の季節』N・K・ジェミシン
③『影を呑んだ少女』フランシス・ハーディング
④『ネバームーア モリガン・クロウの挑戦』ジェシカ・タウンゼント
⑤『タボリンの鱗 竜のグリオールシリーズ短篇集』ルーシャス・シェパード

①は、構成の確かさ、イマジネーションの豊かさに加えて、ストーリー運びの巧みさに魅了された。昔話をファンタジイに紡いだ見事な作品だった。夢中になって読書できる幸せを与えてくれる。②は歴史の深さと世界構築の大きさを感じさせる。「腐食屋の地球」「この鋳地球」などの、悪態がおもしろい。続篇が楽しみ。③も、やめられなくなった。歴史と絡んでいると魅力が倍増する。

井上 知
翻訳者・スペイン語圏洋書屋

①『言葉の守り人』ホルヘ・ミゲル・ココム・ペッチ
②『夜の舞・解毒草』イサアク・エサウ・カリージョ・カン／アナ・パトリシア・マルティネス・フチン（国書刊行会）
③『息吹』テッド・チャン
④『マーダーボット・ダイアリー』マーサ・ウェルズ
⑤『メアリ・ジキルとマッド・サイエンティストの娘たち』シオドラ・ゴス

①と②は《新しいマヤの文学》シリーズのファンタジイ／幻想文学。作品の質に加え、マヤ語で書かれた作品が日本語で紹介された

こともすばらしい。スペイン、ラテンアメリカと、関わりある国々の状況が悪化する中ずっとざわざわしていた気持ちが、少し救われました。マーサ・ウェルズは初期のファンタジイ作品をほとんど読んでいたので、久しぶりで懐かしい気分に。*The Death of the Necromancer* 訳されないかなあ。

岩郷重力

SF・ミステリ畑デザイナー

● 『宇宙《そら》へ』メアリ・ロビネット・コワル
● 『フレドリック・ブラウンSF短編全集3 最後の火星人』フレドリック・ブラウン
● 『息吹』テッド・チャン
● 『キャプテン・フューチャー最初の事件』アレン・スティール
● 『第五の季節』N・K・ジェミシン

卯月 鮎

書評家・ゲームコラムニスト

● 『茶匠と探偵』アリエット・ド・ボダール
● 『草地は緑に輝いて』アンナ・カヴァン
● 『第五の季節』N・K・ジェミシン
● 『メアリ・ジキルとマッド・サイエンティストの娘たち』シオドラ・ゴス
● 『空のあらゆる鳥を』チャーリー・ジェーン・アンダーズ

『茶匠と探偵』は、茶室的コスモス。来たるかもしれない茶の香り漂う未来の銀河に思いを馳せる。『草地は～』は、強烈な光を放つ幻視に切り裂かれる不安と快感。『第五の季節』は、力を秘めた豊穣の大地。その奥に隠された結晶が明かされる日が待ち遠しい。『メアリ・ジキル～』は、陰鬱だった父の物語を吹き飛ばす娘たちの明るさが頼もしい。『空のあらゆる鳥を』は、科学と魔法に関する寓話。ラストの甘さもまた味。

榎本 秋

著述業

① 『フロム・ザ・フラッド 浸水からの未知なるもの』シモン・ストーレンハーグ
② 『三体Ⅱ 黒暗森林』劉慈欣
③ 『キャプテン・フューチャー最初の事件』アレン・スティール
④ 『サイバー・ショーグン・レボリューション』ピーター・トライアス
⑤ 『バグダードのフランケンシュタイン』アフマド・サアダーウィー

一位は超科学施設が与える影響を怪奇かつ美麗なグラフィックと文章で綴るイラスト集。この世界の自分はどうだろう、と考えてしまった。二位は一作目からさらにスケールが広がった。伝説的スペースオペラ・ヒーローのリブート作品を三位、「アメリカが日本とドイツに占領され、ロボもある」というハッタリ具合が衝撃なシリーズの完結篇を四位に。五位はフランケンシュタイン・テーマを現代社会ならではの切り口で再構成し興味深い。

海老原豊

SF評論家

● 『息吹』テッド・チャン
● 『荒潮』陳楸帆
● 『三体Ⅱ 黒暗森林』劉慈欣
● 『サイバー・ショーグン・レボリューション』ピーター・トライアス
● 『誓願』マーガレット・アトウッド

遅ればせながら中国SFのアンソロジー（積ん読）を消化中。

大倉貴之

書評家

① 『三体Ⅱ 黒暗森林』劉慈欣
② 『息吹』テッド・チャン
③ 『月の光 現代中国SFアンソロジー』ケン・リュウ＝編
④ 『現想と幻実 ル＝グウィン短篇選集』アーシュラ・K・ル＝グウィン

厳選して購入しているので、ベスト4の他は読んでいない。『誓願』、『ホーム・ラン』はいずれ読もうと思っている。それにしても東京創元社の「フレドリック・ブラウンSF短編全集」が欲しくてしょうがない。

大阪大学大学SF研究会

大学サークル

① 『三体Ⅱ　黒暗森林』劉慈欣
② 『第五の季節』N・K・ジェミシン
③ 『息吹』テッド・チャン
④ 『月の光　現代中国SFアンソロジー』ケン・リュウ＝編
⑤ 『ヒトの目、驚異の進化　視覚革命が文明を生んだ』マーク・チャンギージー※

本年の最大のニュースと言えば、やはり待望のテッド・チャンの短篇集『息吹』だろう。表題作の「息吹」が特に象徴的であったが、我々の意識などという根源的問題についての疑問提起が物語の形で上手く顕れているところに完成度の高さを感じた。去年に引き続き刊行された『三体Ⅱ』は、非常にスケールの大きいストーリーをあくまで人類の視点で描き出しており、壮大さに拍車がかかり目が眩むようだった。『三体Ⅲ』も楽しみである。

大迫公成

技術翻訳者・CONTACT Japan代表

● 『量子魔術師』デレク・クンスケン
● 『深層地下4階』デヴィッド・コープ
● 『闇のシャイニング　リリヤの恐怖図書館』ハンス＝オーケ・リリヤ＝編
● 『エレクトス・ウィルス』グザヴィエ・ミュレール

①驚異の能力を持つ主人公が活躍する。スペースアクション好きにはたまらない。丁寧に描かれた重厚な冒険譚。②さすがベテラン脚本家の作品。描写がリアルで凄まじい迫力だ。おぞましい生き物が我々を侵略する。③スティーヴン・キング・ファンサイト編纂のホラーアンソロジー。キングの書籍初収録作品を始め、王道をいくホラーがずらり。E・A・ポーから現代のネットがからむ恐怖まで、飽きることのない〈こわい〉短篇集だ。④面白さよりも恐怖が立つ。謎のパンデミックだ。今日の世界の有様を見ている恐ろしさがある。読んで損はない秀作である。

大野典宏

会社経営

① 『ワンダーウーマンの秘密の歴史』ジル・ルポール
② 『鉤十字の夜』キャサリン・バーデキン
③ 『誓願』マーガレット・アトウッド
④ 『侍女の物語　グラフィックノベル版』マーガレット・アトウッド／ルネー・ノールト
⑤ 『マリーナの三十番目の恋』ウラジーミル・ソローキン

とても刺激的な作品が多く、「大成果の一年」と言っても過言ではありませんでした。私が大好きな「嫌な話」が多くて読むのに疲れつつ、満足度は非常に高い状態です。『ワンダーウーマンの秘密の歴史』は、「そうだったのか！」という驚きを、『マリーナの三十番目の恋』は危険物取扱注意だった頃の危なさを再確認させてくれました。

大野万紀

SF翻訳家・書評家

① 『息吹』テッド・チャン
② 『月の光　現代中国SFアンソロジー』ケン・リュウ＝編
③ 『三体Ⅱ　黒暗森林』劉慈欣
④ 『第五の季節』N・K・ジェミシン
⑤ 『マーダーボット・ダイアリー』マーサ・ウェルズ

今年もまた中国SFの（そして韓国の、イスラエルの）年だった。テッド・チャン十七年ぶりの短篇集は表題作がとんでもない傑作。『月の光』は様々なタイプの現代中国SFが読めて楽しいがこれも表題作が素晴らしい。『三体Ⅱ』はちょっと首を傾げるところがあっても、怒濤の展開で読ませる。『第五の季節』は奥深い世界設定と存在感あるキャラクターがいい。『マーダーボット』は主人公が愛しくなる現代スペースオペラだった。

大森望
SF業

①『マーダーボット・ダイアリー』マーサ・ウェルズ
②『ナインフォックスの覚醒』ユーン・ハ・リー
③『時のきざはし　現代中華SF傑作選』立原透耶＝編
④『空のあらゆる鳥を』チャーリー・ジェーン・アンダーズ
⑤『時間旅行者のキャンディボックス』ケイト・マスカレナス

自重して『息吹』と『黒暗森林』を外した結果、マイ・ベストＳＦ２０２０は、なんと創元勢の天下に！　本命のジェミシン『第五の季節』を抜いてこれなんだから（ちなみに次点は、ガレス・Ｌ・パウエル『ウォーシップ・ガール』）、驚くべき充実ぶり。早川勢の奮起が望まれる。いやまあ、『月の光』と『荒潮』は入れてもよかったんだけど、今年は③が圧倒的だったので。中国ＳＦだけでベスト５が埋まる勢いはまだまだ続きそうです。

岡田靖史
飲食店店主

①『息吹』テッド・チャン
②『マーダーボット・ダイアリー』マーサ・ウェルズ
③『宇宙《そら》へ』メアリ・ロビネット・コワル
④『第五の季節』N・K・ジェミシン
⑤『メアリ・ジキルとマッド・サイエンティストの娘たち』シオドラ・ゴス

①は文句なしの今年一番。②は弊機がなんとも可愛い。③はこの発想があったかという感じで続篇の邦訳が待ち遠しい。④は久々に世界構築の趣に心奪われこれも続篇期待。⑤はもうキャラクターすべてが生き生きとしていて楽しい。同じく続きを早く。あとはいつもながらほぼ同列で上位に入れられなかった作品を順不同で。『となりのヨンヒさん』『鉤十字の夜』『ナインフォックスの覚醒』『月の光』『キャプテン・フューチャー最初の事件』『空のあらゆる鳥を』『ライフ・アフター・ライフ』『三体Ⅱ』『時のきざはし』『タイムラインの殺人者』『荒潮』『ウォーシップ・ガール』『時間旅行者のキャンディボックス』『歴史は不運の繰り返し』『シオンズ・フィクション』『誓願』など。

岡本俊弥
SFブックレビュアー

●『息吹』テッド・チャン
●『荒潮』陳楸帆
●『第五の季節』N・K・ジェミシン
●『シオンズ・フィクション　イスラエルSF傑作選』シェルドン・テイテルバウム＆エマヌエル・ロテム＝編
●『誓願』マーガレット・アトウッド

版元も意識的に出しているのだろうが、女性＋アジア系ＳＦが今年のトレンド。前者からジェミシンとアトウッド、後者から寡作で知られる中国系チャンと長篇初紹介の陳楸帆、初ものイスラエル作家アンソロジーを選んでみた。女性活躍作品の中では、スケールの大きいコワル『宇宙へ』、中国ＳＦでは面白さを増した『三体』第二部、短篇集『月の光』なども良い。韓国ＳＦの『となりのヨンヒさん』『ダブル sideＡ』も注目。

小川一水
SF作家

①『マーダーボット・ダイアリー』マーサ・ウェルズ
②『宇宙《そら》へ』メアリ・ロビネット・コワル

読めた数が少なかったので、二作品。『マーダーボット・ダイアリー』は星間宇宙を舞台に人間味に目覚めた戦闘ロボットものが活躍する話で、翻訳の味わいもあって、優しいわりに内気で人嫌いで皮肉屋なロボットが妙に親しみを感じさせるのが良かった。『宇宙へ』は、天災により史実より大幅に女性進出が進む、アメリカＮＡＳＡを描いた歴史ｉｆものだが、個人的には主人公の献身的な夫の人物像が何よりも素晴らしいと思った。

岡和田晃

SF評論家／現代詩作家

●『ナインフォックスの覚醒』ユーン・ハ・リー
●『フレドリック・ブラウンSF短編全集2 すべての善きベムが』フレドリック・ブラウン
●『ダフォディルの花 ケネス・モリス幻想小説集』ケネス・モリス
●『闇のシャイニング リリヤの恐怖図書館』ハンス＝オーケ・リリヤ＝編
●『ヒーロー・コンパニオン』グレアム・ボトリー＝編著（書苑新社）

勢いを増すフェミニズムSFにより英語圏のSFは頭打ちどころかいっそう豊穣になった。『フレドリック・ブラウンSF短編全集』は解説が充実。『ダフォディルの花』は、古典幻想文学の精華に。『闇のシャイニング』は、収録作「キーパー・コンパニオン」が面白い。『ヒーロー・コンパニオン』は、RPGでの領地経営や集団戦闘をプレイアブルに提供した点が良い。その他、C・A・スミス『魔術師の帝国《3 アヴェロワーニュ編》』も推す。

尾之上浩司

怪獣小説翻訳家

①『キャプテン・フューチャー最初の事件』アレン・スティール
②『鳥の歌いまは絶え』ケイト・ウィルヘルム
③『サイバー・ショーグン・レボリューション』ピーター・トライアス
④『時のきざはし 現代中華SF傑作選』立原透耶＝編
⑤『アンドロメダ病原体―変異―』マイクル・クライトン＆ダニエル・H・ウィルソン

SFの面白さの原点は真摯なバカバカしさだと思っていて、①や③を手にすると「これがSFの醍醐味だよなあ」と思ってしまう中二病なので、とりとめのない順位です。②は復刊が嬉しい傑作で買えるうちに手に入れてほしい。④は中華SF秀作アンソロジー。⑤は半世紀以上ぶりにクライトンの続篇をものしたウィルスンに拍手。しかし、3・11に次いでパンデミックというクライシスを生きている内に経験するとはね…。

小山 正

ミステリ研究家

①『三体Ⅱ 黒暗森林』劉慈欣
②『ライフ・アフター・ライフ』ケイト・アトキンソン
③『息吹』テッド・チャン
④『茶匠と探偵』アリエット・ド・ボダール
⑤『図書室の怪 四編の奇怪な物語』マイケル・ドズワース・クック

良い本が多くて五作に絞れないぞ！ これ以外にも、マコーマックの不思議な長篇『雲』、古い皮に新酒を注いだ『キャプテン・フューチャー最初の事件』、『タボリンの鱗』やル・グィン短篇集も鮮やかな手並みだった。怪奇幻想系も充実の一年。バレイジとマンビー等のマニアックな作家がまとめて読めたし、海外からはW・ヒョーツバーグの長篇『堕ちる天使』の続篇 *Angel's Inferno* が刊行されたというビッグニュースも。翻訳して欲しいなあ。

柿崎 憲

ライター

①『息吹』テッド・チャン
②『三体Ⅱ 黒暗森林』劉慈欣
③『いつになったら宇宙エレベーターで月に行けて、3Dプリンターで臓器が作れるんだい!? 気になる最先端テクノロジー0のゆくえ』ケリー・ウィーナースミス＆ザック・ウィーナースミス（化学同人）
④『月の光 現代中国SFアンソロジー』ケン・リュウ＝編
⑤『最後の竜殺し』ジャスパー・フォード

十七年ぶりのテッド・チャン新刊、絶好調な『三体』シリーズ、さらにケン・リュウ選出のアンソロジーと中華系作家の力強さと懐の広さを感じさせられた一年でした。それ以外では現代社会と『魔法の国が消えていく』を彷彿とさせる魔法の設定をポップに組み合わせた⑤と、ここ数年勉強不足だった自分に最近の科学技術のあれやこれやをジョーク交じりで教えてくれた③が印象的。

風野春樹

精神科医兼レビュアー

①『三体Ⅱ　黒暗森林』劉慈欣
②『息吹』テッド・チャン
③『マーダーボット・ダイアリー』マーサ・ウェルズ
④『空のあらゆる鳥を』チャーリー・ジェーン・アンダーズ
⑤『キャプテン・フューチャー最初の事件』アレン・スティール

え、今年は海外SFの当たり年じゃないですか？　とても五作じゃ足りないんですけど。それにしても、発展著しい中国SFのほか、韓国SFやイスラエルSFまで紹介され、海外SFといえばほぼ英米SFを指していたちょっと前と比べると、隔世の感があります。

梶尾真治

無位無冠

①『宇宙《そら》へ』メアリ・ロビネット・コワル
②『三体Ⅱ　黒暗森林』劉慈欣
③『第五の季節』N・K・ジェミシン

視力と思考力の低下で読書速度と読書量ともにとんでもなくひどいことになっています。ですから限られた読書本の中からということで、読んでいないものにもっと大傑作があったかもしれません。①はタイトルが地味だし上下だしためらいましたが、引きこまれました。一九五〇年代という時代に引きこまれる私がいます。途中、隕石のこと忘れましたが（笑）。②前作読んだときより方向がはっきり見えたような。でも、自分でどこまで理解できているやら。

片桐翔造

レビュアー

①『息吹』テッド・チャン
②『時のきざはし　現代中華SF傑作選』立原透耶＝編
③『最後の竜殺し』ジャスパー・フォード
④『マーダーボット・ダイアリー』マーサ・ウェルズ
⑤『三体Ⅱ　黒暗森林』劉慈欣

香月祥宏

レビュアー

①『息吹』テッド・チャン
②『時のきざはし　現代中華SF傑作選』立原透耶＝編
③『荒潮』陳楸帆
④『三体Ⅱ　黒暗森林』劉慈欣
⑤『タボリンの鱗　竜のグリオールシリーズ短篇集』ルーシャス・シェパード

①は傑作ぞろいだが、初訳の「偽りのない事実、偽りのない気持ち」が国内篇で挙げた作品とも通じる記録・記憶についての物語で読み応えあり。華文SFは紹介の幅が広がり、バラエティ豊かな②（『月の光』も良かった）、サイバーパンクの正統に連なる③、引き続きパワフルな④、どれも楽しめた。⑤の世界も相変わらず魅力的。漏れてしまったが『マーダーボット・ダイアリー』『空のあらゆる鳥を』『誓願』などもおもしろかった。

勝山海百合

小説家

①『第五の季節』N・K・ジェミシン
②『月の光　現代中国SFアンソロジー』ケン・リュウ＝編
③『空のあらゆる鳥を』チャーリー・ジェーン・アンダーズ
④『時間旅行者のキャンディボックス』ケイ

ト・マスカレナス
⑤『眠れる美女たち』スティーヴン・キング&オーウェン・キング

ないがしろにされる命への怒りを物語の面白さで読まされた『第五の季節』、アンソロジー『時のきざはし』『シオンズ・フィクション』、中東SF『バグダードのフランケンシュタイン』など英米以外の海外SFが出て良かった。『三体Ⅲ』が待たれる。『マーダーボット・ダイアリー』の一人称を「弊機」に翻訳したの最高。

川合康雄 SFアート研究家

①『宇宙《そら》へ』メアリ・ロビネット・コワル
②『息吹』テッド・チャン
③『メアリ・ジキルとマッド・サイエンティストの娘たち』シオドラ・ゴス
④『月の光　現代中国SFアンソロジー』ケン・リュウ＝編
⑤『荒潮』陳楸帆

日本SF同様、海外SFもあげたいSFが多くて取捨選択、順位に本当に悩んだ。『アンドロメダ病原体―変異―』や『キャプテン・フューチャー最初の事件』、『タイムラインの殺人者』も捨てがたいし、まだ読めていないのが残念なのだが、『時間旅行者のキャンディボックス』も絶対に順位を競ってくる。今年は豊作の年だ！

川又千秋 作家

●『眠れる美女たち』スティーヴン・キング&オーウェン・キング
●『フレドリック・ブラウンSF短編全集3　最後の火星人』フレドリック・ブラウン
●『図書室の怪　四編の奇怪な物語』マイケル・ドズワース・クック
●『サンセット・パーク』ポール・オースター
●『キャプテン・フューチャー最初の事件』アレン・スティール

今なお読書続行中の作品も含めてのセレクトです。他にも、手を付けていない魅力的なタイトルが多数残っており、それらを読み終えたなら、ここに挙げた五タイトルが、すべて入れ替わるかも。

北原尚彦 作家・翻訳家

①『息吹』テッド・チャン
②『マーダーボット・ダイアリー』マーサ・ウェルズ
③『宇宙《そら》へ』メアリ・ロビネット・コワル
④『時のきざはし　現代中華SF傑作選』立原透耶＝編
⑤『シオンズ・フィクション　イスラエルSF傑作選』シェルドン・テイテルバウム&エマヌエル・ロテム＝編

①は最高にご機嫌な短篇集。今年一番の「SF読んでてよかった」本。②一人称「弊機」と訳した時点で半分成功したようなもの。弊機かわいい。③は改変歴史＋宇宙開発SF。話がもっと先に進むかと思っていたけれど、今後への期待も込めて。④は現代中国のSF傑作短篇集がこんな立派な形で編まれるようになって感無量。⑤はまさかイスラエルSFアンソロジーの邦訳が出るとはでびっくり。竹書房（特に編集の水上さん）がんばれ。

日下三蔵 SF研究家

①『時のきざはし　現代中華SF傑作選』立原透耶＝編
②『メアリ・ジキルとマッド・サイエンティストの娘たち』シオドラ・ゴス
③『三体Ⅱ　黒暗森林』劉慈欣
④『シオンズ・フィクション　イスラエルSF傑作選』シェルドン・テイテルバウム&エマヌエル・ロテム＝編
⑤『キャプテン・フューチャー最初の事件』アレン・スティール

国内、海外ともに素晴らしいアンソロジーを一位に選ぶことが出来て、アンソロジー愛好家としては大変満足しているし、伴名さん、立原さんには感謝の気持しかない。アンソロジーではイスラエルSFを対象にした④も面白かった。長篇では好事家向けの設定ながらマニア受けに留まらない工夫が光る②がベスト。③と⑤も流石の面白さでした。

草野原々
SF作家

①『雲』エリック・マコーマック（東京創元社）
②『エレホン』サミュエル・バトラー（新潮社）
③『WORLD BEYOND PHYSICS　生命はいかにして複雑系となったか』スチュアート・A・カウフマン（森北出版）
④『Integrating information in the brain's EM field: the cemi field theory of consciousness』Johnjoe McFadden
⑤「Alian Biospheres」Biblaridion（動画）

①人生という旋律が戦慄する。②SFのアイディアはもうすでに百年前に語りつくされているのはSF作家という恐怖すら覚える。③非エルゴード的：語りつくせない宇宙。④意識の源は脳内の電磁場だ！　⑤架空惑星での生物進化を一から百まで詳細に考えるすごい動画。

coco
虫屋
ときどき物書き

①『息吹』テッド・チャン
②『宇宙《そら》へ』メアリ・ロビネット・コワル
③『眠れる美女たち』スティーヴン・キング&オーウェン・キング
④『三体Ⅱ　黒暗森林』劉慈欣
⑤『ブラック・トムのバラード』ヴィクター・ラヴァル

①は待たされすぎて膨れ上がった期待にも応えてくれる作品集。②しっかりと骨太かつ繊細さも同居したドラマで実に好み。③は同時期刊行の短篇集と併せ衰え知らずなキングの筆力に驚かされる超大作。④は前作とはまた雰囲気変わって新鮮に奇想を楽しめる。⑤は手垢塗れのクトゥルーものを巧みに料理する手腕に唸らされた。

小谷真理
SF&ファンタジー評論家

①『おちび』エドワード・ケアリー
②『鉤十字の夜』キャサリン・バーデキン
③『時間旅行者のキャンディボックス』ケイト・マスカレナス
④『第五の季節』N・K・ジェミシン
⑤『となりのヨンヒさん』チョン・ソヨン

なんというフェミニズムSF大躍進の年だろうか。ざっと見積もっても十五冊以上あって絞ろうとして髪かきむしる、そんな年だなんて。夢のよう。特に時間SFにフェミニズムSFの傑作が並んだ。涙をのんで③を選択。ル＝グィンのエッセイ集と短篇集を泣く泣く外してティプトリーの申し子たる韓国フェミSFの⑤選択。BL&ディストピアSFの古典的名作②を拾い、コワルかジェミシンで脳が沸騰し、そして愉快な『メアリ・ジキルとマッドサイエンティストの娘たち』まで欄外に飛ばした究極の五冊。

齋藤隼飛
メディア編集者

①『第五の季節』N・K・ジェミシン
②『時のきざはし　現代中華SF傑作選』立原透耶＝編
③『息吹』テッド・チャン
④『月の光　現代中国SFアンソロジー』ケン・リュウ＝編
⑤『となりのヨンヒさん』チョン・ソヨン

「アジア」「北米」などのカテゴリに分けて選びたいと思うほど豊作でした。陳楸帆『荒潮』、ピーター・トライアス『サイバー・ショーグン・レボリューション』も入れたかった。

堺 三保

文筆業

① 『宇宙《そら》へ』メアリ・ロビネット・コワル
② 『マーダーボット・ダイアリー』マーサ・ウェルズ
③ 『アンドロメダ病原体―変異―』マイクル・クライトン&ダニエル・H・ウィルソン
④ 『メアリ・ジキルとマッド・サイエンティストの娘たち』シオドラ・ゴス
⑤ 『ウォーシップ・ガール』ガレス・L・パウエル

坂永雄一

会社員・SF系業

● 『タボリンの鱗　竜のグリオールシリーズ短篇集』ルーシャス・シェパード
● 『雲』エリック・マコーマック
● 『内なる町から来た話』ショーン・タン

『メアリ・ジキルとマッド・サイエンティストの娘たち』（シオドラ・ゴス）の続刊も楽しみです。

坂村 健

電脳建築家

① 『息吹』テッド・チャン
② 『アンドロメダ病原体―変異―』マイクル・クライトン&ダニエル・H・ウィルソン
③ 『量子魔術師』デレク・クンスケン
④ 『マーダーボット・ダイアリー』マーサ・ウェルズ
⑤ 『月の光　現代中国SFアンソロジー』ケン・リュウ＝編

今年はイーガン作品がなかったので①に悩まなかった。目指すものが似ている――論理的思考の極北でも残る人間性のありかたのような――テッド・チャンとイーガン。追い続けているテーマのAIをめぐる倫理問題は『息吹』でも取り上げている。二人の作風の違いが現れているのが表題作。寓話的ストーリーを扱った時、裏にあるリアルがにじみ出だす――させるのがイーガン、華麗な技でリアルに接続させるのがチャンといったところか。

佐々木敦

元批評家

① 『息吹』テッド・チャン
② 『ウィトゲンシュタインの愛人』デイヴィッド・マークソン
③ 『誓願』マーガレット・アトウッド
④ 『第五の季節』N・K・ジェミシン
⑤ 『シオンズ・フィクション　イスラエルSF傑作選』シェルドン・テイテルバウム&エマヌエル・ロテム＝編

一位は誰にとっても文句無しだろう。何がスゴいって『あなたの人生の物語』よりスゴいのがスゴい。②は「アメリカ実験小説の最高到達点」という惹句が一人歩きしてしまったが、いわゆる「地球最後の人類」テーマの紛うかたなきSF。アトウッドの『侍女の物語』続篇は思いのほか希望のある内容でホッとした。ジェミシンは続巻にも期待。そして竹書房は神！

佐藤 大

脚本家

① 『息吹』テッド・チャン
② 『三体Ⅱ　黒暗森林』劉慈欣
③ 『宇宙《そら》へ』メアリ・ロビネット・コワル
④ 『バグダードのフランケンシュタイン』アフマド・サアダーウィー
⑤ 『シオンズ・フィクション　イスラエルSF傑作選』シェルドン・テイテルバウム&エマヌエル・ロテム＝編

コロナという特別な状況下で自宅軟禁中の読書は、より遠く、より様々な立場の人が描く物語を欲していたのかもしれません。三体、宇宙へでは古典的なモチーフを民族的やジェンダー的に新たな視点で描くことに魅せられました。どちらも続篇が楽しみ。また息吹や中東圏SFから様々な視点を得たことは、体験というべき読書でした。今後も様々な国で生まれるSFに注目していきたい。

三方行成　小説家

①『息吹』テッド・チャン
②『月の光　現代中国SFアンソロジー』ケン・リュウ＝編
③『最後の竜殺し』ジャスパー・フォード
④『マーダーボット・ダイアリー』マーサ・ウェルズ
⑤『メアリ・ジキルとマッド・サイエンティストの娘たち』シオドラ・ゴス

『息吹』は新作が拝めて嬉しかったです。表題作や「オムファロス」がよかったです。『月の光』はレイバンのサングラスとcivが出てきて笑いました。気に入ったのは「開光」や「壊れた星」です。『最後の竜殺し』が気に入った人は文学刑事サーズデイ・ネクストシリーズも読め。『マーダーボット・ダイアリー』は弊機がかわいいですね。『メアリ・ジキル～』は最初は面食らいましたが続きが楽しみです。

嶋田洋一　翻訳家

●『マーダーボット・ダイアリー』マーサ・ウェルズ
●『アンドロメダ病原体―変異―』マイクル・クライトン＆ダニエル・H・ウィルソン
●『三体Ⅱ　黒暗森林』劉慈欣
●『サイバー・ショーグン・レボリューション』ピーター・トライアス
●『宇宙《そら》へ』メアリ・ロビネット・コワル

順位はなしです。目が悪くなっていて、本を読むのも楽しさ半分、苦しさ半分というところ。ご恵贈いただいた本はできるだけ読むようにしていますが、文字が小さいとつらいですね。その意味では電子書籍に大いに助けられています。『アンドロメダ病原体―変異―』はコロナ禍と重なって、現実とフィクションの境界が侵食されていくような、妙な感覚を味わうことになりました。

志村弘之　SF読者

①『量子魔術師』デレク・クンスケン
②『シオンズ・フィクション　イスラエルSF傑作選』シェルドン・テイテルバウム＆エマヌエル・ロテム＝編
③『夜の舞・解毒草』イサアク・エサウ・カリージョ・カン／アナ・パトリシア・マルティネス・フチン（国書刊行会）
④『三体Ⅱ　黒暗森林』劉慈欣
⑤『となりのヨンヒさん』チョン・ソヨン

『夜の舞・解毒草』はじめ《新しいマヤの文学》あと二冊も良かった。チャン『息吹』は相変わらず高水準。『マーダーボット・ダイアリー』は弊機がかわいい。USJ三部作も『サイバー・ショーグン・レボリューション』で完結。《ローダンNEO》は『永遠の世界　ローダンNEO24』で、最初の不死に出会えた。『メアリ・ジキルとマッド・サイエンティストの娘たち』娘たち集合篇、集まるだけで楽しい。

下楠昌哉　英文学者

①『バグダードのフランケンシュタイン』アフマド・サアダーウィー
②『ブラック・トムのバラード』ヴィクター・ラヴァル
③『現想と幻実　ル＝グウィン短篇選集』アーシュラ・K・ル＝グウィン
④『ボーン・クロックス』デイヴィッド・ミッチェル
⑤『アラバスターの手　マンビー古書怪談集』A・N・L・マンビー

①副題に「あるいは現代のアラビアン・ナイト」とつけたい。②ラヴクラフト作品が含む問題系を見事に実作で昇華。③ル＝グウィンが様々な文学的可能性に果敢に挑んでいたのが伝わる。翻訳は大変だったはず。活字選択のレベルまで考え抜かれた造本。④八〇、九〇年代に若者だった人はぜひ。時間を越えられない我々にも、時代の息吹が甦る。⑤怪談なのに心地よすぎる。一日一篇こういうも

のを読んで暮らしたい。

十三不塔
作家

①『三体Ⅱ　黒暗森林』劉慈欣
②『息吹』テッド・チャン
③『荒潮』陳楸帆
④『ウィトゲンシュタインの愛人』デイヴィッド・マークソン

『三体Ⅱ』は、私が語ることもないと思うので割愛。三位の『荒潮』は魅力的なガジェットと語り口に背中を押され、どんどんのめり込みました。残酷な経済システムとそれに翻弄されるヒロインの姿にはキリキリするような臨場感あり。『ウィトゲンシュタインの愛人』は、とりとめのない独白がだんだんと心地よくなっていく。評されているほど実験的な作品という感じはせず読みやすかったです。

水鏡子
SFロートル

①『となりのヨンヒさん』チョン・ソヨン
②『シオンズ・フィクション　イスラエルSF傑作選』シェルドン・テイテルバウム＆エマヌエル・ロテム＝編
③『月の光　現代中国SFアンソロジー』ケン・リュウ＝編
④『息吹』テッド・チャン
⑤『タボリンの鱗　竜のグリオールシリーズ短篇集』ルーシャス・シェパード

各国の短篇ＳＦがその国のＳＦ事情を含めて紹介された年だった。今世紀発出作品には、素材は別にして、どこかお国柄を越えたグローバルな共通性を感じた。大所高所から見た完成度の高い隙のない作品群。少し気疲れを覚えたなかで、『ヨンヒさん』の人生経験と身体性に引き寄せていく物語はすんなり気持ちよく寄り添わせてくれる。『月の光』の評価には『時のきざはし』その他諸雑誌の特集等も加味をした。

鈴木力
ライター

①『茶匠と探偵』アリエット・ド・ボダール
②『息吹』テッド・チャン
③『月の光　現代中国SFアンソロジー』ケン・リュウ＝編
④『三体Ⅱ　黒暗森林』劉慈欣
⑤『タボリンの鱗　竜のグリオールシリーズ短篇集』ルーシャス・シェパード

例年なら何の迷いもなく一位に推せる作品が五つ以上も出てしまったという（『荒潮』も『宇宙へ』も落ちた！）、嬉しいんだか恐ろしいんだかよくわからない事態。①は「このシリーズの作品は全部訳してください」というお願いをこめて一位としました。

スズキトモユ
人間

①『息吹』テッド・チャン
②『三体Ⅱ　黒暗森林』劉慈欣
③『マーダーボット・ダイアリー』マーサ・ウェルズ
④『月の光　現代中国SFアンソロジー』ケン・リュウ＝編
⑤『ホーム・ラン』スティーヴン・ミルハウザー

添野知生
映画評論家

①『第五の季節』N・K・ジェミシン
②『マーダーボット・ダイアリー』マーサ・ウェルズ
③『宇宙《そら》へ』メアリ・ロビネット・コワル
④『茶匠と探偵』アリエット・ド・ボダール
⑤『荒潮』陳楸帆

他にも傑作が多く、五作に絞るのはほんとうに難しかった。次点はチャーリー・ジェーン・アンダーズ『空のあらゆる鳥を』。商業出版ではないが、キース・ロバーツ二作目の長篇翻訳となった『モリー・ゼロ』（たこい☆きよし訳）にも強い衝撃を受けた。特異な文型と表現の多義性をできるだけ生かした

（ファン出版だからこそ可能な）翻訳によって、かつて中村融さんが語っていたイギリスSFの難しさ、作家がそこに込めたものの深さを改めて思い知った。

代島正樹
SFセミナースタッフ

①『キャプテン・フューチャー最初の事件』アレン・スティール
②『息吹』テッド・チャン
③『シオンズ・フィクション　イスラエルSF傑作選』シェルドン・テイテルバウム＆エマヌエル・ロテム＝編
④『時のきざはし　現代中華SF傑作選』立原透耶＝編
⑤『第五の季節』N・K・ジェミシン

①名作スペースオペラがリブートで登場。心躍る新たな冒険で続刊への期待が膨らむ。②やはりテッド・チャン。③英米以外のSF紹介が増えてきたとはいえ、これには度肝を抜かれた。事前情報がないと国のイメージまでも塗り替えられる新鮮さよ。④『三体』を筆頭に躍進著しい中国SFの大部なショウケース。ケン・リュウ編『月の光　現代中国SFアンソロジー』も出た。⑤三部作すべてが三年連続ヒューゴー賞受賞の本格破滅SF開幕。

高島雄哉
小説家＋SF考証

①『となりのヨンヒさん』チョン・ソヨン
②『マーダーボット・ダイアリー』マーサ・ウェルズ
③『息吹』テッド・チャン
④『シオンズ・フィクション　イスラエルSF傑作選』シェルドン・テイテルバウム＆エマヌエル・ロテム＝編
⑤『宇宙の隠れた形を解き明かした数学者　カラビ予想からポアンカレ予想まで』シン＝トゥン・ヤウ＆スティーブ・ネイディス（日本評論社）

中国SFの美しさは当然のものとして今年も他の観点から。そうして選んだ五作も王道を行くもので順位は最後まで迷う。『宇宙の隠れた形』はカラビ‐ヤウ多様体で知られる数学者シン＝トゥン・ヤウによる自伝。その業績のように複数世界が立ち現れる。スウェーデンのアーティスト、シモン・ストーレンハーグ『フロム・ザ・フラッド』は現実と虚構を軽やかに交叉させる作品。新しい言葉はいつも境界面で生成する。

高槻真樹
SF評論・映画研究者

①『となりのヨンヒさん』チョン・ソヨン
②『バグダードのフランケンシュタイン』アフマド・サアダーウィー
③『保健室のアン・ウニョン先生』チョン・セラン
④『時のきざはし　現代中華SF傑作選』立原透耶＝編
⑤『怪物』ディーノ・ブッツァーティ

今年はなんといっても、韓国SF紹介の出発点となった年。フェミニズム文学の大ブームのおかげで①③が紹介された。ともに、その魅力をよく伝えてくれる作品だ。今後の展開にも期待が持てそう。それ以外にも、非英米圏SFの大当たりの年となった。②しかしまさか、イラクSFなどというものを見ることになろうとは！　④はむしろ立原氏の偉業を讃えたい。⑤まだこんなにもSFらしいブッツァーティ短篇が残っているとは！

高橋良平
SF批評

①『息吹』テッド・チャン
②『茶匠と探偵』アリエット・ド・ボダール
③『マーダーボット・ダイアリー』マーサ・ウェルズ
④『宇宙《そら》へ』メアリ・ロビネット・コワル
⑤『空のあらゆる鳥を』チャーリー・ジェーン・アンダーズ

その他、ベスト5には漏れましたが、刊行順に『量子魔術師』『キャプテン・フューチャー最初の事件』『最後の竜殺し』『メアリ・ジキルとマッドサイエンティストの娘たち』（続刊希望）『タイムラインの殺人者』『時間旅行者のキャンディボックス』、アンソロジー『時のきざはし』『シオンズ・フィクション』が収穫でした。『第五の季節』は三部作完結まで評価を保留したいと思います。

立原透耶

中華SF愛好家

①『三体Ⅱ　黒暗森林』劉慈欣
②『シオンズ・フィクション　イスラエルSF傑作選』シェルドン・テイテルバウム＆エマヌエル・ロテム＝編
③『荒潮』陳楸帆
④『となりのヨンヒさん』チョン・ソヨン
⑤『月の光　現代中国SFアンソロジー』ケン・リュウ＝編

欧米圏以外から選んだが、それで五作品が埋まるというのが、隔世の感である。中華圏、韓国、イスラエル。今後もさまざまな国、文化のSFを読んでいきたい。これからの発展に非常に期待したい。

巽 孝之

SF批評家

①『マーダーボット・ダイアリー』マーサ・ウェルズ
②『バグダードのフランケンシュタイン』アフマド・サアダーウィー
③『アンドロメダ病原体―変異―』マイクル・クライトン＆ダニエル・H・ウィルソン
④『誓願』マーガレット・アトウッド
⑤『宇宙《そら》へ』メアリ・ロビネット・コワル

刊行されて一読した時から、今年度一位はゆらがなかった。二位以下は、高度な二次創作ぞろいで、中には現代日本の腐敗政治をそのまま連想させずにはおかないアトウッド自身による『侍女の物語』続篇もあるのだが、本邦初紹介になるイラクSFの圧倒的想像力に軍配を上げる。SFWA会長コワルの長篇はフェミニズムSF風味だが、その本音は、スプートニク・ショックを精神的外傷とする全てのアメリカ人に向けた歴史改変ではなかろうか。

田中すけきよ

フリーアーキビスト

①『メアリ・ジキルとマッド・サイエンティストの娘たち』シオドラ・ゴス
②『宇宙《そら》へ』メアリ・ロビネット・コワル
●『時のきざはし　現代中華SF傑作選』立原透耶＝編
●『シオンズ・フィクション　イスラエルSF傑作選』シェルドン・テイテルバウム＆エマヌエル・ロテム＝編
●『バグダードのフランケンシュタイン』アフマド・サアダーウィー

一位・二位は読んでて純粋に楽しかった作品。シリーズ続刊希望を込めてこの順位。特に『メアリ・ジキルとマッド・サイエンティストの娘たち』は「私たちの戦いはこれからだ！」で終わってるのでぜひ！　今年は非英語圏の作品紹介の印象強く、今後の呼び水になってほしいなぁ、と残り三作品は順不同で入れさせてもらいました。

田中 光

イラストレーター

●『息吹』テッド・チャン
●『タボリンの鱗　竜のグリオールシリーズ短篇集』ルーシャス・シェパード
●『三体Ⅱ　黒暗森林』劉慈欣
●『歴史は不運の繰り返し　セント・メアリー歴史学研究所報告』ジョディ・テイラー
●『シオンズ・フィクション　イスラエルSF傑作選』シェルドン・テイテルバウム＆エマヌエル・ロテム＝編

他には、『月の光』『メアリ・ジキルとマッド・サイエンティストの娘たち』『宇宙へ』『時間旅行者のキャンディボックス』『現想と幻実　ル＝グウィン短篇選集』『ダフォディルの花』などがよかった。

津久井五月 作家

①『息吹』テッド・チャン
②『第五の季節』N・K・ジェミシン
③『荒潮』陳楸帆
④『LIFE3.0 人工知能時代に人間であるということ』マックス・テグマーク（紀伊國屋書店）
⑤『2050年 世界人口大減少』ダリル・ブリッカー＆ジョン・イビットソン（文藝春秋）

①は表題作の完成度に圧倒されました。惑星的な想像力をこういう形で表現できるのかと。②は巨大な導入篇。少し読みにくいものの、アイデアとその表現が素晴らしいので報われました。③は現代中国の自意識とサイバーパンクの意匠が入り混じって面白い。④と⑤は、何を土台に未来のシナリオを議論するか、そしてSF（≠未来予測）に何ができるかを考える材料として。SFマガジン六月号の英語圏SF受賞作特集も面白かったです。

東北大学SF・推理小説研究会 大学サークル

①『息吹』テッド・チャン
②『三体Ⅱ 黒暗森林』劉慈欣
③『宇宙《そら》へ』メアリ・ロビネット・コワル
④『月の光 現代中国SFアンソロジー』ケン・リュウ＝編
⑤『荒潮』陳楸帆

①待ちに待ったチャンの第二作品集。全員一致で文句なしの一位。②中国SFの再注目作は、その期待を遙かに上回る面白さだった。③様々な障壁を乗り越え、周囲の人に助けられながら宇宙へ向かう主人公の姿に強く惹かれた。④韓松の二篇や宝樹「金色昔日」、陳楸帆「未来病史」を推す声が多かった。⑤様々な視点から描かれる物語と現代中国のサイバーな情景にとても楽しませてもらった。

都甲幸治 早稲田大学文学学術院教授

①『プラヴィエクとそのほかの時代』オルガ・トカルチュク
②『誓願』マーガレット・アトウッド
③『保健室のアン・ウニョン先生』チョン・セラン

とにかくトカルチュクはすごかった。ナチスとソ連に蹂躙されても立ち上がるポーランドの村が力強い。アトウッドは変わらず面白い。フェミニズムがこんなに完ぺきなエンターテインメントになるなんて。チョン・セランは肩の凝らない読み物で、それでも韓国社会に生きる人々の祈りのようなものを感じられた佳作だった。

中野善夫 ファンタジイ研究家

①『言語の七番目の機能』ローラン・ビネ（東京創元社）
②『誓願』マーガレット・アトウッド
③『ライフ・アフター・ライフ』ケイト・アトキンソン
④『ウィトゲンシュタインの愛人』デイヴィッド・マークソン
⑤『シオンズ・フィクション イスラエルSF傑作選』シェルドン・テイテルバウム＆エマヌエル・ロテム＝編

《三体》は第三部が最高なので来年入れます。今年一位に選んだ作品、言語の七番目の機能が出てくるのだからSF界でもっと話題になるべきだと思っています。

中藤龍一郎 会社員兼SF研究家

①『ザ・ループ』シモン・ストーレンハーグ
②『プラヴィエクとそのほかの時代』オルガ・トカルチュク
③『息吹』テッド・チャン
④『アラバスターの壺／女王の瞳 ルゴーネス幻想短編集』レオポルド・ルゴーネス
⑤『鉤十字の夜』キャサリン・バーデキン

ストーレンハーグの作品は、そのリアルなイメージと設定で読者を激しく眩惑する。①

もまた、「あり得たかもしれない世界」をノスタルジックに描き出している。トカルチェクの②は、読む喜びを惜しみなく与えてくれる作品。『百年の孤独』や『ペドロ・パラモ』にも比肩しうる傑作だと思う。③の表題作はレムを思わせるグロテスクでユーモラスな哲学SF。ただ、他の作品群はエスキースのようで少々残念。クラシカルな奇譚集の④は意外と軽く、深夜テレビでみた『ロアルド・ダール劇場』みたいな風味です。最も重苦しく、読み通すのに苦痛を感じるのが⑤。八十年前の作品の「告発」は、鋭く現代を撃つ。

中村 融

翻訳家・アンソロジスト

① 『時のきざはし　現代中華SF傑作選』立原透耶＝編
② 『宇宙《そら》へ』メアリ・ロビネット・コワル
③ 『アンドロメダ病原体―変異―』マイクル・クライトン&ダニエル・H・ウィルソン
④ 『バグダードのフランケンシュタイン』アフマド・サアダーウィー
⑤ 『荒潮』陳楸帆

恥ずかしながらイラクの小説をはじめて読んだ。④がそれだが、予想以上に精緻な作りに驚嘆。フランケンシュタインが怪物ではなく、怪物を作った博士の名前であることを思えば、表題はだれを指しているのか、と考えずにはいられない。ツギハギの構成そのものが、本書のたくらみをささえている。①は中華SFの見取り図として申し分ない出来栄え。編者の労を讃えたい。

長山靖生

評論家

● 『息吹』テッド・チャン
● 『三体Ⅱ　黒暗森林』劉慈欣
● 『荒潮』陳楸帆
● 『フレドリック・ブラウンSF短編全集2　すべての善きベムが／フレドリック・ブラウンSF短編全集3　最後の火星人』フレドリック・ブラウン
● 『月の光　現代中国SFアンソロジー』ケン・リュウ＝編

選んでみて我ながらビックリしたが、中国系SFの進展ぶりがすさまじい。改めてそのことを実感した。あと、自分の残りの人生時間を考えつつも（ローダン読みを再開しようかな……）と。

名古屋大学SF・ミステリ・幻想小説研究会

大学サークル

① 『三体Ⅱ　黒暗森林』劉慈欣
② 『息吹』テッド・チャン
③ 『シオンズ・フィクション　イスラエルSF傑作選』シェルドン・テイテルバウム&エマヌエル・ロテム＝編
④ 『言語の七番目の機能』ローラン・ビネ
⑤ 『バグダードのフランケンシュタイン』アフマド・サアダーウィー

①あの第一部を余裕で越えてきた！　②生命体を描くのが上手すぎる。『あなたの人生の物語』とあわせて読むと楽しい。③イスラエルSFへの期待が高まる出来。総評：今年は非英米系作品が豊作であった。また、名訳傑作を蒐集した『ゴシック文学神髄』は素晴らしかった。

鳴庭真人

海外SF紹介者・翻訳者

① 『荒潮』陳楸帆
② 『息吹』テッド・チャン
③ 『宇宙《そら》へ』メアリ・ロビネット・コワル
④ 『量子魔術師』デレク・クンスケン
⑤ 『ナインフォックスの覚醒』ユーン・ハー・リー

①は最近勢い盛んな中国SFの中でも一番しっくりきた作品。中国SFと英米SFのハイブリッド感がある。②は新作が少ないのと、最近の作風がやや真面目すぎるので。③～⑤はいずれも力作だが、同時に物足りない感じもあり。

難波弘之
ミュージシャン／東京音楽大学教授

①『息吹』テッド・チャン
②『マーダーボット・ダイアリー』マーサ・ウェルズ
③『誓願』マーガレット・アトウッド
④『鳥の歌いまは絶え』ケイト・ウィルヘルム
⑤『三体Ⅱ　黒暗森林』劉慈欣

①は結構なアイデアなのに、しみじみとした良いお話が並び、「ソフトウェア・オブジェクトのライフサイクル」の、〝動物の世話をすることには、それ自体に価値がある〟という科白に、思わず頷いてしまった。②は、中原尚哉による〝弊機〟という訳語だけで、もう素晴らしすぎる！　下世話だが傷つきやすい人型警備ユニットというアイデアは、平井和正のアンドロイドものを想起させるが、こちらの明るい作風も素敵。⑤は、相変わらずパワフル。壮大な宇宙観と、皮相な現実を並べて描く手法に、小松左京「お茶漬けの味」を思い出しニンマリ。思考が完全に透明である社会の政治や文化とは？　という件で、本格ミステリが成立しない文化だと（笑）。

二階堂黎人
小説家

①『スタートレック／ディスカバリー　シーズン3』
②『フレドリック・ブラウンSF短編全集3　最後の火星人』フレドリック・ブラウン
③『フレドリック・ブラウンSF短編全集2　すべての善きベムが』フレドリック・ブラウン
④『トンネル』ベルンハルト・ケラーマン（国書刊行会）
⑤『宇宙《そら》へ』メアリ・ロビネット・コワル

すみません。今年も一位は『ディスカバリー』です。映像もどんどん凄くなっている。『トンネル』は新訳でなかったのが残念。『宇宙へ』は、巨大隕石のくだりは要らないよね。

橋　賢亀
絵描き

①『ダフォディルの花　ケネス・モリス幻想小説集』ケネス・モリス
②『となりのヨンヒさん』チョン・ソヨン
③『息吹』テッド・チャン
④『夏の雷鳴　わるい夢たちのバザールⅡ』スティーヴン・キング
⑤『影を呑んだ少女』フランシス・ハーディング

今年は海外作家の短篇集を意識的にたくさん読みました。アンナ・カヴァンやル＝グウィンの短篇集も好きでした。

葉月十夏
愛好家

①『息吹』テッド・チャン
②『暇なんかないわ　大切なことを考えるのに忙しくて　ル＝グウィンのエッセイ』アーシュラ・K・ル＝グウィン
③『鳥の歌いまは絶え』ケイト・ウィルヘルム

『息吹』待った甲斐がありました。『暇なんかないわ　大切なことを考えるのに忙しくて』さすがの貫禄。新作が読めないのが悲しい。『鳥の歌いまは絶え』ひとつの歴史が終わり別の歴史が始まる。静かな感動。

林　譲治
作　家

①『時のきざはし　現代中華SF傑作選』立原透耶＝編
②『三体Ⅱ　黒暗森林』劉慈欣
③『息吹』テッド・チャン
④『中国・SF・革命』河出書房新社

二〇二〇年の海外SFを総括すれば、二〇二〇年は立原透耶の年であった。これは中国SFの躍進の結果でもあるが、立原氏の地道な活動が一気に花ひらいた年とも言えよう。同時に、海外SFが真の意味で多文化主義へ舵を切ったことの証とも言えるのではなかろうか。

林 哲矢
SFレビュアー

①『息吹』テッド・チャン
②『時間旅行者のキャンディボックス』ケイト・マスカレナス
③『荒潮』陳楸帆
④『時のきざはし　現代中華SF傑作選』立原透耶＝編
⑤『シオンズ・フィクション　イスラエルSF傑作選』シェルドン・テイテルバウム＆エマヌエル・ロテム＝編

　マーサ・ウェルズ『マーダーボット・ダイアリー』、アリエット・ド・ボダール『茶匠と探偵』、アレン・スティール『キャプテン・フューチャー最初の事件』、N・K・ジェミシン『第五の季節』もよかった。

春暮康一
SF作家

①『息吹』テッド・チャン
②『シオンズ・フィクション　イスラエルSF傑作選』シェルドン・テイテルバウム＆エマヌエル・ロテム＝編
③『月の光　現代中国SFアンソロジー』ケン・リュウ＝編
④『フレドリック・ブラウンSF短編全集2　すべての善きベムが』フレドリック・ブラウン
⑤『フレドリック・ブラウンSF短編全集3　最後の火星人』フレドリック・ブラウン

　書くにも読むにも短篇が好きなせいで、どうしても短篇集ばかりに偏ってしまう。やはりテッド・チャンの『息吹』は別格で、科学と人間性が深いレベルで絡み合っている。「不安は自由のめまい」はその最高峰だと思う。アンソロジー二つは夢想あり、ワンアイデアあり、感傷ありでどれも独特の読後感がある。偶然どちらにも邦題が「鏡」という作品があるが、両方とも切れがあって好み。ブラウンの軽い文体も、古さを全く感じさせない。

樋口恭介
SF作家

①『息吹』テッド・チャン
②『三体Ⅱ　黒暗森林』劉慈欣
③『内なる町から来た話』ショーン・タン（河出書房新社）
④『くたばれインターネット』ジャレット・コベック（Pヴァイン）
⑤『透明性』マルク・デュガン

　風に舞う木の葉の群れの中にも、たとえば意識と呼ばれるパターンがあります。『息吹』のあとの私たちは、生命の定義をあらためざるをえないことでしょう。

福井健太
書評系ライター

①『息吹』テッド・チャン
②『月の光　現代中国SFアンソロジー』ケン・リュウ＝編
③『バグダードのフランケンシュタイン』アフマド・サアダーウィー
④『時間旅行者のキャンディボックス』ケイト・マスカレナス
⑤『歴史は不運の繰り返し　セント・メアリー歴史学研究所報告』ジョディ・テイラー

　①の圧倒的なクオリティはもはや別格。「存在するという奇跡」に想いを馳せることが結晶を生む。②は編者の嗜好が『折りたたみ北京』以上のバリエーションと緩急に繋がった好著。③は自爆テロが続く中東と人造人間テーマを絡めた寓話的サスペンス。④と⑤はタイムマシンに接した人間のありようが対照的。手塚治虫に影響を与えた「一九一三年の大ベストセラー」であるドイツSF『トンネル』の復刻も良い仕事だった。

福江 純
天文楽者

①『ウォーシップ・ガール』ガレス・L・パウエル
②『時空大戦4　勝利への遥かなる旅路』ディトマー・アーサー・ヴェアー
③『地球防衛戦線1　スカム襲来』ダニエル・アレンソン

元戦艦AIが主人公で最近多いAIものだが成長譚という点ではなかなかよかった『ウォーシップ・ガール』。やはり近年多いミリタリーSFだが時空通信を絡めたあたりが多少目新しい『時空大戦』。ちょっとありきたりだった感の『地球防衛戦線』。うーん、ぼくの好みが狭いせいなのか、毎週大型書店に出向くのだが、手に取りたくなる作品が今年は少なかった。

福本直美
書評子

●『アンドロメダ病原体―変異―』マイクル・クライトン&ダニエル・H・ウィルソン
●『メアリ・ジキルとマッド・サイエンティストの娘たち』シオドラ・ゴス
●『三体Ⅱ　黒暗森林』劉慈欣
●『第五の季節』N・K・ジェミシン
●『最後の竜殺し』ジャスパー・フォード

『アンドロメダ病原体―変異―』は生々しくて迫力があり、ラストは後々まで印象に残る。『メアリ・ジキル～』は「ポケットがあれば、女は世界だって征服できるはず！」というくらい、服装まで不自由だった時代に生きる女性たちの冒険奇譚。『三体Ⅱ』は前作より面白く、何だかカラー画面に切り替わったかのよう。『第五の季節』には卓越した物語力があり、『最後の竜殺し』は無条件に楽しませてくれる。

藤田雅矢
作家・植物育種家

●『サイバー・ショーグン・レボリューション』ピーター・トライアス
●『時のきざはし　現代中華SF傑作選』立原透耶＝編
●『シオンズ・フィクション　イスラエルSF傑作選』シェルドン・テイテルバウム&エマヌエル・ロテム＝編
●『三体Ⅱ　黒暗森林』劉慈欣
●『SF映画のタイポグラフィとデザイン』デイヴ・アディ

今年は、現代中華SFに、イスラエルSFまで、いろいろ読めて楽しめました。『SF映画のタイポグラフィ～』小説ではないですが、文字から見るという視点に惹かれました。

冬木糸一
書評家

①『荒潮』陳楸帆
②『息吹』テッド・チャン
③『宇宙《そら》へ』メアリ・ロビネット・コワル
④『第五の季節』N・K・ジェミシン
⑤『シオンズ・フィクション　イスラエルSF傑作選』シェルドン・テイテルバウム&エマヌエル・ロテム＝編

『最後の竜殺し』もおもしろかった。あと『月の光』や『アンドロメダ病原体―変異―』、『マーダーボット・ダイアリー』も。海外SFは豊作だったと思います。

古山裕樹
書評家

①『マーダーボット・ダイアリー』マーサ・ウェルズ
②『時間旅行者のキャンディボックス』ケイト・マスカレナス
③『宇宙《そら》へ』メアリ・ロビネット・コワル
④『サイバー・ショーグン・レボリューション』ピーター・トライアス
⑤『最後の竜殺し』ジャスパー・フォード

①語り口とキャラクター設定の勝利。「弊機」の面倒くさい性格が最高である。②がっちり謎解きミステリ。③ジェンダーと人種のお話をぐいぐい読ませる。④豪快なメカの殴

り合いの話と見せてけっこう真摯な物語だった。⑤軽妙なユーモアで楽しく引っ張ってくれる、魔法とマネジメントのお話。

片理 誠
作家

● 『タボリンの鱗　竜のグリオールシリーズ短篇集』ルーシャス・シェパード
● 『第五の季節』N・K・ジェミシン
● 『三体Ⅱ　黒暗森林』劉慈欣

細谷正充
文芸評論家

① 『メアリ・ジキルとマッド・サイエンティストの娘たち』シオドラ・ゴス
② 『息吹』テッド・チャン
③ 『マーダーボット・ダイアリー』マーサ・ウェルズ
④ 『宇宙《そら》へ』メアリ・ロビネット・コワル
⑤ 『シオンズ・フィクション　イスラエルSF傑作選』シェルドン・テイテルバウム＆エマヌエル・ロテム＝編

『三体Ⅱ』が入らなくなってしまったが、まあいいか。①は、とにかく私好みの物語だった。続きを早く訳してほしい。⑤は、イスラエルSFのアンソロジーということに驚き、面白い作品が多いことに嬉しくなった。こういう本を読むと、世界にはまだ私の知らない、たくさんの凄いSFがあるのではないかと思い、ワクワクしてしまうのである。

牧 眞司
SF研究家

① 『息吹』テッド・チャン
② 『第五の季節』N・K・ジェミシン
③ 『茶匠と探偵』アリエット・ド・ボダール
④ 『シオンズ・フィクション　イスラエルSF傑作選』シェルドン・テイテルバウム＆エマヌエル・ロテム＝編
⑤ 『月の光　現代中国SFアンソロジー』ケン・リュウ＝編

とにかく『息吹』が圧倒的。哲学と物理とをひとつ物語の水準で、しかもくっきりと輪郭のあるSFガジェットを梃子に語りきっている。いっぽう、翻訳SFの動向としては、非英語圏SFが少しずつ紹介されるようになってきたのが嬉しい。

増田まもる
翻訳家

① 『雲』エリック・マコーマック
② 『ラヴクラフトの怪物たち（下）』エレン・ダトロウ＝編
③ 『鳥の歌いまは絶え』ケイト・ウィルヘルム
④ 『現想と幻実　ル＝グウィン短篇選集』アーシュラ・K・ル＝グウィン
⑤ 『シオンズ・フィクション　イスラエルSF傑作選』シェルドン・テイテルバウム＆エマヌエル・ロテム＝編

海外ではエリック・マコーマックの『雲』が柴田元幸氏の名訳によって刊行されたことを心から寿ぎたい。これでマコーマックの未訳の長篇は残すところあと二作なので、この勢いですべて訳出されることを切に望むものである。

松崎健司（らっぱ亭）
放射線科医（ラファティアン）

① 『息吹』テッド・チャン
② 『タボリンの鱗　竜のグリオールシリーズ短篇集』ルーシャス・シェパード
③ 『時のきざはし　現代中華SF傑作選』立原透耶＝編
④ 『モリー・ゼロ』キース・ロバーツ
⑤ 『BABELZINE Vol.1』バベルうお

SF・幻想文学の同人翻訳が賑わってきたぞ！　版権取得の④や⑤の刊行は事件だし、続々と出るホジスン、ブラックウッド、ハワード、スミス、ネズビット等々。ボクっ娘AIが活躍するSFらしいSF『ウォーシップ・ガール』、SFミステリの皮を被った怪作『時間旅行者のキャンディボックス』もオススメだ。そして盛り上がる中華SF紹介の立役者である立原透耶さんの大活躍には日本SF大賞か科研費をもって報いたいなあ。

三村美衣
レビュアー

●『空のあらゆる鳥を』チャーリー・ジェーン・アンダーズ
●『時間旅行者のキャンディボックス』ケイト・マスカレナス
●『ホーム・ラン』スティーヴン・ミルハウザー
●『影を呑んだ少女』フランシス・ハーディング
●『タボリンの鱗　竜のグリオールシリーズ短篇集』ルーシャス・シェパード

久しぶりにSFも真面目に読んだのだが、結局、ファンタジイ多め。現代社会的な視座にうまく同調できないのと、それが話を小さくしてしまってる感じがなんだか残念な作品が多かった。ミルハウザー『ホーム・ラン』はジャンル分け不能ですが、言葉の流れに押し流され、異界をそぞろ歩きするような気持ちよさが最高。

宮樹弌明
会社員・ライター

①『三体Ⅱ　黒暗森林』劉慈欣
②『第五の季節』N・K・ジェミシン
③『宇宙《そら》へ』メアリ・ロビネット・コワル
④『シオンズ・フィクション　イスラエルSF傑作選』シェルドン・テイテルバウム＆エマヌエル・ロテム＝編
⑤『荒潮』陳楸帆

①は怒濤のようなストーリー展開で読者を引き込む文句なしの面白さだった。⑤も含め中国SFにさらに期待させられた。かと思えば④のような作品集も登場し多様な作品が楽しめたのがうれしい。②③も時代を反映した作品で印象に残った。

森下一仁
本読み／著述

①『息吹』テッド・チャン
②『三体Ⅱ　黒暗森林』劉慈欣
③『シオンズ・フィクション　イスラエルSF傑作選』シェルドン・テイテルバウム＆エマヌエル・ロテム＝編
④『時のきざはし　現代中華SF傑作選』立原透耶＝編
⑤『空のあらゆる鳥を』チャーリー・ジェーン・アンダーズ

テッド・チャンの作品がこれで打ち止めということはないでしょうね。もっともっと読みたい。『三体』第三部も楽しみ。イスラエルSFという括りには意表を突かれました。中国もそうだけど、国によって作家たちの関心の持ちように違いがあるのが興味深い。他の国はどうなっているの？　あと、ピーター・トライアス《ユナイテッド・ステイツ・オブ・ジャパン》シリーズの完結も忘れてはならないと思います。

柳下毅一郎
特殊翻訳家

①『息吹』テッド・チャン
②『透明性』マルク・デュガン
③『彼女の体とその他の断片』カルメン・マリア・マチャド
④『十二月の十日』ジョージ・ソーンダーズ
⑤『三体Ⅱ　黒暗森林』劉慈欣

いろいろおもしろいSFも出ていたはずなのだが、どうにも現実のほうが騒がしくて、そちらに片足でも置いていてくれないとフィクションの面白さもいまひとつ感じられない。『透明性』はトランプの二期目で地球環境が決定的なダメージを受けた結果の物語なので、そうならずに済んでまずは良かったのかな。

山岸真
SF翻訳業

①『息吹』テッド・チャン
②『荒潮』陳楸帆
③『宇宙《そら》へ』メアリ・ロビネット・コワル

④『**三体Ⅱ　黒暗森林**』劉慈欣
⑤『**第五の季節**』Ｎ・Ｋ・ジェミシン

次点は、名前をあげたい作品が二十以上あるので略。表題作ゆえ一位は揺るがず。二位は「サイバーパンク当時のギブスンとスターリングが合作した近未来ＳＦ」の今世紀版。三、四、五位はシリーズ未完だが長篇単体の評価でこの位置。お薦め短篇については、触れたい作品・書いておきたいコメントが制限字数の倍を超えてもおさまらないので、話題の短篇集・アンソロジー、とくにアジア系作家の作品は片っぱしから読むべし、とだけ。

山之口洋

作家／大学講師

①『**三体Ⅱ　黒暗森林**』劉慈欣
②『**マーダーボット・ダイアリー**』マーサ・ウェルズ
③『**草地は緑に輝いて**』アンナ・カヴァン
④『**息吹**』テッド・チャン
⑤『**月の光　現代中国ＳＦアンソロジー**』ケン・リュウ＝編

懐かしい匂いの大風呂敷にくるまれてまったりする暇もなく、風呂敷はどんどん広がって端っこは事象の地平線を超え、「こいつらで大丈夫か」と思う四人の「面壁者」とやらに地球の命運は託されるし、呪文・水滴・大峡谷期など荒っぽいアイデアも乱発されて一時はどうなるかと思ったが、ラストでスパッと全伏線が回収され『黒暗森林』という副題の意味が立ち上がってくる。イチオシに聞こえないかもしれないけど、これは計画の一部だ。

ＹＯＵＣＨＡＮ

イラストレーター

①『**シオンズ・フィクション　イスラエルＳＦ傑作選**』シェルドン・テイテルバウム＆エマヌエル・ロテム＝編
②『**現想と幻実　ル＝グウィン短篇選集**』アーシュラ・Ｋ・ル＝グウィン
③『**時のきざはし　現代中華ＳＦ傑作選**』立原透耶＝編
④『**ラヴクラフトの怪物たち（下）**』エレン・ダトロウ＝編
⑤『**おちび**』エドワード・ケアリー

二〇二〇年の最高の収穫はイスラエルＳＦ！　今年最高のインパクトだった。ル＝グウィンの短篇集もそうだけど、少し内省的な雰囲気が今の私の気持ちに沿う。そして中華系アンソロジー『時のきざはし』は新たな王道ＳＦのショウケース。立原透耶さん快進撃!!

ゆずはらとしゆき

ライトノベル作家＆企画編集者

①『**サンセット・パーク**』ポール・オースター
②『**おれの眼を撃った男は死んだ**』シャネル・ベンツ
③『**となりのヨンヒさん**』チョン・ソヨン
④『**誓願**』マーガレット・アトウッド
⑤『**鉤十字の夜**』キャサリン・バーデキン

①単なる現実も語り口次第で悪魔めいてくる技術の精髄。過去を掘り下げすぎる悪癖の代わりに『我が生涯の最良の年』の引用が最後に効いてくる。②オコナーやマッカーシーを猥雑に煮詰めて佃煮にした「クセがすごいんじゃ」な短篇集。中毒性高い。③ティプトリーを現代的に再話した短篇集。語りすぎないのがよい。④キリスト教原理主義世界の寓話。『侍女の物語』より明度高いのは善し悪し。⑤一九三七年に書かれたことが重要。

吉田親司

小説家

①『**三体Ⅱ　黒暗森林**』劉慈欣
②『**宇宙《そら》へ**』メアリ・ロビネット・コワル
③『**サイバー・ショーグン・レボリューション**』ピーター・トライアス
④『**鳥の歌いまは絶え**』ケイト・ウィルヘルム

⑤『ナインフォックスの覚醒』ユーン・ハー・リー

①と②だが、どちらをトップにするかで悩んだ。IF歴史宇宙開拓ものとして②も忘れがたいが、第三部の早期発売を祈願して三体を一位に。③は好きなシリーズの完結篇。ようやく復刊された④と、超弩級理系スペオペの⑤も楽しかった。

ワセダミステリ・クラブ
大学サークル

①『息吹』テッド・チャン
②『シオンズ・フィクション イスラエルSF傑作選』シェルドン・テイテルバウム＆エマヌエル・ロテム＝編
③『鳥の歌いまは絶え』ケイト・ウィルヘルム
④『三体Ⅱ 黒暗森林』劉慈欣
⑤『第五の季節』N・K・ジェミシン

アラブの説話風時間SFやAI育成を描くSFなど多彩で読みやすい短篇群が魅力的な①は文句なし。②は豊穣なイスラエルの民族性・歴史性とSFを見事に調和させた衝撃の作品集、③は滅びの道を辿る人類と彼らが生み出したクローン、そしてその末裔の変遷を描いた名作の復刊だ。絶大な評価を得た前作すらも超えて最高のエンターテインメントを魅せた④と、三部作の序章として今後の壮大な展開を期待させてくれる⑤も素晴らしい。

渡邊利道
作家・評論家

●『茶匠と探偵』アリエット・ド・ボダール
●『マーダーボット・ダイアリー』マーサ・ウェルズ
●『となりのヨンヒさん』チョン・ソヨン
●『フライデー・ブラック』ナナ・クワメ・アジェイ＝ブレニヤー（駒草出版）
●『宇宙《そら》へ』メアリ・ロビネット・コワル

他に、『荒潮』陳楸帆、『第五の季節』N・K・ジェミシン、『タイムラインの殺人者』アナリー・ニューイッツ、『バグダードのフランケンシュタイン』アフマド・サアダーウィーなどが面白かったです。また今年は『時のきざはし』や『シオンズ・フィクション』などのアンソロジーや翻訳ジン『BABELZINE』、幻想ホラーの雑誌『ナイトランド・クォータリー』などで面白い翻訳短篇がたくさん読めて嬉しかったです。

渡辺英樹
SFレビュアー

①『第五の季節』N・K・ジェミシン
②『息吹』テッド・チャン
③『シオンズ・フィクション イスラエルSF傑作選』シェルドン・テイテルバウム＆エマヌエル・ロテム＝編
④『茶匠と探偵』アリエット・ド・ボダール
⑤『三体Ⅱ 黒暗森林』劉慈欣

今年はいつになく海外SF豊作の年で、中国系SFを読み切れなかったのが残念です。①は圧倒的な筆力と構成力に対して、②は科学の最前線を踏まえた思弁の巧みさに対して、③はイスラエルSFの驚くべきレベルの高さに対して、④はアジアと女性がクローズアップされた設定のユニークさに対して、⑤は三作目への期待を込めて、それぞれ選びました。

ＳＦが読みたい！の早川さん①

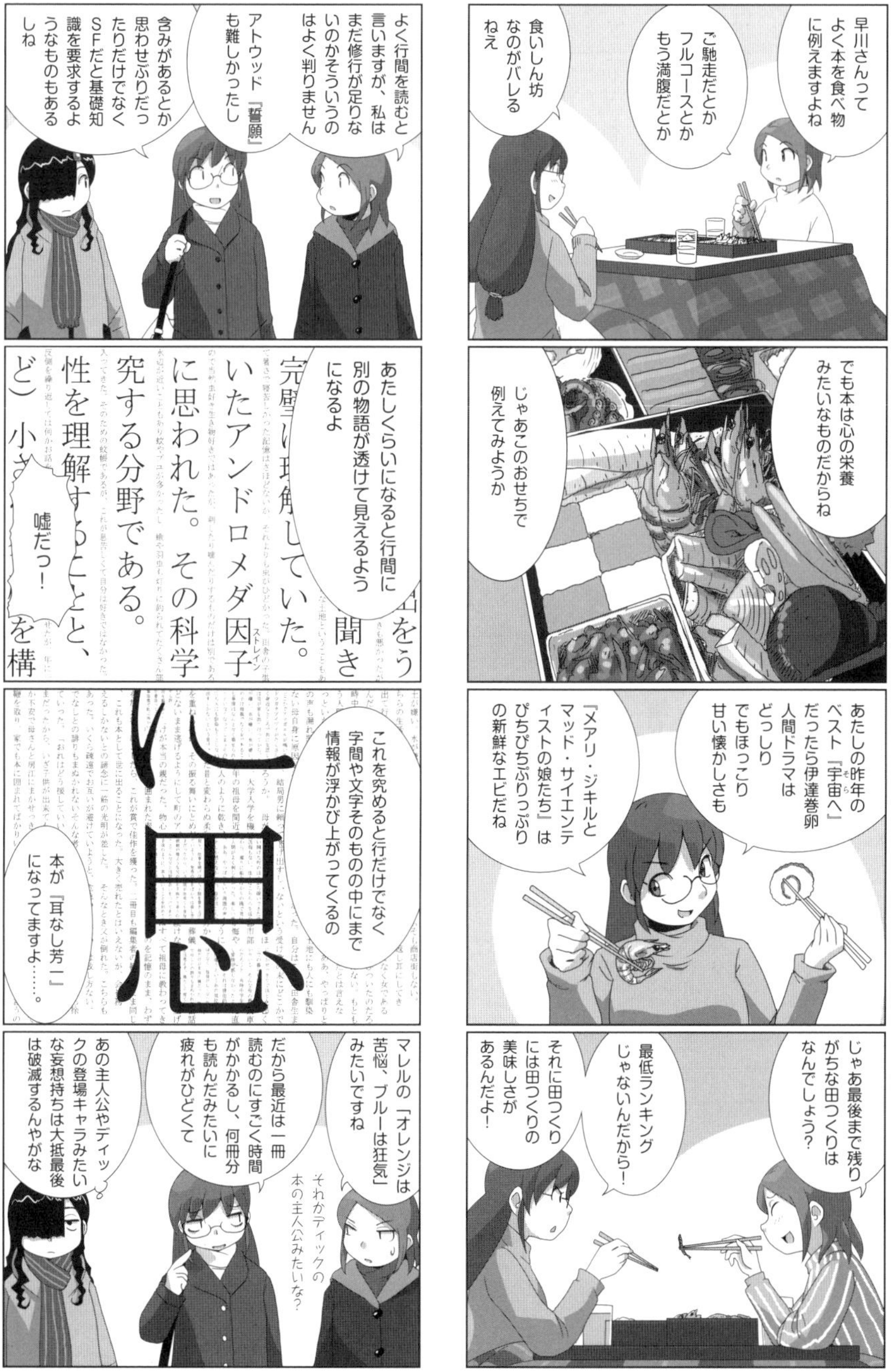

サブジャンル別 Best 10 &総括

ライトノベルSF

過去を変えようとする展開から現実を間違わない道を探るSFが並ぶ

タニグチリウイチ
Taniguchi Riuichi

❶『きのうの春で、君を待つ』八目迷
❷『不可視都市』高島雄哉
❸《竜と祭礼》シリーズ 筑紫一明
❹『星継ぐ塔と機械の姉妹』佐藤ケイ
❺『モボモガ』結城弘
❻『世界樹の棺』筒城灯士郎
❼『さよなら異世界、またきて明日 旅する絵筆とバックパック30』風見鶏
❽『わたしの旦那はタイムトラベラー』森川秀樹
❾『ボーズ・ミーツ・ガール1 住職は異世界で破戒する』鵜狩三善
❿『今夜F時、二人の君がいる駅へ。』吉月生

『夏への扉』のように、時間を遡って過去を変えようとするSFは、過ちを取り消したい人の願望を映すように、時代を問わず紡がれてきた。八目迷『**きのうの春で、君を待つ**』もその系譜に連なる一篇。春休みに東京から故郷の島へ戻ったカナエの時間が、四月一日からまる四日後に突然飛ぶ。そこで同級生だった保科あかりから、カナエの時間が一日進んで二日戻ることを教えられ、四月二日の夕方に遺体で発見されたあかりの兄の彰人を、過去に戻った際に助けてほしいと頼まれる。逆行する時間の中でカナエは、荒れていた彰人の暮らしと、あかりの兄に対する屈折した心情を知り、過去を変えるべきか迷う。特異な力を振るう責任について問われる作品だ。

森川秀樹『**わたしの旦那はタイムトラベラー**』にも、過去を変えたいと願う人々の思いが描かれる。結婚したての夫が突然「僕はタイムトラベラーなのだ」と言い出し、驚く妻の茉莉。夫は過去改変を阻止する任務で百年後からやってきたという。夫が過去改変の阻止という使命に燃える理由は、茉莉にとってバッドエンドをもたらしそうなものだったが、それがくるりと反転する展開に、時間ものならではの仕掛けの妙味を感じられる。

吉月生『**今夜F時、二人の君がいる駅へ。**』も時間もの。二〇一九年から二〇二四年の高輪ゲートウェイ駅に飛ばされた車両。乗客たちは、気まずい別れ方をした彼女が死んでしまっていたり、経営していた工場が大手企業の傘下に入っていたりと、五年間で変わっていた境遇に苦しむ。そこに示された、一人に限って過去に戻れるという提案。誰の過去を変えるべきか。そもそも変えるべきなのか。そんな模索から、現実と折り合いをつける道を見いだす力を得られる。

悲しい事件から復興中の京都アニメーションが、ラノベレーベルのKAエスマ文庫で五作品を連続刊行。そのうちの一冊、結城弘『**モボモガ**』では、他人の時間を奪い貯めて時を移動する貸時計の力で、大正七年から百年後に飛ばされた少女を元の時代に帰そうと、京都の時計店で働く光太が走り回る。過去に少女が襲われ、今も狙われている理由が繋がり、苦い過去を変えたいと願う人物の妄執が見えてくる。

タニグチリウイチ氏が選んだ！　2020年度・ライトノベルＳＦ作品ベスト３

1

2

3

人を守っていた致死性自律兵器システム（ＬＡＷＳ）が暴走し、都市間の移動手段や通信手段が奪われた世界が舞台の高島雄哉**『不可視都市』**。十二カ所に集約された都市のひとつ、北京にいた数学者の青夏は、ＬＡＷＳを操る敵を撃退し、宇宙から戻れなくなった婚約者に会いに行こうと、北京を出て太平洋上に浮かぶ都市へと向かう。ＬＡＷＳの襲撃を避け中国大陸を進む冒険活劇に、数学や哲学の歴史を振り返るパートと、アインシュタインの方位磁石を巡る取引が行われるパートが連なり、やがて結合して「不可視都市」の正体が明かされる。交流を遮断された都市の描写がコロナ禍の世界のようだ。

見かけによらず深い二作。まずは、今に伝わる祭礼の起源を調べ、竜への畏敬が生まれた源流へと迫る民俗学の要素をファンタジイに持ち込んだ筑紫一明『竜と祭礼—魔法杖職人の見地から—』から始まる**《竜と祭礼》シリーズ**。続く『竜と祭礼２—伝承する魔女—』では、人をさらって食うと言われている魔女の正体を暴いた。伝承が生まれる背景、伝承が暮らしに果たす役割を学べる作品だ。

二千年の眠りから覚めると、地球から遠く離れた惑星にいたＡＩ研究者。近づいてきたロボット姉妹の姉が、妹にパンツを脱いで彼に渡すよう言う。佐藤ケイの**『星継ぐ塔と機械の姉妹』**は、下ネタ満載のコメディに見えて、実は硬派なＡＩ×ＳＦ。仕える人類が死に絶え調子を崩したマザーコンピュータを直すため、ロボットたちが人間を作りだそうとしている状況から、ロボットが自律性や生殖能力を持って繁栄する可能性が探られる。

筒城灯士郎**『世界樹の棺』**は、美しい国の王城でメイドとして働く少女・恋塚愛埋が、交流の途絶えた〈古代人形〉たちが暮らす世界樹へハカセと調査に赴く話と、恋塚が王城のお姫さまと連れだって世界樹へと入り込み、国王の危機を防ごうとするエピソードが展開。すこしズレた時間に起こったふたつの出来事が重なった時、見えてくるハカセと恋塚が暮らす世界のビジョンに戦慄する。

転生・転移した異世界で主人公が活躍する話が多々ある中で、風見鶏**『さよなら異世界、またきて明日　旅する絵筆とバックパック30』**は、住人たちが結晶化して散る現象が頻発し、滅亡に向かっている世界に転移するという設定。離別に悲しみながらも懸命に生きようとする住人たちの姿に触れ、大変な時代でも精一杯に過ごしていこうと思わされる。

鵜狩三善**『ボーズ・ミーツ・ガール１　住職は異世界で破戒する』**は、宇宙で昆虫型の敵と戦っていた僧兵が、異世界に召喚され世界を脅かす魔王を相手にした戦いに身を投じるという、異色の転移・転生もの。オショウと名乗るようになった僧兵が、仏教に縁のある言葉や技を繰り出す展開が和風サイバーパンク的で愉快だ。

たにぐち・りういち●65年生れ。書評家。〈ＳＦマガジン〉〈ミステリマガジン〉などでライトノベル評担当。趣味の書評サイト「積ん読パラダイス」は1900冊突破。

サブジャンル別
Best 10
& 総括

国内&海外ファンタジイ

異世界転生ものから宮廷陰謀劇まで
閉塞する現実世界からの逃避先

卯月鮎
Uzuki Ayu

❶《ソナンと空人《そらんと》》 沢村凜
❷『タボリンの鱗』 ルーシャス・シェパード
❸『約束の果て　黒と紫の国』 高丘哲次
❹『この本を盗む者は』 深緑野分
❺『銀をつむぐ者』 ナオミ・ノヴィク
❻『楽園の烏』 阿部智里
❼『おちび』 エドワード・ケアリー
❽『水使いの森』 庵野ゆき
❾『さよなら、エンペラー』 暖あやこ
❿『ベレンとルーシエン』 J・R・R・トールキン著、クリストファー・トールキン編

大きなくくりでファンタジイと考えれば、二〇二〇年に旋風を巻き起こしたのが『鬼滅の刃』。劇場版は『千と千尋の神隠し』を超えて歴代興行収入一位に輝いた。また、こちらも小説ではないが、ゲーム『あつまれ どうぶつの森』もコロナ禍で閉塞する現実世界の逃避先として機能した。メルヘンチックなユートピア。まあ、実際にはたぬきちへの支払いに追われるシビアな箱庭だが(笑)。

小説に目を向けると、《指輪物語》のJ・R・R・トールキンの息子で父の死後にその原稿を整理し、世に送り出したクリストファー・トールキンが二〇二〇年一月に逝去したのが大きなニュース。神話物語集『シルマリルの物語』などを編纂し、中つ国の世界を深耕する優れた助けを読者にもたらした。管理人亡きあと、トールキンの王国は閉じてしまうのか、それとも物語世界が奔放に広がっていくのか……。

さて、二〇二〇年のファンタジイ小説を振り返っていこう。『黄金の王 白銀の王』など理想に殉じる主人公たちの生き様を描く大河ファンタジイを手がけてきた、沢村凜による長篇**《ソナンと空人《そらんと》》**。主人公は名将軍の息子ながら自堕落に生きる青年ソナン。自らの悪事が発端で溺死しかけていたとき、不思議な男が現れ、別天地で生きることを持ちかける……。一種の異世界転生&内政ものとして始まり、後半は過ちの精算をテーマにした意外な展開へ。政治と権力に翻弄され、過去の逆襲に苦しみ、理想を抱いて現実に揺さぶられる青年の成長。ドラマチックでありながらずっしりと重みがあり、作者の集大成的作品といってもいいだろう。

ルーシャス・シェパード**『タボリンの鱗』**は、動かぬ巨竜の上で生活する人々を描く寓話的連作《竜のグリオール》シリーズの二篇。いずれも短篇「竜のグリオールに絵を描いた男」のなかでグリオールが絵の具で「殺された」後の物語が展開される。表題作では、遺された巨竜の鱗に触れて過去にタイムスリップした男が、若かりし日のグリオールと遭遇する。理不尽な暴力の前に為す術もない者たちの卑小さが印象的。人間が抱く本能的な支配欲／被支配欲という主題は、流されがちな他力本願の現代人に強く響く。操られ

卯月 鮎氏が選んだ！ 2020年度・国内&海外ファンタジイ作品ベスト3

1

2

3

るのは、操られたい願望の表れだ。

高丘哲次『**約束の果て　黒と紫の国**』は、日本ファンタジーノベル大賞２０１９受賞作。受け継がれてきた物語と偽史、二つに記されていたのは正規の史書にはない二国を巡る悲劇だった……。真実を追いかける現代の研究者たちの努力と、大国の王子が南国の幼い女王と出会う古代のボーイミーツガールが交互に語られ、重層的に虚構の国が立ち上がる。中盤からラストへかけて、蟻が人体を獲得し、国を作るという奇想はＳＦ的。そのダイナミックさに引き込まれる。

深緑野分の『**この本を盗む者は**』は、本の世界があふれ出すビブリオファンタジイ。本を愛した蒐集家の巨大書庫「御倉館」。その蔵書には、誰かに盗まれると周囲の書店街を本の世界に変えてしまう奇妙な魔術がかけられていた……。書庫の管理人の娘ながらも本嫌いの少女・深冬が、盗まれた本を取り戻すため奮闘する連作。古書店の通りに降り注ぐ真珠の雨、工場と化した街の地下で暴れる銀の獣など映像喚起力が強く、空想の宝箱が開いたかのよう。物語が湛える魔力が凝縮されている。

ナオミ・ノヴィクの『**銀をつむぐ者**』は、おとぎ話とリアリズムが融合した東欧風ファンタジイ。ユダヤ人金貸しの娘で「銀を金に変える」と評判になるほど商売上手なミリエムのもとに、氷の王国を統べる王が現れる。本当に銀を金に変えられたら妃にし、さもなくば氷の柱にすると言い渡す……。ミリエムを始め、賢い娘たちの視点から語られる魔物との戦いはスペクタクル。童話『ルンペルシュティルツヒェン』をベースにしつつ、銀と水晶がきらめく異界の美しさと、現実の歴史に根ざした北国の厳しさを刻んだ反逆のシンデレラストーリーは読み応えがある。

阿部智里『**楽園の烏**』は、人の形を取る八咫烏たちの異界「山内」を舞台としたファンタジイミステリ《八咫烏》第二部開幕篇。第一部完結から作品内世界で約二十年が経過した「山内」を人間界の青年が訪れる……。住民が〝楽園〟と讃える地には居心地の悪さが漂う。現実世界の独裁国家にも似た手触りで、なんともきな臭い。シリーズの十八番である宮廷陰謀劇はさらに深まり、人間界との関わりが濃くなった「山内」の行く末には暗雲が立ち込めている。

紙幅が尽きてきた。ファンタジイかどうかは微妙な線だが、暖あやこ『**さよなら、エンペラー**』も衝撃的だった。

二〇二一年は中国からのファンタジイの波に注目したい。アニメ映画『羅小黒戦記《ロシャオヘイセンキ》　ぼくが選ぶ未来』が日本で異例のロングランヒットを続け、昨年十一月に改めて日本語吹替版が全国公開された。このあたりをきっかけに中国発のファンタジイ小説もＳＦ『三体』のように脚光を浴びるかもしれない。

うづき・あゆ●書評家、ゲームコラムニスト。〈ＳＦマガジン〉〈日刊ＳＰＡ！〉等で書評・ゲームコラムを連載中。

サブジャンル別
Best 10
& 総括

国内&海外ホラー

巨匠が現実とのシンクロニシティを描く大作から異色のクトゥルーものまで

笹川吉晴
Sasagawa Yoshiharu

❶**《わるい夢たちのバザール》（『マイル81』『夏の雷鳴』）** スティーヴン・キング
❷**『猿神』** 太田忠司
❸**『ブラック・トムのバラード』** ヴィクター・ラヴァル
❹**『アニーはどこにいった』** C・J・チューダー
❺**『濱地健三郎の幽《かくれ》たる事件簿』** 有栖川有栖
❻**『わたしのお人形』** 瀬川貴次
❼**『そこに無い家に呼ばれる』** 三津田信三
❽**『ANOTHER 2001』** 綾辻行人
❾**『エイリアン邪神宝宮』** 菊地秀行
❿**『図書室の怪』** マイケル・ドズワース・クック

コロナ禍における閉塞的な日常も、ホラーにとっては例えばゾンビものなどによってすでに疑似体験されてきた普遍的なものだ。

　スティーヴン・キングは東日本大震災直後、原発事故の恐怖を図らずも暗喩したかのような『アンダー・ザ・ドーム』が邦訳されたが、息子オーウェンと共作した『眠れる美女たち』は女性のみが罹る眠り病による文明崩壊の危機を描いて、再びシンクロニシティを見せた。もっとも登場人物たちの言動が図式的に過ぎる同作よりも、B級ホラーから主流文学風までさまざまな恐怖や不条理の潜む日常の断片を切り取った作品集**『マイル81』『夏の雷鳴』**の方がより生々しくかつ普遍性は高い。また、キングの文学的な〝娘〟というべきC・J・チューダーの**『アニーはどこにいった』**は前作同様キング的な青春の回想に加え、米国であるが故に成立した某作を英国の寂れた炭鉱町に移し替えて普遍化する。

　突然変異の真菌が人間に寄生していくデヴィッド・コープ『深層地下4階』はストレートな感染《バイオ》ホラーだが、切り裂きジャックが人に感染しては猟奇殺人を引き起こし、無作為な患者発生が日常風景となった街は恐怖におののくという菊地秀行《魔界都市ブルース》の一篇『闇鬼刃』や、誰とはわからぬ死者が密かに混じるクラスで、生徒やその家族が次々と災厄に遭って無惨な死を遂げていくという綾辻行人**『Another 2001』**、女子生徒が次々と呪いによって顔を醜くされるクラスの恐慌をスクールカーストと絡めて描いた澤村伊智『うるはしみにくし　あなたのともだち』も、感染の恐怖と共存する日常を描いて暗喩のごとく現実とも響き合う。

　一方、作者の体験を反映した太田忠司**『猿神』**はバブル期の工場が正体不明の古き怪異に呑み込まれていくが、実体の曖昧な怪に生産ラインを止めることも放棄することも出来ず、自らを工場という巨大な〝幽霊屋敷〟に縛りつけて一人また一人と倒れていく従業員たちの姿には、日本人が今日に至るまで連綿と繰り返してきた営みが結晶化されている。

　三津田信三**『そこに無い家に呼ばれる』**『逢魔宿《あまやど》り』は怪異が作者自身の日常的な〝現実〟から、さらには読者のそれをも侵犯しようとするもはや業の如きメタ趣向。他に

笹川吉晴氏が選んだ！ 2020年度・国内&海外ホラー作品ベスト3

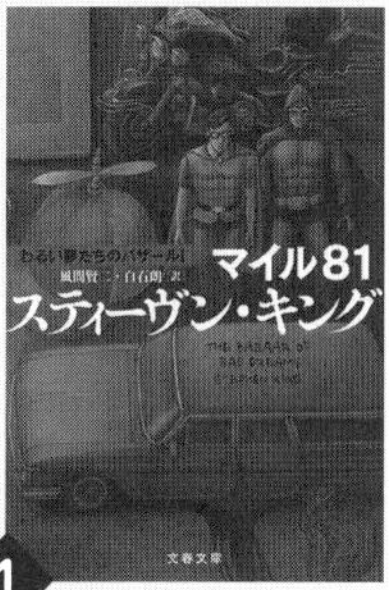

1

2

3

はlpp『オカルトちゃんねる』、岩城裕明『事故物件7日間監視リポート』、斎木京『贄怪談 長男が死ぬ家』、深志美由紀『怖い話を集めたら 連鎖怪談』などが実話系怪談の文法を利用した現実侵犯型。

もう一つの潮流ともいうべきミステリとの侵犯＝融合では、奇怪な一家と関わった人々が破滅していく歌野晶午『間宵《まよい》の母』、超能力者を〝怪物〟とし、その犯罪を現行法の下で裁こうと試みる河合莞爾『カンブリア 邪眼の章――警視庁「背理犯罪」捜査課』や、逆に超能力者が復讐のため怪物を操って現行法に挑戦する藍沢今日『犬の張り子をもつ怪物』、心霊現象を心霊現象であるが故の心理・論理によって解決する有栖川有栖の『**濱地健三郎の幽《かくれ》たる事件簿**』などがある。

他に独自の世界を構築するシリーズものとしては宮部みゆき『黒武御神火神殿 三島屋変調百物語六之続』、武内涼『源平妖乱 信州吸血城』、誉田哲也『妖の掟』、内藤了『怨毒草紙 よろず建物因縁帳』、秋竹サラダ『火祭小夜の再会』など。短篇集では瀬川貴次『**わたしのお人形**』、恒川光太郎『真夜中のたずねびと』などの作家性が高い。

クトゥルー神話ではヴィクター・ラヴァル『**ブラック・トムのバラード**』が、有色人種への恐怖が刻み込まれた「レッド・フックの恐怖」をアフリカ系アメリカ人作家がラヴクラフトへの「相反するすべての思い」を込めて、差別に晒される黒人青年と神秘思想に傾倒する白人刑事の目から語り直す切実な異色作。一方、トレジャーハンターシリーズの一篇として邪神群との戦いを描く菊地秀行『**エイリアン邪神宝宮**』はあくまでラヴクラフトの原典に準拠しつつ、その矛盾や間隙を突いて独自の解釈を膨らませる作者の矜持が「世の中、進歩してるんだぜ、クトゥルー」という主人公の嘯きに込められている痛快篇。

クラシック系では〝ラプラタ幻想文学〟の源流、レオポルド・ルゴーネスの短篇集『アラバスターの壺／女王の瞳』、M・R・ジェイムズの第一短篇集新訳『消えた心臓／マグヌス伯爵』、第二次大戦下の捕虜収容所で書かれた数篇を含むA・N・L・マンビー『アラバスターの手 マンビー古書怪談集』、現代の研究家による黄金期怪奇小説のパスティシュともいうべきマイケル・ドズワース・クック『**図書室の怪**』、稀覯本の紙面をそのまま復刻した東雅夫編『泉鏡花〈怪談会〉全集』、日下三蔵編による《異色短篇傑作シリーズ》の山村正夫『断頭台／疫病』、戸川昌子『くらげ色の蜜月』など邦洋／新旧取り混ぜて相変わらず充実。往年の名雑誌『幻想と怪奇』の復活も嬉しい。

最後に、第二回日本ホラー小説大賞の短編賞でデビューし、日本のホラーシーン隆盛の扉を開いた一人である小林泰三がまだ五八歳の若さで亡くなった。残念でならない。

ささがわ・よしはる●69年生れ。文芸評論家。

サブジャンル別
Best 10
& 総括

国内&海外ミステリ

学園ホラー・ミステリの秀作が多かった国内、時間SFミステリの異色作が目を惹いた海外

千街晶之
Sengai Akiyuki

❶『時間旅行者のキャンディボックス』ケイト・マスカレナス
❷『楽園とは探偵の不在なり』斜線堂有紀
❸『うるはしみにくし　あなたのともだち』澤村伊智
❹『メアリ・ジキルとマッド・サイエンティストの娘たち』シオドラ・ゴス
❺『揺籠のアディポクル』市川憂人
❻『抵抗都市』佐々木譲
❼『プロジェクト・インソムニア』結城真一郎
❽『カンブリア　邪眼の章――警視庁「背理犯罪」捜査係』河合莞爾
❾『ムシカ　鎮虫譜』井上真偽
❿『未来からの脱出』小林泰三

タイムループやタイムトラベルを扱ったSFミステリは、国内外を問わず毎年のように見つかるけれども、イギリスの作家ケイト・マスカレナスの1位は、かなりの異色作ではないだろうか。一九六七年にイギリスで四人の女性により開発されたタイムマシンをめぐって、約半世紀後に密室殺人事件が起きる……という話なのだが、通常の時間SFで重視されるタイムパラドックスの問題がほぼ無視されていて、時間旅行者が過去や未来の自分と平然と接触するのだ。その代わり、すでに死んでいる人間と対面することなどから旅行者の死生観に及ぶ多大な影響が重視された作品となっている。なお、昨年度の目ぼしい時間SFミステリとしては、桐山徹也『ループ・ループ・ループ』などがあった。

時間SFミステリ同様、毎年作例に事欠かないのが特殊設定ミステリだ。昨年度、ミステリ界から大きな注目を集めた斜線堂有紀の作品では、『詐欺師は天使の顔をして』も特殊設定ミステリだったが、ここでは、二人以上殺害した人間が天使によって地獄に堕とされるようになった世界が舞台の2位を挙げておこう。実質的に連続殺人が不可能になった世界でいかにして犯人は犯行を続けられるのかという謎を扱ったパズラーであり、不条理な世界に投げ込まれた人間の倫理の激変を描いた思考実験小説ともいえる。

国産作品において昨年度に目立った傾向としては、学園ホラー・ミステリの秀作が多かったことが挙げられる。綾辻行人の「Another」シリーズの第三弾『Another 2001』は著者のこれまでの作品とは異質なタイプのサスペンスの醸成に挑んだ意欲作だし、井上悠宇『僕の目に映るきみと謎《オカルト》は』には、学園で呪いが引き起こす連続変死事件の謎を5W1Hで解き明かしてゆく探偵役が登場する。ここで取り上げる澤村伊智の3位は、人の顔の美醜を自在に操れる呪いを軸に、ルッキズムの呪縛を剔抉《てっけつ》した試みだ。

シオドラ・ゴスの《アテナ・クラブの驚くべき冒険》三部作の一作目である4位は、ジキル博士の娘、ハイドの娘、ラパチーニの娘、モロー博士の娘、そしてフランケンシュタイン博士の娘が、父たちが関わったらしい謎の組織の陰謀に挑むヴィクトリアンSFミ

千街晶之氏が選んだ！　2020年度・国内＆海外ミステリ作品ベスト3

ステリ。他にブラム・ストーカー『吸血鬼ドラキュラ』の人物まで登場するというオールスター・キャストぶりであり、過去の名作のフェミニズム的再解釈の物語でもある。これと通ずるSFミステリとしては、フェミニストとアンチ・フェミニストが時空を超えて歴史改変合戦を繰り広げるアナリー・ニューイッツ『タイムラインの殺人者』も注目作だ。

　昨年度ならではの小説だったのが市川憂人の5位である。無菌病棟から外に出られない少年と少女。ところが、嵐で外部から遮断されクローズド・サークル状態となった病棟で、少女は無残な死体となっていた。第一部の時点で登場人物が僅か四人というフーダニットであると同時に、タイムリーなテーマを扱った作品に仕上がっている。

　歴史改変ミステリの代表例が佐々木譲の6位だ。舞台は、日露戦争で大日本帝国が敗れ、ロシアの実質的占領下にあるパラレルワールドの東京。二人の警察官がそこで起きた変死事件の捜査に着手したが、日露両国のさまざまな組織が絡んでくる。前半は近年の著者らしい警察小説仕立てで、後半は往年の著者が得意とした冒険小説のテイストが濃厚だ。なお佐々木譲は昨年度、他にもSF連作短篇集『図書館の子』を上梓している。

　特殊設定ミステリにも各種ある中、夢の世界を舞台にしたものは荒巻義雄『カストロバルバ』など、意外と少数の作例しか思い浮かばない。結城真一郎の7位は、マイクロチップによって複数の人間が同じ夢の世界を共有する実験の過程で起きた連続殺人を描いた長篇。この設定ならではの動機が衝撃的だ。

　8位と9位は、これまで本格ミステリを得意としてきた作家たちによるホラー・ミステリの異色作。河合莞爾の8位は、超能力による完全犯罪を現在の法制でどう裁けるか——という一種の思考実験として興味深い。一方、井上真偽の9位は、孤島に渡った音楽大学の学生たちを虫の大群が襲うパニック青春ホラーだが、意外な真相や伏線の張り方などにはミステリ的な興趣が感じられる。

　昨年度は幾人もの作家の訃報に接したが、SFミステリ方面では小林泰三の逝去が驚きをもって迎えられた。その生前最後の著書となった10位は、謎の施設で暮らしている老人が何者かのメッセージに従い、仲間を募って脱出を図るSFミステリである。

　その他には、人類が滅んで動物たちが文明を築いた未来が舞台の鳥飼否宇『パンダ探偵』、表題作で透明人間の殺人計画を描いた阿津川辰海『透明人間は密室に潜む』、犯罪史に残る殺人者たちが蘇る白井智之『名探偵のはらわた』、筒城灯士郎の異世界本格『世界樹の棺』、錬金術が文明の礎となっている世界が舞台の紺野天龍『錬金術師の密室』、東京での原爆テロ計画を描いた藤井太洋『ワン・モア・ヌーク』などが印象に残った。

せんがい・あきゆき●70年生れ。ミステリ評論家。著書に『水面の星座　水底の宝石』、編著に『歪んだ名画　美術ミステリーアンソロジー』『伝染る恐怖　感染ミステリー傑作選』など。

サブジャンル別
Best 10
&総括

海外文学

世界を織りなすスタイル、エピソードの回収と放散

Maki Shinji
牧 眞司

❶『**ホーム・ラン**』
スティーヴン・ミルハウザー（白水社）［米］＊
❷『**天使のいる廃墟**』
フリオ・ホセ・オルドバス［スペイン］＊
❸『**砂漠が街に入りこんだ日**』
グカ・ハン［韓国→仏］
❹『**雷鳴に気をつけろ**』
ジム・トンプスン［米］
❺『**雲**』
エリック・マコーマック［英→カナダ］＊
❻『**ボーン・クロックス**』
デイヴィッド・ミッチェル［英］＊
❼『**アラバスターの手**』
A・N・L・マンビー［英］＊
❽『**怪物**』
ディーノ・ブッツァーティ［伊］＊
❾『**アラバスターの壺／女王の瞳**』
レオポルド・ルゴーネス［アルゼンチン］＊
❿『**環**』
ジャック・ルーボー［仏］
［ ］内は作者の国籍（もしくは居住地）
＊は、とくに奇想・幻想の要素が多い作品。

ぼくがふだん読んでいる本の傾向のせいもあるだろうが、短篇集が半分を占めた。枠からこぼれてしまったなかには現代的テーマの重要な長篇がいくつかあるのだが、それらはすでに文芸誌や書評紙などで見識ある翻訳家や研究者が二〇二〇年の収穫として紹介しているので、ここでは偏ったままのベストテンでいこう。

ここしばらくの翻訳小説出版において、韓国文学の認知と紹介は顕著な動きと言えるだろう。3位にあげた『**砂漠が街に入りこんだ日**』の作者グカ・ハンは、ソウルで造形芸術を学んでフランスへ移住、現地で仏語を学び小説発表にまで至ったという変わり種。この短篇集に収められた八篇は、架空都市LUOESを舞台としているが、物語そのものはそれぞれ独立したものだ。表題作は異邦人の一人称で、街に入りこんだ砂漠の探索が語られる。砂漠が一意的な隠喩ではなく、惰性化した日常の連続性を切りおとした叙述がすばらしい。ほかの収録作も共同体のなかにしっくりとした居場所が見いだせない人間の物語であり、それが自然主義的リアリズムの文脈ではなく、ヌーヴォーロマン的な書法で捉えられている。

2位にあげた『**天使のいる廃墟**』（長篇の体裁だがエピソードの重ねかたは連作的）も、「あてどのない世界」を描いている。物語の舞台は、悠久の時間にたゆたうごとき廃村。そこへやって来るのは、死に向かって踏みだした者たちばかりだ。主人公もそのひとりだが、彼だけはなぜか、後から来る者たちにしばし付き添う役になる。登場人物一人ひとりが背負っている事情は、どれも不可思議なものだ。しかし、まったくの架空とも言えず、どこかで現実の記憶につながっている。小説全体が印象派絵画を思わせる明るさで綴られており、それがかえって物寂しさを醸しだす。

小説は物語や内容だけでつくられるのではなく、世界を織りなすスタイル、つまり〝ことば〟がきわめて重要だ。それを鮮やかに示す現代の魔術師が、スティーヴン・ミルハウザーである。『**ホーム・ラン**』は、不意に訪

牧眞司氏が選んだ！

2020年度・海外文学作品ベスト3

1
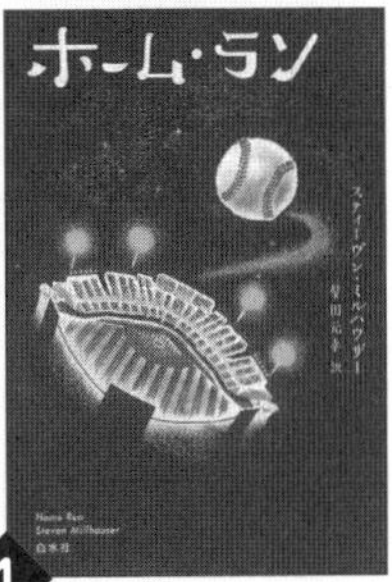

2

3

れた「落ち着かない気分」がたちまち町を席巻していく「Elsewhere」、訪問販売に売りつけられた鏡磨き剤によって人生が一変してしまう「ミラクル・ポリッシュ」、謎の自殺願望が流行した半年間を記録する「私たちの町で生じた最近の混乱に関する報告」など、八篇を収録した短篇集。併録されたエッセイ「短篇小説の野心」で、この作家の創作の秘密を垣間見ることができる。

さりげなく魔法を効かせるミルハウザーに対して、大規模なミラージュを披露するのがデイヴィッド・ミッチェルだ。6位にあげた**『ボーン・クロックス』**は、複雑に構成された読み応えたっぷりの長篇。イングランド出身のホリー・サイクスの屈曲した人生とリアルな現代史を、ときおりファンタジイ要素を取り混ぜ、章ごとに違った視点でたどる物語……と思いきや、奇妙な生まれ変わり能力を持つ「時計学者《ホロロジスト》」たちと実質的な不死を可能にした一派「隠者《アンコライト》」との久古からの死闘が、背景から前景へと浮きあがり、結末に向けてギアがみるみるあがる。

5位のマコーマック**『雲』**は、スペクタクルでは『ボーン・クロックス』に一歩譲るものの、小説密度で凌駕する。謎の古書『黒曜石雲』に記された怪奇現象の究明と語り手の波瀾万丈の来歴とが、万華鏡のようにつぎつぎと様相を変えながら、互いを映しあう。エピソードやモチーフをすべて回収せず、放散するがままにしているところがあり、それが作品をより豊かにしている。

10位のルーボー**『環』**も、エピソード／モチーフのつながりと放散がみごとだ。作者自身の少年時代の回想と哲学的思惟が、ときに異常なほど克明に、ときに連想的に横滑りし、言説の稠密な網目が広がっていく。

いっぽう、直線的で力強い物語のなかに複雑な欲望や感情を交叉させてみせるのが、「ダイムストアのドストエフスキー」と呼ばれるジム・トンプスン。4位の**『雷鳴に気をつけろ』**は、二十世紀初頭のネブラスカ州の小村を舞台にした群像劇。大悪党もいないがはっきりとした善人や良識人もおらず、閉鎖的な共同体の力学と暗澹たる時代（資本主義の軋轢や差別的思潮）の波によって、ほぼ全員が不幸へと滑り落ちていく。

あとは簡単に。7位**『アラバスターの手』**は、玩物愛好を超えた古書への見識が横溢した怪奇小説集。8位**『怪物』**は、寓意と不安に彩られた黄昏の奇想小説集。9位**『アラバスターの壺／女王の瞳』**（光文社古典新訳文庫）は、ボルヘスやコルタサルに先行するラプラタ幻想文学作家による十八篇。

まき・しんじ●59年生れ。ＳＦ研究家。著書に『ＪＵＳＴ　ＩＮ　ＳＦ』『世界文学ワンダーランド』ほか、編著に『きまぐれ星からの伝言』『ルーティーン 篠田節子ＳＦ短篇ベスト』『柴野拓美ＳＦ評論集』『サンリオＳＦ文庫総解説』（大森望と共編）。

サブジャンル別
Best 10
&総括

文芸ノンフィクション

批評精神と冒険的思索を持ち続けた巨匠のエッセイ集から、アメコミ人気キャラの知られざる歴史を綴った書まで

長山靖生
Nagayama Yasuo

❶『暇なんかないわ　大切なことを考えるのに忙しくて』　アーシュラ・K・ル＝グウィン
❷『ナウシカ考　風の谷の黙示録』　赤坂憲雄
❸『ワンダーウーマンの秘密の歴史』　ジル・ルポール
❹『日本アニメ誕生』　豊田有恒
❺『合理的なものの詩学　近現代日本文学と理論物理学の邂逅』　加藤夢三
❻『天文学者が解説する宮沢賢治『銀河鉄道の夜』と宇宙の旅』　谷口義明
❼『思想としての〈新型コロナウイルス禍〉』　河出書房新社編集部＝編
❽『怪異の表象空間　メディア・オカルト・サブカルチャー』　一柳廣孝
❾『ゴーストリイ・フォークロア　17世紀～20世紀初頭の英国怪異譚』　南條竹則
❿『ボルヘス『伝奇集』　迷宮の夢見る虎』　今福龍太

二〇二〇年はチャペック『RUR』から百年、つまりロボット誕生から百年だった。しかし今、世界は未来への希望ではなく、新型コロナウイルスに席巻されている。経済対策や医療の優先度をめぐり混乱や対立も見られ、余裕を失った社会には無残な短絡的思考も目立つ。だが書物に目を向ければ、そこには再生への豊かなヒントが見出されるはずだ。

①は、老齢に達しても若々しい批評精神と冒険的な思索を保持していた著者の、しかし衰えていく心身との向き合い方も語られたエッセイ集。好ましくない現実に直面しても悲観せず、楽観もせず、好奇心さえはたらかせて困難に冷静に向き合っていくその思索と機知は、もちろん文学や社会に対しても発揮される。彼女の思考に触れることで、読者は自身が無自覚に抱いている偏見や思い込みに気づくだろう。容易に解決できない課題に向き合う忍耐力とユーモア精神を、そしてSF的思考の妙味を、本書に学びたい。

マンガ版『風の谷のナウシカ』はアニメよりも遥かに遠大な射程の世界観を備えた、グロテスクで過酷なストーリイだった。②は、宮崎駿の他作品や経歴中に『ナウシカ』へと至る道筋を探り、民俗学や歴史、哲学思想、さらに神学などを幅広く援用しながら、その世界観を分析する。著者は『ナウシカ』に現実の社会を重ね、核兵器や生物兵器のみならず、人類文明の原点たる「火」から始まる技術の侵犯性を問う。だが生命や進化それ自体が、調和共生だけでなく淘汰相克を内包しているという希望とも諦念ともつかぬ境地を見出すナウシカは、物語的予定調和を超え、作者・宮崎駿の意図すら離れて、自立しているかのようだ。『ナウシカ』は完結しても閉じずに、多くの問いを発し続けている。その問いに、私たちは今後の世界の在り方を通して答えなければならない。

③は、『スーパーマン』や『バットマン』と並ぶアメリカン・コミックの人気主人公をめぐる魅力溢れる大著。ワンダーウーマンのキャラクターの生みの親ウィリアム・モールトン・マーストンは著名な心理学者。彼は言葉の裏に潜む心の真実を探ろうとし、「嘘発見器機」を発明したことで知られる。またマーストンの妻サディ・エリザベス・ホロウェ

長山靖生氏が選んだ！

2020年度・文芸ノンフィクション作品ベスト3

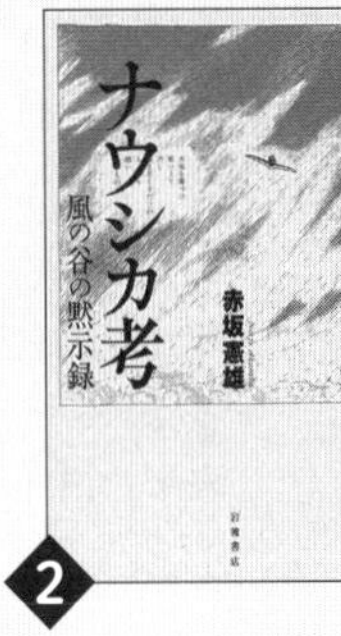

イは、少女時代から社会的性差に疑問を持って変革を求め、フェミニストとして活動した人物。ふたりによる創作秘話から、その後、時代の価値観の変遷に伴って幾度か姿や心、作品設定さえも変えられた歴史を、女性の自立闘争史・文化史と重ねて描き出す。

④は一九六〇年代に日本SF第一世代として登場し、「鉄腕アトム」「エイトマン」「スーパージェッター」「宇宙少年ソラン」など多くの初期SFアニメでシナリオライターを務めた著者による体験的アニメ史。手塚治虫や平井和正とのエピソード、「宇宙戦艦ヤマト」の設定秘話など貴重な体験の数々が語られている。またSF的には第十章「パラレル・クリエーションのころ」が興味深い。豊田氏のもとに集まった若い才能のための会社で、星敬や土屋裕、とり・みき、岬兄悟、米田裕、出渕裕、火浦功らが加わり、新井素子や久美沙織、河森正治らも出入りしていた。

⑤は一九二〇年代日本のモダニズム文学や探偵小説が、当時の先端科学をどのように受容し、作品に取り込んだかに関する論集。相対性理論の紹介に功多かった物理学者・石原純の「科学」や「芸術」を巡る言説、昭和初期の「科学小説」の射程、横光利一や稲垣足穂、中河与一ら新感覚派の科学観と創作理論への応用展開、さらには夢野久作の怪奇探偵小説「木魂」など。補論として東浩紀や円城塔のSFを論じた章もあり、SFへの理解の深い新たな文学研究者の登場が嬉しい。

宮沢賢治も科学志向が強かったことで知られるが、⑥は、その作品が同時代の天文学や宇宙論を巧みに取り入れていたさまを具体的に描きだしている。

現在も書店には多くのウイルスや感染症に関連した科学解説本が並ぶが、⑦は総勢十九人の識者によるコロナ禍をめぐる論集。どの論者も常に想像に比重を置いて思考を進めているのがSF的には興味深く、また笙野頼子、樋口恭介それぞれの、論考と物語が溶け合ったような作品も魅力的。

⑧は近現代日本で人々の関心を引き付けた「怪異」の諸相を多角的に取り上げている。明治大正期に新聞などをにぎわせた不思議な事件や現象、交霊術と変態心理、ラジオなど不可視の電波への恐怖・強迫観念、さらには一九七〇年代のオカルト・ブームから現代にいたる漫画やラノベなどサブカルチャーでの「怪異」の扱い……。その知識の幅広さと興味の掘り下げは圧巻。英文学者には怪談好きが多いが、当代随一の英国怪談通による⑨は、英国怪奇小説の背後にある古代ケルト以来の伝承や英国の地誌、英詩に詠われた怪奇や幻想などを縦横無尽に渉猟する。⑩はボルヘスを細部まで「読む、読んで読んで、読み続ける私」をも織り込んで展開する迷宮的でオタク的な情熱に満ちており、夢のように（悪夢のように？）楽しい一冊。

ながやま・やすお●62年生れ。評論家。近著に『恥ずかしながら、詩歌が好きです』（光文社新書）、編著に『魔術師　谷崎潤一郎妖美幻想傑作集』（小鳥遊書房）他。

サブジャンル別 Best 10 & 総括

科学ノンフィクション

「これはSFではない」と謳う 急激に変わりゆく世界を予測する本

森山和道 Moriyama Kazumichi

●『クリーンミート　培養肉が世界を変える』ポール・シャピロ

●『LIFESPAN　老いなき世界』デビッド・A・シンクレア、マシュー・D・ラプラント

●『LIFE3.0　人工知能時代に人間であるということ』マックス・テグマーク

●『合成テクノロジーが世界をつくり変える　生命・物質・地球の未来と人類の選択』クリストファー・プレストン

●『驚異の量子コンピュータ　宇宙最強マシンへの挑戦』藤井啓祐

●『情動はこうしてつくられる　脳の隠れた働きと構成主義的情動理論』リサ・フェルドマン・バレット

●『おしゃべりな糖　第三の生命暗号、糖鎖のはなし』笠井献一

●『地磁気逆転と「チバニアン」　地球の磁場は、なぜ逆転するのか』菅沼悠介

●『深宇宙ニュートリノの発見　宇宙の巨大なエンジンからの使者』吉田滋

●『カモノハシの博物誌　ふしぎな哺乳類の進化と発見の物語』浅原正和

二〇二〇年は新型コロナウイルス・パンデミックの年だった。ウイルス関連の本も出ているが、流行りものの域を出ていない。

昨今の科学書のトレンドとしては「これはSFではない」とわざわざ断られるような本が多数出ていることだ。まず四点ご紹介する。

『クリーンミート』は細胞培養から人工肉を作るフードテック業界のルポだ。植物性フェイクミートは既にファストフードで普通のメニューとして提供され始めているが、本書では食肉用途の細胞農業、培養皮革や培養液卵白、代替牛乳などを手がけるスタートアップと彼らの未来ビジョンが紹介される。今はまだ真実味が感じられないかもしれない。だが時に世界は急激に変化する。私は一気に食の世界が変わる可能性は高いと思っている。

全ての病気の根本原因は老化であり治療可能だと**『LIFESPAN』**はいう。著者はハーバード大学の教授で、エピジェネティクス、老化、長寿医療の研究者だ。老化はエピゲノム情報の喪失で、いわばDVDの表面にアナログの傷がついたようなもので、細胞が持つ機能によって消去できるはずという。しかも現在五十歳の著者が生きているあいだに間に合うくらいの時代に老化の治療が可能になるという。人が老いなくなると社会全体も変わってしまうが、著者は常に楽観的だ。

人が自らをアップデートできるようになったら何が起こるのか。**『LIFE3.0』**は、AI開発の指針「アシロマAI原則」の取りまとめを行なった著者が、知能爆発から宇宙への入植、ひいては宇宙における意識の意味まで考える本だ。著者は真の汎用人工知能が生まれたら何に価値を見出すようになるのだろうかと問い、意識的存在こそが宇宙に意義を与えるという。もはや完全にSFの世界だ。

『合成テクノロジーが世界をつくり変える』はナノテクや合成生物学、絶滅種の復元、地球工学、人体改造や生態系の管理など、私たち自身も含めた自然を作り変える技術のありようを紹介し、「変成新世」と呼ぶ巨大な改

森山和道氏が選んだ！　2020年度・科学ノンフィクション作品

変力を手にする新たな時代が来ると語る。これらは巨大ビジネスの一環としてやがて現実化する可能性が高い。「実現できる」だけで何でもやっていいわけではないが、人類はどちらに向かうのか。

量子コンピュータも話題だ。『**驚異の量子コンピュータ**』は、原理や開発競争を紹介する。自然現象のシミュレーションに量子コンピュータが必要である理由や開発上の課題が自然な流れで解説される。量子コンピュータは量子効果が重要になる新機能材料や分子設計などだけでなく「プログラム可能な宇宙の箱庭」として用いることができるという。

人工知能や脳関連の本も変わらず多いが、少し異なる方向の本をご紹介する。『**情動はこうしてつくられる**』は情動は多様なインスタンス（個々の事象経験の心的構築物）の組み合わせによって構成されるとする。脳は常に予測・訂正を繰り返して世界モデルを更新し、それは世界の説明、意味の付与にも用いられる。構成論的アプローチで人工知能・ロボットの研究を行っている人たちと逆方向から同じことを言っているようで、面白い。

一般的な科学書も紹介しておきたい。『**おしゃべりな糖**』は糖鎖の入門書だ。糖鎖は細胞表面や細胞外を覆って細胞間の情報伝達を担い、病原体から守っている。タンパク質や核酸とは異なる秩序を持ち、生命の柔軟性と多様性をもたらす糖鎖の世界を通して、融通無碍な生命の面白さを感じられる。糖鎖の一般向け解説本は貴重なので、知らなかった人なら、なおさら読んでほしい。

『**地磁気逆転と「チバニアン」**』は、約七八万年前の「松山-ブルン境界」の地磁気逆転の証拠を含む地層「千葉セクション」の意味を解説する。申請をめぐる騒動の話も収録されている。本当に基本的な地磁気の話から丁寧に解説されているので、チバニアンの話題に興味があった人は必読だ。

『**深宇宙ニュートリノの発見**』は、南極氷床の観測施設「アイスキューブ」による、大質量ブラックホールによる活動銀河核ブレーザーからの超高エネルギーニュートリノ検出やマルチメッセンジャー観測を中心とした研究の話だ。科学の話だけではなく研究者個人の苦労話も詳細に書かれていて、とても面白い。未読ならば、ぜひ読んでほしい。

最後に一つ楽しい本も紹介しておく。『**カモノハシの博物誌**』は、誰もが名前は知っているが実際にはあまり知らないカモノハシの生態や進化、人との関わりなどあらゆることを紹介した本である。知らないことばかりでとても楽しい本だった。イラストもいい。

もりやま・かずみち●70年生れ。ライター。横浜の動く1/1ガンダム。ビデオで見るのと実際に見るのとでは全く異なります。肉眼で見て体験することを強くおすすめします。

SFコミック

ウェブマガジンが躍進する漫画界とその中で輩出された新鋭たち

福井健太 Fukui Kenta

●『宙に参る』 助骨凹介 （①巻／リイド社トーチコミックス）
●『りもで・りんぐ』 ふくたいさお （①巻／GOT MeDu COMICS）
●『プリンタニア・ニッポン』 迷子 （①巻／イースト・プレス）
●『怪獣8号』 松本直也 （①巻／集英社ジャンプコミックス）
●『宇宙人ムームー』 宮下裕樹 （①巻／少年画報社ヤングキングコミックス）
●『そのへんのアクタ』 稲井カオル （①巻／白泉社ヤングアニマルコミックス）
●『チ。―地球の運動について―』 魚豊 （①巻／小学館ビッグコミックス）
●『ギャラクシートラベラーズ』 渡邉紗代 （KADOKAWAハルタコミックス）
●『ハカセの失敗』 七野ワビせん （イースト・プレス）
●『千の夏と夢』 鯨庭 （リイド社トーチコミックス）

手間を割かずに（多くは無料で）作品を読めるウェブマガジンの増加は、漫画の環境を革命的に組み替えた。諸々の功罪はあるにせよ、利便性と柔軟性を持つメディアが才能を輩出するのは歓迎すべきことだ。この傾向はこれからも続くに違いない。

助骨凹介の商業デビュー作『**宙に参る**』は〈トーチweb〉に連載されている。病死した夫・鵜宇一の遺骨を地球の義母に届けるため、フリーエンジニアのソラと息子（ロボット）の宙二郎は四十九日間の長期渡航船の旅に出た。「宇宙船が現在のセスナ機くらい身近になり、脳以外なら挿げ替えが効く」近未来を設計し、天才的なスキルと人間味を持つヒロインの旅路を描く傑作だ。第三話「永世中立棋星」は『年刊日本SF傑作選　おうむの夢と操り人形』に収録された。

ふくたいさお『**りもで・りんぐ**』は〈COMIC　Medu〉で楽しめる。「家電を便利な装置に改造する天才」の女子高生・出水川もなかは、時間を止める装置、恋愛ホルモンを分泌させる装置などを次々に開発し、家族や同級生を迷走させていく。ファミリー漫画の体裁を装い、危険なアイテムと狂気を宿したキャラクターたちを掛け合わせ、八ページのエピソードにアイデアと黒いユーモアを詰め込むスタイルが秀逸だ。

迷子『**プリンタニア・ニッポン**』は〈WEBメディア・マトグロッソ〉の人気作。生体プリンタで柴犬を作ろうとした地形設計士・佐藤の前に現れたのは、触り心地の良いもっちりとした生き物だった。佐藤は「プリンタニア・ニッポン」と定義されたそれを「すあま」と名付けて飼育する。大部分は善人と友人がペットを愛でる話だが、背後には評議会の精神支配と評価システム——超管理社会のありようが垣間見える。平穏な光景に毒を潜ませた野心作と解したい。

松本直也が〈少年ジャンプ+〉に連載中の『**怪獣8号**』は、怪獣が多発する日本を舞台にしたアクションSFだ。三十二歳の怪獣専門清掃業者（死骸処理屋）日比野カフカは、アルバイトの後輩に発破をかけられ、防衛隊員選抜試験への再チャレンジを決意した。その矢先、怪物に寄生された日比野は「怪獣8号」に変容し、正体を隠して試験に挑むこと福井健太氏が選んだ！

2020年度・おすすめＳＦコミック作品

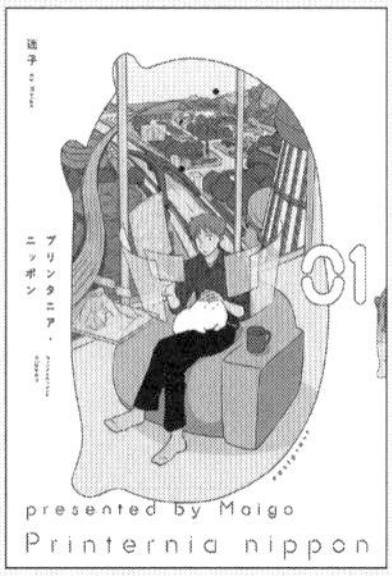

になる。理性を保つ異形の主人公は変身ヒーローの亜種と見るべきだろう。メディア展開にも期待したい良作である。

　紙の雑誌にも収穫は多かった。宮下裕樹**『宇宙人ムームー』**は猫型宇宙人が（内戦で技術者を失って）コロニーを維持できず、地球の家電から技術を学ぼうとする話。調査員ムームーと同居する女子大生・梅屋敷桜子は、家電修理を営むサークルに加わり、変人の先輩や同期生との日々を過ごしていく。気弱な少女の成長と恋、発明品に起因する騒動、家電の蘊蓄などを盛ったエンタテインメント性の高さが好ましい。

　怪奇連作『しらぬい奇譚録』などを手掛けた後、高校生男女のゆるい親交を描く日常コメディ『うたかたダイアログ』で絶賛を浴びた稲井カオル。その最新作**『そのへんのアクタ』**は、地球外生命体と人類の戦争がどっちつかずで決着し、対策基地の鳥取支部に左遷された青年――「終末の英雄」こと芥仁が呑気な環境に適応しようと努めるコメディだ。著者の持ち味である小ネタに彩られた会話の面白さは健在だが、うっすらと漂う不穏さも見逃せない。今後の展開が楽しみである。

　魚豊**『チ。―地球の運動について―』**は宗教が異端思想を弾圧する中世ヨーロッパの物語。「合理的に生きる」を信条とする天才児ラファウは、元学者のフベルトに教わった地動説の美しさに魅了される。フベルトが火刑に処され、ラファウは地動説の証明を志すが、残虐な審問官に悟られてしまう――第一巻にはそんな序章が綴られている。強いモチーフに裏打ちされた人間ドラマの注目作だ。

　全一巻の作品も見ておこう。渡邉紗代が〈ハルタ〉に連載した**『ギャラクシートラベラーズ』**は、自称「宇宙一のモテ男」ヴィーウィ、生真面目な眼鏡青年アスルのコンビが宇宙を駆ける連作集。遺跡を荒らして騒ぎを起こす、交通要所の星で宴会をするといった奔放ぶりを見せる二人は、人助けにも全力を注ぎ込む。ナンセンスな大風呂敷と脳天気なまでの軽さが最大の見所だ。

　七野ワビせん**『ハカセの失敗』**はツイッターの漫画をまとめた単行本。子供の頃に迫害を受けた天才科学者のハカセは、世界征服の仲間を増やすために自分のクローンを生み出した。復讐の念を糧にしながらも、ハカセはクローンの育児に心を砕く。人生を歪められたハカセの「失敗」を辿る四十四篇は、読者の胸中に複雑な想いを刻むことだろう。

　鯨庭**『千の夏と夢』**は〈トーチｗｅｂ〉などで公開された五篇を収めたファンタジー作品集。龍神と生贄の娘、馬頭の鬼に育てられた少年など、幻獣と人間の交流にまつわるエピソードを揃えた上質の一冊だ。著者は画家・詩人としても活動しており、ツイッターのつぶやきにイラストを添えた詩画集『呟きの遠吠え』も刊行されている。

ふくい・けんた●72年生れ。書評系ライター。〈ＳＦマガジン〉〈読楽〉で書評を連載中。著書に『本格ミステリ鑑賞術』『本格ミステリ漫画ゼミ』などがある。

サブジャンル別
Best 10
&総括

SF映画

変わりゆく時代のなかで予想を裏切ってくれた作品たち

渡辺麻紀
Watanabe Maki

❶『IT／イット THE END “それ”が見えたら、終わり。』
監督：アンディ・ムスキエティ

❷『スター・ウォーズ／スカイウォーカーの夜明け』
監督：J・J・エイブラムス

❸『TENET／テネット』
監督：クリストファー・ノーラン

❹『透明人間』
監督：リー・ワネル

❺『ブライトバーン／恐怖の拡散者』
監督：デイヴィッド・ヤロヴェスキー

❻『カラー・アウト・オブ・スペース―遭遇―』
監督：リチャード・スタンリー

❼『ソニック・ザ・ムービー』
監督：ジェフ・ファウラー

❽『囚われた国家』
監督：ルパート・ワイアット

❾『デッド・ドント・ダイ』
監督：ジム・ジャームッシュ

❿『テリー・ギリアムのドン・キホーテ』
監督：テリー・ギリアム

日本で初めて新型コロナ患者が報告されたのが二〇二〇年一月十五日。そのとき、こんな日常が続くことになるなど、誰が想像出来ただろうか。小説や映画、ドラマ等で何度も語られてきたパンデミックが本当に起きてしまったのだ。この伝染病は二一年に収まるのか？　大変な状況を映像化、活字化された作品で振り返れる日が来ると信じたい。

そういうわけなので、映画界もかつてないダメージを受け、世界中の劇場が休業に追い込まれた。とりわけ、作品を提供するハリウッドの損失は計り知れないほどで、映画の作り方、公開方法、その在り方まで、すべての変更を迫られることになっている。

そんな状況のなか、大スクリーンで映画を楽しむ感覚を思い出させてくれたのはクリストファー・ノーランだった。自身のオリジナル脚本によるタイムSF『**TENET／テネット**』は、時間を可視化するという命題に、順行する時間と逆行する時間、そのふたつをワンフレームのなかで並べてみせることで挑戦した作品とも言える。それに注力すれば、もっとユニークなSFになったかもしれないのだが、彼にはそれ以上にやりたいこと、007シリーズのようなスパイアクションを撮るという大きな目的もあったため、結果的にはごちゃごちゃした印象になった。SFという視点で見ると、物語とテーマ、映像的にも『インセプション』のほうがよかったと思う。

そこで一位と二位においたのは、いい意味で予想を裏切ってくれた『IT』と『スター・ウォーズ』、それぞれの最終章である。

スティーヴン・キングの長尺な原作を前後篇にした『**IT／イット THE END “それ”が見えたら、終わり。**』は、宿敵ペニーワイズを倒すために再び故郷に集まった、大人になったかつての仲間たちの物語。あの長尺な物語を現代的にしつらえ直し、原作と同じようにモンスターもたくさん登場させている。そのモンスターは原作では狼男や吸血鬼だったのだが、舞台を現在に移した本作ではオリジナル。大小さまざまなデザインのモンスターが登場し、原作のもうひとつの魅力である“モンスターもの”としても十分楽しめる。が、一番よかったのは、そのラストだろう。映画オリジナルのこのラスト、な

渡辺麻紀氏が選んだ！　2020年度・ＳＦ映画作品ベスト3

1

2

3

ぜキングが思いつかなかったのだろうかと感じてしまうほどの美しさ。原作では苦さが残るのだが、本作の場合は優しさが際立っている。これで俄然、評価が上がってしまった。

『スター・ウォーズ／スカイウォーカーの夜明け』も同じような感想をもった。これまでアナキンとルークという「選ばれし子」を描いていたシリーズが、スカイウォーカー・サーガのラストを飾る本作では、人生を「選ぶ子」のドラマになっていたからだ。ディズニーに移っての新三部作の主人公が女性になったことは時代を意識しての選択だったが、その女性の成長と強さを表現するため、このようなラストを用意したのは大正解だったと思う。同じ物語を繰り返すのではなく、時代を読んで新しいことに挑戦をする。これがシリーズを続けるための重要な要素のひとつだと、改めて感じたのだ。また、その一方で、ウェッジ・アンティリーズ等の懐かしいキャラクターも多数登場させ、新旧のバランスもとれていた。エイブラムスが初めて、もしかしていい監督？　と思ったほどだ。

　余談になるが、この《スター・ウォーズ》シリーズ、Disney＋で配信されているスピンオフシリーズの『マンダロリアン』が素晴らしい出来。四十分前後の軽いロードムービーという形式が、ドラマシリーズという形式にぴったりと合っていて、《ＳＷ》の新しいスタイルを定着させたように思う。

　新しいと言えば**『透明人間』**である。生みの親はＨ・Ｇ・ウエルズ、育ての親はユニヴァーサルホラーとも言えるこのモンスターの最新バージョンである本作も、巧みに現代風にアップデートされていた。定番では天才科学者が自分の開発した装置や薬によって透明人間になるのだが、今回はある装置を開発して透明になる。身体が変身するわけではないのだ。そうなると当然、モンスター映画としての魅力はなくなり、そのジャンルの醍醐味である、人間ならざる存在になった者の苦しみもなくなってしまう。では、ドラマとしての面白さは誰が背負うかというと、透明になった男から執拗に追われる元恋人の女性である。主人公も彼女に移り、流行りのフェミニズム的な色合いも加味されている。ジャンル的にもサイコホラーになり、モンスターファンからは異論が出るだろうが、現在のリメイクとしては面白い視点だと思った。このヒットに気をよくしたユニヴァーサルは狼男のリメイクも考えているようで、同じようにモンスター度が薄くなるのかは気になるが。

　リメイク＆リブートするときは、時代に合わせてアップデートするのはマストだろうが、それだけに囚われているといい作品は生まれない。オリジナルや先達たちに敬意を払わなければいけない。今年はあの『デューン　砂の惑星』が登場する。果たしてどんな作品になっているのか、ＳＦファンは大注目だ。

▍わたなべ・まき●55年生れ。映画ライター。〈アニメージュ〉、WEB版「ＴＶブロス」などに執筆中。

サブジャンル別
Best 10
&総括

SFアニメ

無意識世界を舞台にしたミステリからドラゴンを狩る者たちを描くファンタジイまで

Kobayashi Osamu
小林 治

❶『ID:INVADED』　監督：あおきえい
❷『映像研には手を出すな！』　監督：湯浅政明
❸『バビロン』　監督：鈴木清崇
❹『ドロヘドロ』　監督：林祐一郎
❺『虚構推理』　監督：後藤圭二
❻『空挺ドラゴンズ』　監督：桑原太矩
❼『日本沈没2020』　監督：湯浅政明
❽『PSYCHO-PASS サイコパス 3』　監督：塩谷直義
❾『デカダンス』　監督：立川譲
❿『富豪刑事 Balance:UNLIMITED』　監督：伊藤智彦

今回の選考対象も、規定期間（二〇年十月末）までに最終回を迎えたテレビアニメ作品とした。

第一位の『**ID:INVADED**』は、人の無意識世界・イドに入り込み事件の情報を得ていくミステリ。無意識世界という物理法則が通じない空間の映像としての驚き。主人公が潜るイドで毎回殺人被害者として現れる少女の謎。ひとつの事件の犯人が次へ次へと繋がっていくシリーズとしての面白さ。イドへ潜るシステムのギミックや設定としてワクワク感もある。『Re:CREATORS』『アルドノア・ゼロ』のあおきえい監督と、ミステリ小説家でもある舞城王太郎の持ち味が絡み合った作品だ。

第二位の『**映像研には手を出すな！**』は、アニメーションを作る女子高生の物語。厳密にSFとはいえないかもしれないが、人の想像が膨み、そこに自分を投影し冒険する。それをまた映像に落とし込もうという流れは、まさにアニメーションであり、映画であり、SFの前提ともいえる。その要になる現実と想像が重なり膨らんでいくシーンは、アニメーションや実写映画のメイキングで見ることが出来るイメージボード風（主線を鉛筆線っぽくした水彩画風の処理）になった。主人公たちがアニメーション世界に想いを馳せ、そのラフさにより彼女たちの想像にまだ膨らんでいく余地がある＝限界がないことも想像させてくれるのがいい。

第三位に選んだ『**バビロン**』は、生きる権利だけでなく死ぬ権利を認める社会の有無を考えさせる作品。死ぬ権利が社会問題として浮上すると同時に集団自殺事件が勃発。捜査の中で疑問が生まれ、人を死に追いやる能力を持つ女性が浮かび上がることで、今作の面白さはミステリとして集約されていく。また彼女には、姿を使い分け他人の認識を変えさせる能力もあり、カメラ映像による追跡や現場にいた人物の発言も証拠にならない。そんな一般的常識が通じない設定も登場。テーマだけでなく、主人公が大人な作品が楽しみたいという人にはお勧めだ。

第四位の『**ドロヘドロ**』は、魔法使いの世界から来た何者かによって頭を爬虫類に変えられ記憶を失った男が、本当の顔と記憶を取

小林 治氏が選んだ！
2020年度・ＳＦアニメ作品ベスト３

1

2

3

り戻そうとするダークファンタジイ。主人公は魔法が効かない特殊体質を利用し、住民を魔法の実験や練習台に使う魔法使いを狩る仕事をしている。多様なデザインのキャラクターと、整然という言葉が微塵も感じられない雑多な街・ホール。『ノー・ガンズ・ライフ』にも近い街並が出てくるが、汚さが段違い。一時期はよく見られた未来観だったが最近のテレビアニメではほぼなかったので、そういった世界観が好みの方には必見。

一定以上に構築された世界観を楽しみたい人には、第六位に選んだ**『空挺ドラゴンズ』**もお勧めしたい。ドラゴンを倒すファンタジイは多いが、こちらは狩る者たちの日常の話。ドラゴンの棲息空域に向かい、銛を打ち、捌き、調理をして食べる。世界観だけでなくそこに住む人々の描写もしっかりしていて、空想の料理なのに観ていて腹が減ってくる。

第五位の**『虚構推理』**は、怪異たちの〝知恵の神〟となった少女が怪異たちに関わる事件を解決するミステリ。だが、彼女は刑事でも探偵でもなく、彼女が組み立てるのはあくまで第三者が納得できる解であり、正しい解ではない。そんな一般的なミステリとの違いが今作の面白さだ。また、人魚と件《くだん》の肉を食べた男性も登場、蘇りの際に自分の望む未来を選べる能力を持っているのも物語をさらに面白くしているひとつだ。

第十位**『富豪刑事 Balance:UNLIMITED』**も真っ当な推理が一番の楽しみではないかもしれない作品になる。原作は筒井康隆。発表は七五年。魅力的なキャラクターたちと、法を超越し使用される様々なギミック。これらが当時アニメ化されていたらどうなっていたか、そんな想像を楽しむのもありだ。

第八位の**『PSYCHO-PASS サイコパス3』**も同様な部分がある。新たに加わった主人公が持つメンタルトレースが推理や物語の要となっていくのだが、それはプロファイリングにプラスして対象者になりきり精神統一することでその場の状況をかなりの高さで再現するもの。過ぎた科学は魔法にも見えるともいうが、貴方はこの描写をどちらに感じることになるか、まずは一度観てほしい。

第七位は**『日本沈没２０２０』**。原作は小松左京。発表は七三年。こちらも、今更アニメ化だなんて……と思う人も少なくない作品だろう。ただ、幾つもの震災を経験したからこそ盛り込まれた要素は多く、コロナ禍を過ごしている今だからこそ感じられる何かもある。最後に描かれている希望もまた、今だからこそのものだろう。監督は先にあげた『映像研には手を出すな！』と同じ湯浅政明。

第九位に選んだのは**『デカダンス』**。移動する大型施設で人が生活し、怪物を退治する世界。そこは現実なのかそれとも仮想空間なのか。昔からよく観てきたアニメ的な世界の見方を問う作品としても楽しめる。

こばやし・おさむ●66年生れ。アニメ系フリーライター。緊急事態宣言は、ＴＶアニメの放送日程に影響はあたえたものの、一年でみると放送タイトル数が極端に少なくなるということはなく、逆に劇場作品の公開延期が目立った１年となった。もちろん、配信作品は増えるばかりで……

サブジャンル別
Best 10
& 総括

❶『Hades』（PC）
❷『天穂《てんすい》のサクナヒメ』（PS4、Nintendo Switch）
❸『グノーシア』（PS Vita、Nintendo Switch）
❹『Ghost of Tsushima』（PS4）
❺『あつまれ どうぶつの森』（Nintendo Switch）
❻『Spiritfarer』（PC、PS4、Nintendo Switch、Xbox One）
❼『Carrion』（PC、Nintendo Switch、Xbox One）
❽『スカージブリンガー』（PC、Nintendo Switch、Xbox One）
❾『Outer Wilds』（PC、PS4、Xbox One）
❿『サイバーパンク2077』（PC、PS4、PS5、Xbox One、Xbox Series X/S）

SFゲーム

コロナ禍で求められた自分だけの仮想空間にどっぷりハマれるゲームたち

宮 昌太朗
Miya Shotaro

去年の話題作といえば、まずは『**あつまれ どうぶつの森**』。二〇〇一年に第一作が発売されているから、もう二十年になる『どうぶつの森』シリーズだが、最新作（第七作）となるこの『あつ森』は全世界で二千五百万本以上を売り上げるという大ヒット作に。プレイヤーごとに与えられた無人島を自由にデザインして、自分だけの仮想空間をチマチマと作り上げる楽しさ。釣りをしたり虫を捕まえたり、はたまたお気に入りの家具を作ったり。そのゆったりしたテンポ感は、まさにコロナ禍だからこそ支持されたのだろう。なにかと心を騒がせる出来事が多かった世の中と、いつまでも変わらぬ時間が流れる『あつ森』の中の世界。そのコントラストは「二〇二〇年」を鮮やかに象徴していたようにも思う。

　仮想空間にどっぷり浸るという意味では、昨年末に発売された『**サイバーパンク2077**』も話題を集めた一本。猥雑で怪しげな雰囲気が充満する近未来都市・ナイトシティを舞台にした本作は、タイトルからもわかる通り、サイバーパンク・ムーブメントにオマージュを捧げたオープンワールド・アクションアドベンチャー。プレイヤーキャラクターの身体を直接改造して強化するというシステム、街を彩る煽情的なネオンサインの数々、いわくありげなNPCたちなど、なによりも徹底的に作り込まれた世界観に引き込まれる。PS4／Xbox版で深刻な不具合が発生し、返金騒動に発展するなど、批判も多い一作だが（バグ修正・改善パッチのスケジュールが発表済）、そうしたトラブルを差し引いてもSFファンには見逃せない一作だった。

　もう一本、今年を代表する注目作を挙げるとすれば『**Ghost of Tsushima**』も忘れることができない。元寇の脅威にさらされる文永十一年の対馬を舞台に、平和を取り戻すべく苦闘する武士・境井仁を主人公に据えた本作は、しっかりと練り込まれたアクション&ビジュアルに胸躍る。黒澤明監督の映画に影響を受けたと思しき「侍」のイメージを、ファンタジックになりすぎず、かといってリアルにも寄せすぎないバランス感覚でゲームとして結実させた手腕に驚かされる。

『Ghost of Tsushima』と同様、日本をモチーフにした作品といえば、去年後半に発売さ宮昌太朗氏が選んだ！

2020年度・ＳＦゲーム作品ベスト3

1

2

3

れた『**天穂《てんすい》のサクナヒメ**』も、ユニークな着眼点が光った作品だ。日本神話的な世界観を背景に、豊穣の神と戦の神を両親に持つわがままいっぱいの神・サクナヒメと仲間たちが、鬼の巣食うヒノエ島を探索するというアクションアドベンチャーだが、米作りと主人公の成長をリンクさせた仕掛けが面白い。土地を耕し、種を撒き、肥料を与えて、実った稲を収穫する。その手間はとんでもなく面倒だが、おいしいお米が穫れれば穫れるほど、サクナが成長し、島の探索も進めやすくなる……というシステム設計が見事。「米」という日本人にとっては身近なモチーフが、世界観を統一させているところがいい。

　同じように、神話的な世界観を持った作品というところで取り上げておきたいのが、ギリシャ神話に登場する冥界の神の名前をタイトルに掲げた『**Hades**』。去年のゲーム・オブ・ザ・イヤーで、唯一インディゲームでノミネートされた本作の主人公は、ハデスの息子・ザグレウス。父の支配から逃れるべく、冥界からの脱出を目指す……というのがストーリーの大筋だが、プレイごとに変わるダンジョン、入手できる能力・アイテムの組み合わせに頭を悩ませる戦略性など、ローグライトならではの楽しさを押さえつつ、とにかくアクションゲームとしての出来がいい。また、ザグレウスに手を貸してくれるオリンポスの神々との軽妙なやり取り、プレイごとにキャラクターの背景が明らかになり、どんどん膨らんでいく世界観もまた魅力的だ。

　『Hades』のように、繰り返しプレイすることで徐々にストーリーの全体像が明らかになっていく――いわゆる「ループ形式のストーリーテリング」は、すっかりゲームの世界でお馴染みのもの。そこに新味を加えたユニークな作品がいくつか登場したのも、去年のトピックだろう。『**Outer Wilds**』は、超新星爆発を二十分後に控えた星系が舞台という、一風変わったアドベンチャーゲーム。二十分経つとプレイヤーキャラクターは以前の記憶を残したまま、ゲームの開始時点へとワープ。繰り返される時間の中で、いったいなぜ、こんなタイムループが起きているのか、プレイヤーは世界の謎を解き明かすことになる。数千年前に滅亡したという古代種族の遺跡群、多種多様な惑星群など、ＳＦマインドに溢れたビジュアルも魅力だった。

　また最初のPS Vita版が二〇一九年に発売された後、去年Nintendo Switch版がリリースされて話題になった『**グノーシア**』も、人狼ゲームと「ループ形式のストーリーテリング」を組み合わせて注目を集めた作品。未知の敵・グノーシアが潜む宇宙船で、誰が敵なのかを探り合う丁々発止の心理戦。短いループを重ねていくことで、大きな世界観が見えてくる構成がじつに見事。なかなか止め時が見つからない印象的な一作だ。

みや・しょうたろう●72年生れ。ライター。

このSFを読んでほしい！

SF出版各社2021年の刊行予定

小社・早川書房をはじめ各出版社の、2021年2月以降のＳＦ関連新刊情報を、国内・海外とりまぜて、いちはやくご紹介します。

早川書房
アトリエサード
KADOKAWA
河出書房新社
講談社
光文社
国書刊行会
集英社
小学館
新潮社
竹書房
東京創元社
徳間書店
文藝春秋

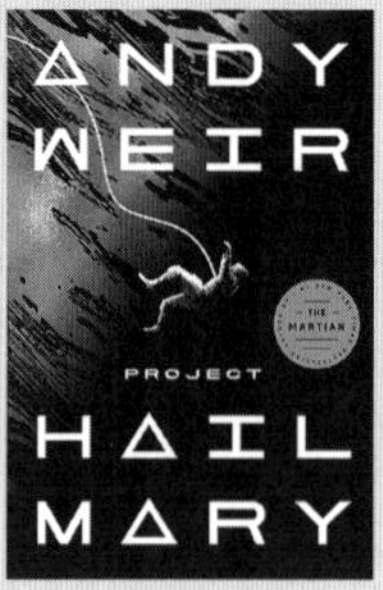

◀『プロジェクト・ヘイル・メアリー』

早川書房

弊社の国内SFの予定は「2021年のわたし」をご覧ください。他に、文庫JAの2月は、はやせこう『庶務省総務局KISS室 政策白書』、芝村裕吏『統計外事態』、花田一三六『蒸気と錬金』、ゲーム『ALTDEUS: Beyond Chronos』ノベライズ、3月は『マルドゥック・アノニマス6』に、冲方塾・塩澤賞受賞作の上田裕介『ショウリーグ』（単行本『生き残る作家、生き残れない作家 冲方塾・創作講座』は4月）、森山光太郎『隷王戦記1 フルースィーヤの血盟』、4月は日本SF作家クラブ編の書き下ろしアンソロジー『ポストコロナのSF』。シリーズでは『宇宙軍士官学校』『放課後地球防衛軍』『ヤキトリ』『星界の戦旗』などの新作、乙野四方字、日向理恵子、吉上亮の新刊も。そして、文庫JA通巻1500番が先か、文庫JA937番の野尻抱介『素数の呼び声』が先か、予断を許しません。SFの盛夏が間近らしいと予言してしまったのでがんばります。（書名は仮題／文中敬称略）

海外SFは、今年も中国SFを中心に展開していきます。まず、ケン・リュウの日本オリジナル短篇集第四弾『宇宙の春』を三月に。初夏には、三部作ついに完結！ 劉慈欣『三体Ⅲ 死神永生』を。第一部の倍のボリュームです。じっくりお楽しみください。グラッドストーン＆エル＝モータル『あなたたちはこうして時間戦争に負ける＊』は、ヒューゴー／ネビュラノヴェラ部門受賞の傑作時間SF。夏刊行の『帝国と呼ばれた記憶＊』は、アーカディ・マーティンのデビュー作にして昨年のヒューゴー賞受賞作。権謀術数渦巻く銀河帝国を描くシリーズ第一作。

秋には、アンディ・ウィアー、待望の新作を用意。『プロジェクト・ヘイル・メアリー＊』は、地球を滅亡から救うミッションを描いた宇宙SF。『三体』シリーズ続篇の作者、宝樹は秋刊行の短篇集からご紹介。そして、年末にはもう一冊、劉慈欣作品を。デビュー作を含む短篇集『鯨歌＊』で締めくくります。（＊は仮題）

アトリエサード

季刊誌〈ナイトランド・クォータリー〉好調です。昨年まで発表したタイトルは順次刊行予定。

国内外の名作童話に着想を得た〝暗黒メルヘン絵本シリーズ〟として、妖しい世界へいざなう、最合のぼると画家との魅惑のコラボレーション。第1巻／黒木こずゑ、第2巻／たま（以上既刊）、第3巻／鳥居椿（一月刊）、第4巻／須川まきこ（九〜十月刊）、第5巻／深瀬優子を予定。単行本では、伊東麻紀『根の島』、SF Prologue Waveでも掲載されているTRPGエクリプス・フェイズ小説アンソロジー『再着装《リスリーブ》の記憶（仮）』。

翻訳作品として、キム・ニューマン《ドラキュラ紀元》シリーズ（鍛治靖子訳）第三巻、第四巻、いよいよ春刊行。M・ジョン・ハリスン『ヴィリコニウム・シリーズ』他。NL叢書シリーズから、新たに、アトリエサードらしいラインナップによるGOTHシリーズとSFシリーズを企画中。

（文責・岩田恵）

KADOKAWA

一族ごとカルテルを葬られ、復讐に取り憑かれた麻薬王。医学界を追われた非道の天才心臓外科医、この上なく無垢な魂を持った暴力の申し子。彼らはアステカの暗黒神に導かれ、現代の黄金郷カワサキに集う――。

SF、ファンタジイ、伝奇、ミステリ、クライムノベル、ビルドゥングスロマン、そして、神話。あらゆるジャンルを内包し喰らいつくす唯一無二の、小説の形をした怪物。佐藤究・著『テスカトリポカ』が二月に刊行されます。ただ手に取って、存分に蹂躙されてほしい。読後、あなたの世界は、きっと取り返しがつかないほど形を変えているでしょう。それはなんと幸福な絶望であることか。

そして物語を信じるものだけが、汚濁と欲望と血と圧倒的な暴力にまみれたこの世界から、ある種の「光」を受け取ることができるのだと思っています。

吉川英治文学新人賞＆大藪春彦賞受賞の鬼才が描く闇の英雄伝説にぜひご期待を！

河出書房新社

季刊文芸誌〈文藝〉にご注目を。現在発売中の二〇二一年春季号では、池澤春菜が日本SF作家クラブ会長として連続企画「韓国・SF・フェミニズム」に寄稿。連続企画の一環として、書き下ろしも含めた韓国SFアンソロジーを準備中。今号の特集「夢のディストピア」では、飛浩隆と高山羽根子の初対談も。

その飛浩隆のデビュー作ほか初期作と批評等を集めた『ポリフォニック・イリュージョン』が文庫化です。レアな追加作品あり。

河出文庫の大森望責任編集『NOVA』が四月に。書き下ろしSFアンソロジー・シリーズ最新号〈編集部の都合による大幅な刊行遅延をお詫び申し上げます〉。乾緑郎「機巧のイヴ」番外篇も掲載。文庫では、筒井康隆、山田正紀、宮内悠介たちの作品集も。

翻訳書では、莫言が「ワイルドで饒舌な文体」と絶賛の盛可以による中国SF『子宮』。一人っ子政策で生殖を監視されたディストピアを生きる四世代の女性たち。

講談社

これだけは絶対にお読みいただきたい二作をご紹介します。

まずはタイムリープもの！『スイッチ　悪意の実験』。第六十三回メフィスト賞を受賞した潮谷験氏の第二作で、八月発売です。「今日という日は千回も巻き戻されている、その原因を突き止めてほしい。報酬は一〇〇〇万円」という奇妙な依頼を受けた探偵。主人公に思いを寄せる女性の殺害事件、異世界の知的生命体との遭遇と、次々に起こる出来事がラストの感動に見事結実します。

次は、ディストピア・ノベル。本谷有希子さんの『あなたにオススメの』。高級住宅地の人気園に娘を入れるため偽装離婚した推子《おしこ》と価値観のずれたママ友・GJ。デジタルデバイスと一体化し、〈等質〉に生きることこそ標準《デフォルト》となった世界で、〈個性〉重視の人間らしさはどこに行ってしまうのか——先が読めないシニカルでリアルな、本谷ワールド全開の傑作です。SFの幅を拡げる逸品二作、ご期待ください。

光文社

二〇二〇年十一月、およそ九年ぶりに《異形コレクション》が動き始めました。『ダーク・ロマンス』『蠱惑の本』を二カ月連続刊行。おなじみの実力派に加えて、この九年のあいだにデビューした新進気鋭もラインナップされた超強力版です。再開三冊目も五月にはお目見えする予定。令和の、苦難の時代に目をさました異形たちの跳梁跋扈《ちょうりょうばっこ》にご期待あれ！

モノマニアックなエッセイコミックの描き手として著名な日高トモキチ、初の幻想小説集がまとまります。映像化不可能な、奇妙で懐かしいキャラクターたちの物語をお楽しみください。明らかに悪夢なのに、悪くない後味なのです。

平山夢明『ボリビアの猿』はスタンバイはしているのですが、スケジュールが読めません。なので、短篇集を先に刊行しようと考えています。夏ぐらいの予定。竹本健治の大作『闇に用いる力学』〈全三巻〉と古野まほろの真っ向本気な幻想本格ミステリ『征服少女』も夏までには！

国書刊行会

《未来の文学》最終巻、伊藤典夫編訳アンソロジー『海の鎖』がようやく春刊行。ガードナー・R・ドゾワの表題作の他、フレデリック・ポール「フェルミと冬」、M・ジョン・ハリスン「地を統べるもの」、ジョン・モレッシイ「最後のジェリー・フェイギン・ショウ」、フィリップ・ホセ・ファーマー「キング・コング墜ちてのち」、アラン・E・ナース「偽態」、レイモンド・F・ジョーンズ「神々の贈り物」、ブライアン・オールディス「リトルボーイ再び」を収録。《未来の文学》は完結しますが、今後もウルフ、ディッシュ、ヴァンスなど他版元が出さない作家の作品はなんとか出し続けます。『伊藤典夫評論集成』はどんどん増殖中で千頁を超えるかもしれません。浅倉久志編訳『ユーモア・スケッチ大全』〈全四巻〉は「ユーモア・スケッチ傑作展」「すべてはイブからはじまった」「ミクロの傑作圏」に単行本未収録短篇を大量に増補という形で刊行する予定です。

集英社

冲方丁『アクティベイター』を一月に刊行。羽田空港に中国のステルス爆撃機が降り立つ未曾有の事態。中央省庁の鈍い対応に、パイロットの誘拐、不可解な出来事が相次ぐ。その背後には国家を巻き込んだ巨大な謀略の存在が──。握られた国民1000万人の運命から目が離せない！　長い構想期間をへてついに完結した著者渾身のデビュー二十五周年記念作品。

〈小説すばる〉で連載中の小川哲『地図と拳』の単行本が二〇二一年度刊行予定。満洲国建国後、理想の都市を追い求める若き日本人建築家は、抗日ゲリラに身を投じる馬賊の娘と出会い──。日露戦争前夜から第二次世界大戦終戦まで、満洲の半世紀を舞台にした、一大歴史スペクタクル。

小学館

今年もガガガ文庫のSFを楽しみにしてくださる方がいらっしゃること、大変嬉しく思います。今年は二年振りに刊行される『筐底のエルピス』（著：オキシタケヒコ）の新刊を皮切りに、ガガガのSF作品が大いに盛り上がればいいな、と思っております。ほかにも宇宙空間での新スポーツを描いた『ストライクフォール』（著：長谷敏司）の続刊、歴史ーFものとして三国志好きにも好評をいただいている『董白伝』（著：伊崎喬助）、「このラノ！2021」にて9位を獲得した空戦シリーズ『プロペラ・オペラ』（著：犬村小六）、そしてCGアニメーションスタジオANIMAと原作の開発をした、城がロボットに変形して戦国の時代を駆ける戦国ーFシリーズ『鋼鉄城　アイアン・キャッスル』（著：手代木正太郎）、そしてまだ少し先の話かもしれませんが草野原々氏の新企画も準備しております。今年も一年ガガガ文庫に注目してみてください！（ガガガ文庫：小山）

新潮社

「ファンタジーノベル大賞2020」優秀賞『あけがたの夢（仮）』（岸本惟）が三月刊。「少年の消えたその山で、私は私の運命と出会う──。龍の末裔、天空族のセイジは、余命わずかな老人の妻が遺した日記を読むことに。そこには、ある家族を襲った哀しい事件の真相と天空族の秘密が眠っていた」。五月には、著者初のSF『ファウンテンブルーの魔人たち』（白石一文）。「世界一のゲイタウン新宿二丁目──そこは、地球の中軸が通っている場所だった。米露中要人の謎の死。数十年前の巨大隕石の衝突。一連の事件の背後に潜む企みとは？」。デビュー作が注目を浴びた高丘哲次の二作目『心は刻まれた（仮）』も登場予定。「19世紀末、尖筆師と呼ばれる技術者集団がゴーレムの産業化を推し進めた時代。創造の源カロニムス家の礎板が何者かに奪われ、全世界争乱へと発展していく。チャペック『ロボット』を問い直す、壮大にして奇怪たる歴史一大絵巻」。

竹書房

名実ともに社屋が破壊されることになりました。まずは海外作品から。進化した蜘蛛と人類が遭遇するチャイコフスキー『チルドレン・オブ・タイム』、エイリアンによる人類の危機をノンフィクション風に書いたトーマス『ダリア・ブラック』、ネビュラ賞受賞作のビショップ『時の他に敵なし』、バトラーの《パラブル》シリーズ二作、パンデミックによりコンサートなどが禁止された世界を描くピンスカー『新たな時代への歌』。こちらもネビュラ賞受賞作。ピンスカーは短篇集『いずれはすべてが海へと』もいずれ。『ギリシャSF傑作選　ノヴァ・ヘラス』は秋ぐらいに。カットナー《ギャロウェイ・ギャラハー》シリーズ短篇集、中村融編『美食SFアンソロジー』もそのうちに。

国内作品は、昨年スタートした日下三蔵編《日本SF傑作シリーズ》《異色短篇傑作シリーズ》を偶数月に。大森望編『ベストSF2021』は七月末に。

（タイトルなどはすべて仮）

東京創元社

国内は『石川宗生の旅日記』、第二回創元SF短編賞佳作入選の空木春宵の初短篇集『感応グラン＝ギニョル』、宮澤伊織『神々の歩法』、秋田禎信の長篇『ノーマンズ・ソサエティー』、倉田タカシ・高山羽根子・西島伝法の共作『ゆきあってしあさって』、そして創元SF短編賞受賞作を収録するアンソロジー『Genesis 4』などを予定。

翻訳は、完結篇となる『フレドリック・ブラウンSF短編全集4』、アンソロジーの『パワードスーツSF傑作選』『星間連邦SF傑作選』、『エリザベス・ハンド傑作選』、『エドワード・ケアリー短編集』、N・K・ジェミシン『オベリスクの門』、ユーン・ハ・リー『レイヴンの奸計』、J・P・ホーガン『異星の空の声』、キジ・ジョンスン『未知なる自由を夢に求めて』、マーサ・ウェルズの大好評シリーズ『マーダーボット・ダイアリー』続篇などを予定。

（タイトルはすべて仮題です）

徳間書店

本欄久々の登場、徳間書店でございます。四月には三島浩司氏の長篇『クレインファクトリー』を刊行。人の「心」の成り立ちに独自の切り口で迫る本格SFです。五月予定で谷口裕貴氏十八年ぶりの単著『アナベル・アナロジー』。〈SF Japan〉掲載の中篇二作に書下しを加えた連作集。超絶サイキック少女の死によって呪われた世界のその後を描きます。以上、どちらも徳間文庫より。日本SF新人賞作家関連作はその他いろいろ仕込み中です。

〈SFJ〉〈読楽〉で十四年間連載された恩田陸氏の長篇SF『愚かな薔薇』は今秋刊行予定。吸血鬼テーマのこの超大作は、恩田氏の代表作のひとつに加わることになるでしょう。

小社文芸PR誌〈読楽〉（電子書籍版も配信開始！）は、豪華連載陣でお贈りしております。SFファンの皆様は、夢枕獏氏『闇狩り師　摩多羅神』、柴田よしき氏『新・宙都』、西條奈加氏『首取物語』にご注目くださいませ。

文藝春秋

まず佐々木譲さん『帝国の弔砲』から。十九世紀末、ロシアへ入植した日本人青年が日露戦争勃発により強制収容され、その後、第一次世界大戦で徴兵され功績を挙げるも、今度はロシア革命に遭遇――とお得意の改変歴史小説。

椎名誠さん『階層樹海』は、環境破壊であらゆる生物が樹海で生息する近未来の惑星が舞台。空を飛ぶことを夢見る少年スオウの冒険譚は、少年心をくすぐり続けるシーナSF待望の最新作です。

三毛猫のマスターと星遣いの店員が迷える人の心に寄り添う、望月麻衣さん『満月珈琲店の星詠み～本当の願いごと～』は文庫話題作の第二弾で、桜田千尋さん描き下ろしのイラストも豊富な一冊。

さらに、待望の第二部がスタートした阿部智里さん《八咫烏《やたがらす》》シリーズの外伝と新作の二冊、上田早夕里さんが実在した室町時代の法師陰陽師を描く『播磨国妖綺譚』も要チェック。高校生直木賞受賞の森見登美彦さんの快作『熱帯』の文庫化も予定しています。

あの物語は いまどうなっているの？

人気大河シリーズの現在

ＳＦやファンタジイの醍醐味のひとつである、長大な大河シリーズの傑作たち。その巻数は、ときに100巻以上にもおよびます。「昔は読んでいたけど最近の展開がわからない！」「最新刊から読み始めたいけど、これまでのお話も知っておきたい！」というみなさまのため、シリーズのすべてを知りつくした書き手たちがあの物語の「今」を解説します。　（編集部）

【紹介シリーズ一覧】

宇宙英雄ローダン

グイン・サーガ

氷と炎の歌

裏世界ピクニック

マルドゥック・アノニマス

宇宙英雄ローダン

編集部

《ローダン》シリーズは現在も毎月二冊の刊行をつづけており、二〇二一年二月上旬刊で六百三十四巻になります。六百巻までの《無限アルマダ》サイクルでは、巨大な無限アルマダとローダンひきいる銀河系船団の邂逅を描きました。アルマダ部隊は、〝三つの究極の謎〟のひとつである行方不明のフロストルービンを追ってきており、秩序の勢力が混沌の勢力と対決するうえで必要な〝宇宙のモラルコード〟を修復するために、銀河系各地のクロノフォシルを活性化し、このフロストルービンをもとの場所にもどさなければならないと判明します。クロノフォシルとは、これまでにペリー・ローダンが各地にのこしてきたポジティヴなプシオン・シュプールのこと……ということで、六百巻後半から《クロノフォシル》サイクルとなっています。

では、二〇二〇年二月下旬以降に刊行した巻のあらすじを紹介していきます。

ローダンと銀河系船団は、アルマダ部隊とともに銀河系に帰還しようとしていた。混沌の勢力に属する〝エレメントの支配者〟は、〝エレメントの十戒〟をもちいてローダンの到着前に各地のクロノフォシルを〝反クロノフォシル〟にしようと画策する。苦戦となるが、最終的にローダンはアンドロ・ベータ、マゼラン星雲、二百の太陽の星などのクロノフォシルを活性化する。そして、地球のクロノフォシル化に成功し、超越知性体〝それ〟の謎めいた人工惑星エデンIIのクロノフォシル化をのこすのみとなる。

エレメントの十戒の危機が去り、クロノフォシル化を経験した銀河系の人々は、異郷へのあこがれにとりつかれていた。暗黒エレメントとの戦いでその大部分の質量を失った巨大コンピュータ〝ヴィールス・インペリウム〟は、自らののこりから〝ヴィールス船〟をつくる。それにより、レジナルド・ブルら多くの人々が大宇宙へと旅立つことになる。

ローダンは《バジス》に乗り、エデンII探索へ向かう。なんとか人工惑星を見つけるものの、エレメントの支配者の攻撃で危機に陥ってしまう。だが、ローダンの妻ゲシールとお腹のなかの娘の活躍により、エレメントの支配者を打ち負かせた……。

一方、アルコン人アトランと深淵の騎士ジェン・サリクは、〝深淵〟に向かっていた。深淵とは異宇宙を隔てる境界層のこと。フロストルービンが以前ここにあり、モラルコードの応急処置をするために〝時空エンジニア〟がフロストルービンのかわりをつくろうとしていたはずだった。しかし、連絡がとれなくなっており、原因を探るようコスモクラートに命じられたのだった。ふたりがたどりついた深淵の地は、〝グレイ作用〟によって変質していた。このままではフロストルービンをもとにもどすことができない。アトランたちに光の守護者のハトル人テングリ・レトス＝テラクドシャンも合流し、三名が深淵の騎士となり活躍。深淵の住人たちと協力して、力の泉ヴァジェンダのヴァイタル・エネルギーでグレイ作用を追い払おうとするが……（この深淵パートは〝異世界転移〟もののようなノリで楽しめる）。

ちなみにドイツ版は一月に三千百話（日本版の千五百五十巻相当）に到達しています。

クルト・マール、ペーター・グリーゼ、ほか／既刊：634巻／ハヤカワ文庫ＳＦ

グイン・サーガ

八巻大樹

昨年は新型コロナウイルスの影響により、我々の世界は予想もしなかった激動に襲われることとなった。そしてグイン・サーガの物語世界に待っていたのもまた、大きなうねりとなって人々を飲みこんでゆく激動の運命であった。それでは昨年刊行された第百四十七巻『闇中《あんちゅう》の星』のストーリーを振りかえってみよう。

ケイロニアの豹頭王グインは、死から甦ったパロ王子アルド・ナリスの手から逃れるべく、キタイの竜頭兵の攻撃から救出した孤児たちを引き連れ、荒廃したパロの首都クリスタルを脱出した。その郊外で出会ったカラヴィア公騎士団に孤児たちを託したグイン一行は、行方知れずとなった皇女シルヴィアの探索を続けるかどうかの決断を迫られた。だが独断でクリスタルに戻った女騎士アウロラが魔道師カル・ハンの手に落ち、催眠術をかけられてしまった。正気を失った彼女を救出したグインの前に、カル・ハンの魔の手が再三迫る。それを退けたグインは、アウロラの催眠を解くため、ケイロニアの首都サイロンへ戻ることを決めた。その途中で出会ったまじない女の手によって術は無事に解け、グイン一行は首都への帰還を果たした。

アルゴスの黒太子スカールは、ゴーラ王イシュトヴァーンの知られざる長男スーティをその手に取り戻すべく、沿海州の国ヴァラキアからゴーラに向かう道を模索していた。そのとき、スーティと同行している宝玉《ミランダの琥珀》からの遠話により、彼が闇の司祭グラチウスに伴われ、異母弟であるゴーラ王太子ドリアンと騎士アストリアスとともにヴァラキアに向かっているという一報が入った。そして数日後、ついにスーティはスカールのもとへと戻り、母フロリーとの再会を果たした。

ヴァラキアで開催された沿海州会議でパロ派兵の議案を否決されたアグラーヤ王ボルゴ・ヴァレンは、ドライドン騎士団にクリスタルへの遠征を依頼した。イシュトヴァーンに殺害されたゴーラ宰相カメロンの配下であり、クリスタルを占領しているゴーラ王への復讐に燃える騎士団の面々はそれに同意し、おおいに士気をあげた。そしてヴァラキアに身を寄せていたパロ宰相ヴァレリウスも、その遠征に同行することとなった。

アストリアスにドリアンを奪われたモンゴールの残党は、前モンゴール大公アムネリスの遺児でもある彼を利用してゴーラの王座を奪取する計画が頓挫し、苦境に立たされていた。そこで同じ年ごろの幼児を誘拐し、それをドリアンと偽ることにした。彼らはモンゴールの首都トーラスを急襲し、ゴーラの駐留軍を破って市内を制圧すると、偽のドリアンを民衆の前に立たせ、それを旗印として打倒ゴーラを扇動した。その知らせを聞いたイシュトヴァーンは怒り、モンゴールの討伐を決意したのだった。

カメロンの不慮の死からしばらく鳴りを潜めていたイシュトヴァーンがついに動きだす気配を見せ、物語は新たな佳境を迎えようとしている。今年、運命神ヤーンは彼らにどのような宿命を用意しているのだろうか。いよいよ激しさを増す物語から目が離せなくなりそうだ。

栗本薫、五代ゆう、宵野ゆめ、ほか／既刊：正篇147巻、外伝26巻／ハヤカワ文庫ＪＡ

氷と炎の歌

堺 三保

ジョージ・Ｒ・Ｒ・マーティンの《氷と炎の歌》は、第一部『七王国の玉座』発刊以降徐々に人気を集め、今や新刊が発売されるたびに大ベストセラーとなっているだけでなく、多数の賞を受賞した評価の高さやジャンルへの影響力の大きさからも、現代最高の異世界ファンタジイと呼ぶべき傑作だ。異世界ファンタジーというジャンルの傾向は本作の発表開始以前と以後とに分かたれるとすら言える。

本作は、本篇（第五部まで）、本篇の百年前の時代を舞台にした外伝『七王国の騎士』、物語の舞台が統一されてから本篇が始まるまでの長い歴史を記した歴史書『炎と血』という、三つのシリーズから構成されており、いずれも続巻が予定されている。

物語の主な舞台はウェスタロスと呼ばれる島国とその上に築かれた七王国と呼ばれる国家だ。もともと七つの強大な諸公によって分割統治されていたこの国は、絶対的な武力でこの島を征服したターガリエン家の下でかろうじて統一を保っていた。だが、そのあまりの暴政に諸公が叛乱、ターガリエン家を放逐してバラシオン家のロバートが王に立ったものの、不慮の事故で死亡してしまう。残された王子たちはまだ幼く、ロバート王の兄弟たちが王位継承を主張、王権を巡って血で血を洗う戦争が勃発する。一方、七王国の北端では伝説として語られてきた〈異形〉と呼ばれる魔物が不気味な活動を開始、国境を脅かし始めていた。さらに、海を挟んだ東のエッソス大陸では、死んだはずのターガリエン家のデナーリス王女が王権奪還を目指していた。

この重厚長大な物語を、数多くの登場人物の視点から交互に語る多視点ドラマとして描くことで、複雑で重層的な構造を作り上げているのが本作の大きな特長だ。

現時点（第五巻終了時点）では、すでに故ロバート王の兄弟は二人とも倒れ、王権争いは、ロバートの息子であるトメン王とその母サーセイを支持するラニスター家を中心に、各諸公が王権を求めて親ラニスター派と反ラニスター派に分かれて争っているという状況だ。一方、北方では〈異形〉と戦うためにかつての仇敵である〈野人〉たちも勢力下に統合しようとしていた〈冥夜の守人《ナイツ・ウォッチ》〉総帥ジョン・スノウが部下の裏切りにあって死亡、先行きが一気に不明となっている。エッソスでは、権力争いに敗れ、自分が育てたドラゴンと共に荒野をさまようデナーリスが、かつての夫が率いていた騎馬民族と再会、再起の手がかりとする。そして、誰もがとっくに死んでいたと思っていたターガリエン家直系の後継者がもう一人、傭兵軍団を率いて登場、一気に情勢が大きく変化する予兆を見せている。

本作を原作としたテレビドラマ「ゲーム・オブ・スローンズ」は一足先に完結しているが、原作はこのあとドラマ版とは違うエンディングを迎えるとのことなので、ファンの誰もが一刻も早い新刊の刊行を待ち望んでいる。

ジョージ・Ｒ・Ｒ・マーティン／酒井昭伸、岡部宏之、鳴庭真人、水越真麻、川野靖子、ほか訳・既刊：５部（12巻）、外伝２巻

裏世界ピクニック

編集部

この現実世界と隣り合わせの異界をめぐる探検サバイバル×ＳＦホラー百合シリーズ、宮澤伊織『裏世界ピクニック』は二〇二〇年末に第五巻が刊行。また、この一月から佐藤卓哉監督によるＴＶアニメ版も毎週放送されている。今からアニメや最新刊に追いつけるように、これまでの物語を整理していく。

　舞台は現代日本。大学二年生の紙越空魚《かみこしそらを》は廃墟探検中に偶然入り込んだ異界＝裏世界で窮地に陥っていたところを、謎の金髪美人・仁科鳥子《にしなとりこ》に助けられる。裏世界研究者・小桜《こざくら》の協力も加わって、研究とお金稼ぎ、そして消えた鳥子の友達こと閏間《うるま》冴月《さつき》を探すために裏世界への探検を続けていく。裏世界では、「くねくね」「八尺様」など実話怪談として語られてきた存在が空魚たちに襲いかかる。裏世界にいる存在が、人間の認知——とくに恐怖を媒介としてこちら側の世界へアクセスしようとしているのでは、という仮説も立てられるものの、その真相は不明。このあたりタイトルの元ネタにもなっている、ストロガツキー兄弟の『路傍のピクニック』（『ストーカー』）からのオマージュが窺える。

　物語は空魚の一人称で進み、空魚は自分を普通の大学生だと思っているのでそのように語られるものの、実は客観的には家庭環境に壮絶な過去を抱えていたことが一巻の終盤で明かされる。このことが少しずつ尾を引いていき、爆発したのが第四巻。裏世界で危険とされる夜を乗り越えようと遠征していた最中に、空魚自身が無自覚だった過去への恐怖が怪異によって暴かれてしまう。

　発狂しかけた空魚は鳥子によってピンチを救われ、そして鳥子が空魚への好意を告白、ふたりの関係が大きく進んで……？　というところから最新の第五巻がスタート。

　鳥子が冴月への執着をある程度振りきれたことが関係してか、裏世界から冴月関連の襲撃は今巻では起こらないものの、空魚たちの生活には相変わらず非日常的な怪異現象が付きまとっていく。空魚主催の混沌のラブホ女子会の顛末を描いた「ポンティアナック・ホテル」、鳥子の大学を訪問した空魚が中間領域（現実と裏世界の境界）に飲み込まれ、脱出しようとするなかでふたりの過去が呼び起こされる「斜め鏡に過去を視る」、裏世界の大きな屋敷で暮らす不思議な老人を描いた「マヨイガにふたりきり」、一巻に登場した行方不明の妻を探す男・肋戸の痕跡をめぐり空魚たちが裏世界の深部へと突き進んでいく「八尺様リバイバル」の全四篇を収録。

　三巻以降は年一冊ペースの刊行だった本シリーズ、何と第六巻は今春三月に発売予定（本当に……？）。これまでの一巻三〜四話形式とは異なり、初の長篇となる。副題は『Ｔは寺生まれのＴ』。ネット怪談が好きならすぐにピンとくるだろう、史上最強の存在が登場。どうぞお楽しみに。

　ＴＶアニメは各種配信サイトでも視聴できるほか、〈月刊少年ガンガン〉にて水野英多氏によるコミカライズ版も好評連載中。媒体ごとに異なる裏世界の表現やキャラクターの魅力を比べてみるのもお薦めです。

宮澤伊織／既刊：5巻／ハヤカワ文庫ＪＡ

マルドゥック・アノニマス

編集部

万能道具《ユニバーサルアイテム》存在のネズミであるウフコックと相棒ボイルドとの訣別までの物語『マルドゥック・ヴェロシティ』、ウフコックが委任事件担当官として出会った少女娼婦バロットを救済する物語『マルドゥック・スクランブル』。そして三部作完結篇『マルドゥック・アノニマス』は、バロットとウフコックのパートナーシップの物語として、現在SFマガジン誌上で連載中、文庫版は最新第6巻がいよいよ3月に刊行予定。

舞台は『スクランブル』から数年後のマルドゥック市《シティ》。バロットが穏やかな高校生活を送る一方、ウフコックは変わらず〈イースターズ・オフィス〉に所属して、新たな相棒のロックとともに任務にあたっていた。そこで馴染みの弁護士サムから、オクトーバー社の内部告発者ケネス・C・Oの保護依頼が持ち込まれる。調査に向かった二人は、ハンターと名乗る男が率いる〈クインテット〉の襲撃に遭い、ロックは惨殺されてしまう。〈クインテット〉の目的は何か？　ウフコックの潜入捜査は、さまざまな勢力を取り込んで強大化する〈クインテット〉の悪徳を記録することから始まった。やがて善なる勢力を結集した〈イースターズ・オフィス〉と〈クインテット〉は全面衝突、双方に多大な犠牲を出したうえ、ウフコック自身も〈クインテット〉に囚われの身となってしまう。以上が、〈名無し《アノニマス》〉としてのウフコックの遍歴を描く、第1部ともいえる3巻までの内容。

ガス室で死を待つウフコックのもとをバロットが訪れるシーンで終わった3巻のラストを受けて、第2部ともいえる4巻から6巻では、事の経緯を知ったバロットがウフコックの行方を捜すため自覚的に成長していく過去パートと、現在のバロットが〈クインテット〉のエンハンサーたちを退けつつ、ガス室からウフコックを救出するまでのアクションパートが、交互に描かれるという野心的な構成になっている。もはや『アノニマス』の鍵を握る存在といえるハンターの正体をめぐり、〈シザース〉や〈楽園〉、オクトーバー社の思惑、さらに亡きボイルドとの因縁までが複雑に絡み合い、まさに『ヴェロシティ』『スクランブル』の要素を完全に踏まえつつ、マルドゥック市の歴史と諸相を丸ごと描き切ろうという巨大なうねりを生じつつある。それを背景に、ウフコックとの絆を取り戻すため法曹の道をめざすバロットが、ついに対面したハンターと心理戦を繰り広げるシーンは、『スクランブル』のカジノを彷彿とさせる第2部の白眉だ。一方で家族を持たなかったバロットが、エンハンサーの少女アビーと家族になろうとする姿が感動を呼ぶ。そして、ついに過去と現在が交わる最新6巻のラストは、意外すぎる結末を迎える。

続く7巻から最終9巻までの第3部では、バロットとウフコックの新たなパートナーシップが、必然としての法廷ドラマを中心に描かれていくことになる。それは、かねてより公言されているウフコックの死まで――。最後に彼は、どのような有用性を獲得するのか。ぜひリアルタイムで見届けてほしい。

冲方丁／既刊：５巻／ハヤカワ文庫ＪＡ

特別企画

2021年のわたし

いよいよ2021年がはじまりました。今年、気になるあの人はどんな仕事が控えているのでしょうか？

2010年以降の「ベストSF〔国内篇〕」の10位以内に入った作家・評論家、「ハヤカワSFコンテスト」受賞作家のみなさまに、2021年の活動予定から所信表明、近況にいたるまで、「2021年のわたし」がなにをするのかを教えてもらいました。　（編集部）

石川宗生
作刈湯葉
上田早夕里
円城 塔
大森 望
小川 哲
小川一水
岡和田晃
オキシタケヒコ
笠井 潔
梶尾真治
片瀬二郎
神林長平
北野勇作
九岡 望
日下三蔵
草野原々
倉田タカシ
黒石迩守
五代ゆう
三方行成
柴田勝家
十三不塔
菅 浩江
高島雄哉
高野史緒
高山羽根子
竹田人造
巽 孝之
谷 甲州
津久井五月
飛 浩隆
酉島伝法
長山靖生
仁木 稔
野﨑まど
法月綸太郎
長谷敏司
葉月十夏
林 譲治
春暮康一
樋口恭介
藤井太洋
牧野 修
宮内悠介
宮澤伊織
山田正紀

石川宗生

二〇二〇年は怠け気味だったので今年はもう少し活動的になろうと思います。FXや投資に精を出して。あと一月に東京創元社から『半分世界』の文庫本が出たのでよろしくお願いします。春頃には旅行記が出る予定なのでよろしくお願いします。

柞刈湯葉

私はもともと分子生物学が専門であり「あまり馴染みのない専門用語を小説に書くのはよくないかな」などと思っていたのですが、このところ日常会話でやたら「PCR」とか「mRNA」とかいった用語を耳にするようになったので、この機会にSF業界にも「セントラルドグマくらい一般常識だよね？」というような雰囲気を作っていきたいと思います。

ところで最近気づいたのですが、私がこの欄で「今年はこれをやる」と書いたことは毎年ろくに実現してません。考えてみると私は「他人を驚かせたい」という感情がモチベーションの三割くらいを占めているので、事前に予定を話すと実行する意欲が損なわれてしまうようです。というわけで今年からは秘匿主義で臨機応変な路線でやろうと思います。この原稿が公開される頃には多分違うことを言っていますが本年もどうかよろしくお願いします。

上田早夕里

前年度の予定が、全体的に今年へずれ込んでいます。『ヘーゼルの密書』は光文社から一月に発売されました。『破滅の王』と時代を同じくする非SF系の歴史小説で、戦時上海・三部作《その2》です。太平洋戦争直前に企図されながらも結実しなかった幻の日中和平工作「桐工作」を背景に描くピース・フィーラーたちの物語。

なお、三部作の《その3》にあたる『上海灯蛾』の連載も、同月から双葉社〈小説推理〉誌上で始まりました。こちらは、戦時下の大陸で日中の阿片売買に狂奔した人々を描く作品です。

〈オール讀物〉連載中からご好評を頂いていた『播磨国妖綺譚』は夏以降に文藝春秋から単行本発売予定。室町時代、播磨国に実在していた法師陰陽師兄弟をモデルに描く連作幻想譚。京都ではなく地方を舞台に、庶民の生活を中心に書き進めているシリーズで、医療小説としての側面もあります。SF短篇集、異形コレクションも、よろしく。

円城　塔

次四月から、脚本を担当したゴジラS.P（全13回）がTOKYOMX等でスタートします。SF考証設定ということで入ったはずが、いつの間にか脚本をしていました。各話10稿ではすまないくらい書きました。御心配の向きも多いかと思いますが、高橋監督との綱引きで、中間くらいに落ち着いたのでは、と思います。なんの中間かはわかりません。ジェットジャガーは動きません。

そのノベライズをするはずですが、現時点で手つかずです。ゴジラという名前がつく以上、小説でも二十万部くらい売れて欲しいそうです。そういわれてもな。

ハヤカワ文庫創刊50周年記念には遅れましたが、51周年記念に間に合えばいいんじゃないですかね？　という話は、一昨年からしていたりです。

いくらなんでもそろそろ創元さんの短篇集をやりたいです。

『KWAIDAN』とか『烏有此譚』文庫版とかやることは色々です。

大森　望

この二月でついに還暦！　まさかそんな!!　と驚きつつ迎えた二〇二一年最大の仕事は、劉慈欣『三体』三部作完結篇、『三体Ⅲ　死神永生』の翻訳（仕上げ担当）。年末年始に患った右肩神経痛の影響で激しく能率が落ちてますが、なんとか五月刊は死守したい。

昨年二月にはほぼ原稿が揃っていた河出文庫『ＮＯＶＡ　２０２０年夏号』（仮）は、諸般の事情でまる一年ほど刊行が延び、二〇二一年夏ごろ出る模様。ご寄稿頂いた皆さまにはご迷惑ご心配をおかけしました。すみません。

竹書房文庫で新たにスタートした年刊日本ＳＦ短篇傑作選の第二弾、『ベストＳＦ２０２１』はたぶん七月ごろ刊行。引き続きよろしくお願いします。また、二月に出る〈文藝別冊　恩田陸特集〉では、四万八千字の恩田陸全作品インタビューを敢行しています。さらに、好評のフジテレビ「世界ＳＦ作家会議」は第三回が近日放送予定。YouTubeでも観られます。

小川　哲

今年も文章を書きます。集英社の〈小説すばる〉で連載している『地図と拳』という満洲の小説が今年のうちに本になるはずです。あと、いろんな場所で短篇を書いたりします。本になるかはわかりません。最近、文章以外の仕事も増えているのですが、本業の負担にならないよう、すべていい加減に、適当にできればなあと思っています。

文字数が余ったので、柴田勝家の名言ベスト3でも書きたいと思います。

第三位「歩いてたら、骨が折れたんじゃ」

第二位「ワシは才能に頼らず、努力で太った」

第一位「ワシも偽物じゃからな」

小川一水

二〇二〇年はたくさんお仕事の機会があったのに何ひとつ実現できませんでしたので、今年は復調を目指していきます。ひとまず四月下旬予定でポストコロナSFの短篇を執筆中、並行して『ツインスター・サイクロン・ランナウェイ』の二巻を執筆開始しています。年の半ばにお届けできればと思います。また、ツイッターで某ゲームが楽しいことをつぶやいていたら、関連するエッセイを書かせていただけることになりました。これは春先ぐらいに出せると思います。またより大きなものとして、「滅亡：不滅」を作品テーマとしたくなっています。今年はこれを転がしていこうと思います。

岡和田晃

『エクリプス・フェイズ』のサプリメント『サンワード』日本語版と、日本オリジナル編集のシェアード・ワールド小説集が刊行予定。『トンネルズ＆トロールズ完全版』は、新作『怪奇の国のアリス＋怪奇の国！』が出ます。〈ウォーロック・マガジン〉にはシナリオ「トロールの国のアリス」が掲載。昨年のサプライズ『ウォーハンマーRPG　ルールブック』（第4版）邦訳も好評につき、『ウォーハンマーRPG　スターターセット』の日本語版が出ます。現代詩では〈潮流詩派〉に「プロレタリア詩の逆襲」を、〈現代詩手帖〉に「宿便」を、〈壘〉に「ウィーン体制に一矢報いて」を、〈白亜紀〉に「乱立する高塔の逆螺子の」を寄稿。批評では〈シミルボン〉で北海道文学集中ゼミの第三期を予定。〈図書新聞〉の文芸時評は六年目が終わり。編集長をしている〈ナイトランド・クォータリー〉、〈TH〉の連載「山野浩一とその時代」もお愉しみに。

オキシタケヒコ

まず、出す出す詐欺まっしぐらの円筒世界モノ『ノームの学園』が後回しになり、完成はまだまだ先という件について、早川書房の担当O様に平謝りしておくべきでしょう。マジすんません。再着手はしてますが、読者の皆様も気長にお待ち頂ければと。そんなこんなで気を取り直して宣伝ですが、小学館ガガガ文庫より新刊『筐底のエルピス7　─継続の繫ぎ手─』が二月十八日ごろ発売です。一億年ほどかけた巨大な計画が明らかになった前巻とは異なり、今巻は空間的にも時間的にもスケールをミクロに留め、《門部》本部におけるわずか数十分間の攻城戦を追いかけます。ご期待ください。なお昨年は、ほぼ専業の作家にとって本を出せないのは干涸らびて死ぬことと同義、というのを嚙みしめた赤貧の一年でしたが、兄姉や周囲の支えもあり、なんとか乗り切りました。今年もどうにか這いずっていく所存です。ほんと生きるって大変。

笠井 潔

オキュパイ派の蜂起とトランプ派の暴動をテーマにした評論書『例外状態の道化師』を、昨年十一月に刊行した。今年一月にはワシントンで、トランプ派デモ隊の上下院突入、占拠事件が勃発する。第二次大戦になだれ込んだ一九三〇年代の破滅的な政治危機を繰り返さないため、先進諸国は戦後、左右中道派の政治的取引体制を形成した。七〇年もの長期にわたって城内平和は保たれてきたが、ふたたび三〇年代に匹敵する政治危機の時代が到来している。『例外状態の道化師』の続篇を書きたいという思いは募るが、残念ながらそうしてもいられない。昨年から連載の仕事を中断し、ひたすら矢吹シリーズ第七作の改稿に専念してきた。これが完成するまで、他の仕事はやらないと決めている。新しい政治思想論の著作に向かうためにも、なんとか今年中に『煉獄の時』を完成したい。進行状況からして、おそらく実現は可能だと思う。

梶尾真治

昨年、白内障を手術して以降、ばりばり書けるつもりでいましたが、文字の読み書きには相変わらず支障をきたしています。一九七一年にSFM三月号「美亜へ贈る真珠」で商業誌デビューし、気づいたら半世紀。ネットでの月一回ショートショートは続けております。それから《クロノス・ジョウンター》シリーズの新しいものも書いておりますので気長にお待ちください。《エマノン》シリーズもひとつは書きたいなぁ。思いついたら短篇を発作的に書きたくなるので、我慢せずに珠玉の名作を！　書こう。

昨年はきのこもあまり採れなんだ。今年は昨年の三倍は採りたいなぁ。

とにかくシャープペンが握れる限り、書きます。これから折り返しです。

片瀬二郎

昨年は、さらにその前年の短篇「ミサイルマン」を、ありがたいことに『短編ベストコレクション』と『ベストSF２０２０』にご掲載いただいたわけですが、新作の発表はなし。べつになまけていたわけじゃないんです。たぶんなまけていたんですけれども。

今年はどうなることやら、もしかしたらなにかしらお目にかけることができるかもしれません。できないかもしれません。なにせ相手のあることなので、こちらの一存ではどうすることもできないわけです。一方的にボールを投げても受け取ってもらえるとはかぎらないし、受け取られても投げ返してもらえるかはわからない。まあそれでも書きつづけていくわけですが。性分なので。

なまけずやっていく気はあるのであまり期待せずにお待ちいただければとは思います。どうなるかなー。わっかんねえなー。

神林長平

今年は連載中の二作品に集中することになる。ＳＦマガジンの『戦闘妖精・雪風　第四部』と小説トリッパーの『上書きされた世界』。この両連載作はどちらも、いま現在のカオス的な世界状況を引き写しているような内容になってきた。書き始めた時は想像でしかなかったのに（雪風に至っては四十年以上前に構想されたた）。コロナ禍とＳＮＳが前世紀の価値観をどんどん〈上書き〉していくなか、多くの人々は自分の頭で考えなくなりつつある。感情に流され理性の価値が薄れていくと、相対的に力を持つのは暴力だ。他者に考えてもらおうというのが進むとＡＩ任せになるだろうし、自然界には人類の暴力を抑制する力が発生するだろう、などなど、こういう世界がどうなっていくかを理性で考えるのは面白い。もう少し生き延びて、いまという世界の、その先を、今年も想像＝創造していきたいと思っている。

北野勇作

ツイッターでやっている【ほぼ百字小説】が、これが出る頃には、三千篇近くまで行ってると思います。おかげさまで昨年『100文字ＳＦ』として本になりましたが、あいかわらず続けてます。こういう100文字程度の小説（私はマイクロノベル、と呼んでます）をこの一冊で終わらせず、第二弾第三弾へと繋げて、短歌や俳句と同じような一般的なものとして定着させたい、と勝手に考えています。そのくらい可能性のあるものだと思います。まあこれは今年、とかじゃなくて一生をかけてやることですね。そうしますので、よろしくお願いします。とりあえず『100文字ＳＦ２』を出したい。あとは、自分では「旅もの」と呼んでいる掌篇の連作を一冊にまとめて出したいです。ちっちゃいものたちに光を。

九岡 望

色々あってぶっ倒れておりましたが、辛うじて生きてます。そろそろ火薬かメカか滅亡が足りなくなってきたので、何か準備してます。（犯行予告か？）

日下三蔵

昨年は汐文社の若者向けのテーマ別アンソロジー《SFショートストーリー傑作セレクション》の二期四巻に加え、竹書房文庫で新企画《日本SF傑作シリーズ》をスタートすることが出来、筒井康隆『堕地獄仏法/公共伏魔殿』、横田順彌『幻綺行 完全版』、草上仁『キスギショウジ氏の生活と意見』の三冊を刊行しました。

このシリーズは今年も出してもらえることになっていて、眉村卓、横田順彌、新井素子、山田正紀の各氏の初文庫化作品や未刊行短篇集を収録していく予定です。

筒井康隆さんの再刊・新編集企画では、河出文庫のショートショート集二冊、早川書房のエッセイ集成二巻、盛林堂から深井国さん画の『東京の黄昏』初単行本化などを出す予定です。

わずか一年で世界がこんなに変わるとは思いませんでしたが、優れたSFを次の世代の読者に、という私の目標は変わりません。応援よろしくお願いいたします。

草野原々

なんたることか、去年は一冊も本を出せなかった。色々企画があったのだがうまく成就できず。そこで、以下のような誓いを立てる。すなわち今年中に小説を少なくとも三冊は出す。とにかく、どのような手段を使ってでも、三冊を刊行するのだ。その内訳：①ガガガ文庫から出すファンタジイSF。②早川書房から出す長篇SF。③短篇集。①は天動説が正しい世界を舞台にした冒険譚。②は科学設定と世界観に凝ったスタンダードなSF。③の短篇はいまある大量のアイディアをとにかく形にする。大事なのはボツになる恐れを捨てることだ。小説以外の分野では、美学者のナンバユウキさんと「物語の面白さ（面白くなさ）とは何か？」を明らかにする共同研究をやっており、本の形で発表する予定。『最後にして最初のアイドル』刊行から三年が経つが、次の三年ではさらに自分の書きたい小説を先鋭化させていきたい。

倉田タカシ

無人島に一冊だけを持ってゆくとして、あなたはまず百冊を鞄に詰めるのではないでしょうか。

忘れてしまいがちですが、もちろんあなた自身は無人島に立つことができません。有人島と呼ばれる恥辱をきらい、無人島があらゆる手段をもちいてあなたの上陸を阻むからです。

いや、無人島とは無人駅と同様にオペレーターの不在を意味しているのではなかったか。そのようにお考えになることは理解できますが、そもそも人類を歓迎する島などひとつも存在しないことを思い出す必要があるでしょう。

無人島への上陸をはたせなかった人々の一冊はどこへゆくのでしょうか。それらは環礁となって無人島をとりまいています。

波の下で、ヒトデがそれらのページをゆっくりと繰ります。

あなたもそんなヒトデのひとつになって、いつか自分の選んだ一冊との再会をはたすのです。

黒石迩守

昨年の今頃からすると、今のような状況になっているとは想像もしていませんでした。

本業は在宅勤務になり、仕事終わりにジムに通って運動する習慣が身につき、通勤していたときよりも健康的になっているのは皮肉です。

去年にここに載せていただいたものを見ると、短篇を発表するとか、長篇を書きたいとか言っていましたが、見事に達成できていません。情けない。

とにかく、趣味でも何でもいいので、生産量を増やせるように訓練が必要ですね。一時間で三〇〇〇文字とか書けるようになりたい……。

せめて、近いうちに何か一作ぐらい発表できるように頑張ります（一応、去年言っていた作品はまだ書いてます）。

五代ゆう

二〇二一年には、また、グインの続きが出せるといいなと思っております。

このごろ筆が遅くなりがちでなかなかノルマが果たせないのですが、できれば二冊か三冊の新刊を、出していきたいと思っています。

それと、『魔法使いの嫁』のスピンオフ原作『稲妻ジャックと妖精事件』の続刊が出ます。こちらもよろしくお願い申しあげます。

三方行成

近況を書きます。近所の川に新しい中洲ができました。夏の豪雨で水位が氾濫寸前まで上昇し、濁流が大量の礫を運んできて、それが流れの遅い場所にたまったのです。その場所には川を渡る飛び石がありました。その半分ほどが中州に埋もれて一体化してしまいました。なじみのある場所の地形が変わって興奮しました。興奮は気のせいでした。石がたまっただけでした。もっと面白いことがたくさんあります。そんな年にしたいものですね。よろしくお願いします。

柴田勝家

世間は未だに大変な状況が続いておりますが、ワシにできることといえばホラ話を語ることだけなのです。せめて夢のあるものを語ってみせ、非日常の中の日常の、さらに中にある非日常を演出したいと願っております。そういう意味で何か新作をといったところですが、今年は早川書房で長編を出せるよう努力します。各所で語っていたかもしれない、朱子学にまつわる話になると思います。また企画段階ではあるものの、他の出版社さんからも何か出せればいいな、と……、というか努力します。何につけても努力ということですが、他にもやりたいことと言えば連載、漫画化、アニメ化、ミュージカル化といった具合で、あるいは隔年で書いてる気もする健康のためのダイエットの成功なども成し遂げたいところ。しかしながら、これらも全て未来形のホラ話。こうして今年も嘘をつくことから幕を開けたのです。

十三不塔

確定している出版物もお知らせもない。チャンスがあれば面白い小説を書くとしか言えない。構想は無数にある。書き溜めた小説も。

それらをひとつでも多く世に問えたらと思う。もちろんクオリティの底上げは急務であろう。具体的には「笑い」を包括的に掘り下げる作品を書いてみたい。笑いが人を殺すような世界で「スベる」ことだけが他者を救う、そんな小説の企画を立てているが、なんとか実現させたいものだ。

小説以外にも、小学生が団地の共有スペースで大麻を栽培していたという実際の事件に着想を得て、ある漫画家の方とソフトな和製ブレイキング・バッドのような漫画を制作できないかと昨年中から模索している。

すべてが予定や希望に過ぎないけれど、しくじったとて失うものとてない身であるから、保守的にならず挑戦していくしかない。今年もよろしくお願いします。

菅 浩江

ＳＦ大会Ｆ‐ＣＯＮの事務作業に追われています。延期のためにまだまだ手がかかりそうです。

《博物館惑星・ルーキー》は、一応の完結はしましたが、ご要望があればまだ書いていたい世界観なので、もう少し売れてほしいです。

十日町たけひろさんとご相談して、新規デザインも多用した商品化を進めていて、春には発売予定です。Twitterの私のアカウントなどで公表予定。

東京創元社Ｗｅｂ連載「妄想少女」も、春には完結予定。なるべく早くに書籍にしてもらいます。そのあとにも連載をお願いしていまして、テーマや題材に苦慮しています。

長篇もしないとね。ゆるく気軽な作品を書きたい気持ちがあり、そちらも準備中。

医師から、もう少し肩の荷を下ろせと命令されているのですが、やりたいこととやらなければならないことのバランスが取れず、今年もリラックスとはほど遠く、あくせく働くと思います。

高島雄哉

新春二月十九日にはハヤカワ文庫JAより『ALTDEUS : Beyond Chronos : Decoding the Erudite』が刊行予定。略称『ABCDE』です。こちら、SF×歌姫＝VRゲーム『ALTDEUS : Beyond Chronos』のノベライズアンソロジー。ぼくはシナリオ＋SF考証として参加しています。VR最先端に一気に没入するゲームもぜひ。

二〇二一年はVR／AR／XRが世界に実装化されていく年。

三月十七日には拡張現実ミステリ×方言SF『青い砂漠のエチカ』が星海社より刊行っちゃ！（山口弁）

東京創元社から年内に二冊の予定です。ひとつは『エンタングル：ガール』の姉妹篇となる完全新作。〈ハードメタ宇宙SF〉になると思います。もうひとつはついに出るはずのSFお仕事小説――SF考証SFシリーズ《いであとぴこまむ》長篇化単行本ぴこ。

夏からの新連載やノンフィクションも。諸々乞うご期待です！

高野史緒

前年は出版社側の出版予定が狂いまくって長篇の出版が先延ばしになってしまったので、今年は東京アークエンジェル・オーケストラのシリーズの第二弾、第三弾を出したいですね。これはSFの予定じゃないですけど。

SFの予定としては、ここ十年ほどの間に書きためてきた名作リミックス系の短篇をまとめて一冊にしたいと思っています。タイトルは是非、『まぜるな危険』にしたい。ふざけたタイトルですが、私の作風をご存じの方々にはご納得いただけるかと。

あとは『二つと十億のアラベスク』を書いていた時にいろいろ考えた百合的なものに生命を与えたいところです。百合的なものは常に心のどこかにあったのですが、自分の内面に関わることなので、形にするのは時間がかかるかもしれません。ま、時間がかかるのはいつものことなので……気長に待っていただければ幸いです。

高山羽根子

去年、なんとかちゃんとお仕事ができるよう頑張りますのでお見捨てにならないようお願いします的なサムシングを書かせていただいた気がしますが、もはやそんなことがどうでもいいというか、それどころじゃないくらいの世の中になってしまったので、まずは「生き延びる」を二〇二一の第一目標に据えさせていただきます。

去年は二・五冊（一冊は共著なので〇・五換算）の本を出させていただきました。今年はどちらかというと今のところ短篇のお仕事が多いかと思いますので、今年中に一冊の本になるかどうかは未知数ですが、なるべくどこかしらのどこかでお目にとめていただけるように、読者様の視界のどこかをウロチョロさせていただけたらと思います。引き続き、今年もお見捨てにならないようお願い申し上げます。というか、そんなことよりなにより皆様も生き延びましょう。

竹田人造

二〇二一年の私と言えば、兎にも角にもサヴァイヴです。業界の玄関先で雨風凌ぎ、業界風を身につける。そのラインを目指したいです。

風纏いの第一歩と言うことで、小説すばるさんの二〇二一年三月号で私的偉人伝を書かせて頂きました。フリーのライターでプロのすねかじりだった伯父の話をしています。

他はまあ、予定は未定で未来は白紙なのですが、ネタはあるのです。私、常々高次元知的生命体より低次元知的生命体の方が偉いと思っていたので、低次元化を引き起こす感染症などどうかなと。他は、『10億ゲット』の延長線なパナマ文書ネタの技術屋小説とか、ニコラ・テスラが大日米合衆帝国マンハッタン幕府と戦う話とか、いけそうな空気があれば行きたいです。あとは、月の概念など盗みにあがるかも知れません。

二〇二一年、竹田人造をどうぞご贔屓に。

巽 孝之

北米のミネソタ大学出版局は日本文学の英訳や批評書とともに、ＳＦをも一部とする現代日本サブカルチャー、いわゆるクール・ジャパンの研究においてその牙城たる年刊誌〈メカデミア〉(Mechademia)をコンスタントに刊行してきた。

さて、このたび同誌の編集長フレンチー・ラニングの要請により、その第二期〈メカデミア・セカンド・アーク〉の第十四巻第一号ＳＦ特集号では、私が監修を仰せつかっている。一般投稿の力作論考を選考した上、歴史的文献の英語圏初訳として小松左京「拝啓イワン・エフレーモフ様」、荒巻義雄「術の小説論」、野阿梓「花咲く乙女たちのミステリ」、小谷真理「テクノゴシック」の掲載が決定。そのほかドゥニ・タヤンディエーやブライアン・ホワイト、長澤唯史ら気鋭の論考が勢揃いした充実の一冊は、今秋刊行予定(https://www.mechademia.net/journal/second-arc/)。

谷 甲州

ふと気がつくと、七〇代が間近にせまっていた。人生百歳があたり前の時代だから、あと三〇年ほど一年一作を通せば、まだ三〇冊は書ける勘定になる。勢いで傑作が生まれるかもしれん、という話ではなくてだな。

昔のことでもないのだが、気がついた。昨年は一冊も新刊を出していなかった。長いこと「時間をかけなければ、いいものはできない」というのを、仕事が遅い言い訳にしてきたものだから、催促する方も力が入らんのではないか。この四〇年間に時間を充分かけて、納得がいくまで推敲をくり返した挙げ句、箸にも棒にもかからん大駄作になったことは数えきれないほどある。では最近なにをしていたかというと、一八カ月間かけて航空宇宙軍史の「終わりなき索敵」と「一三七機動旅団」を連結する作業だった。成功すれば百年に一度の傑作になるが、コケると眼もあてられない。なんだ、いつもと同じではないか。

津久井五月

二〇一八年ごろから少しずつ進めてきた第二長篇の初稿がようやくできました。昨年の〈SFマガジン〉八月号に掲載の短篇「牛の王」もその一部です。改稿が順調に進めば、今年中に発表できるのではないかと思います。

現時点でSFとしての大きな要素は、一つが「牛の王」にも登場した汎用遺伝学的マイクロマシン＝GGGG。もう一つは、北アメリカ大陸の中西部に生まれる新国家＝RGP。それらを巡る二人の男の物語に、牛、細菌、幽霊、チェスといったモチーフが絡まってくるという内容です。

長篇と並行して、実在の建築物を取り上げた書き下ろし短篇集も進めています。春には初稿になり、今年中に建築・都市計画系の出版社から刊行の予定です。

そのほか、同人誌、アンソロジー、雑誌などへの寄稿もあると思うので、どこかで見かけたらよろしくお願いします。

飛 浩隆

昨年還暦を迎え「晩年」まで残り数年。時間との勝負になってきました。とはいえ生活のため昼職もつづけねばならず、兼業スタイルは変わりません。生きてる間に《廃園の天使》はぜったい片をつけたいので（行動が伴っていないが）SFマガジンでの「空の園丁」連載をがんばる。短篇で二月下旬刊の西崎憲さん編『kaze no tanbun』第三巻（柏書房）に出場。早川書房から出るポストコロナSFアンソロジーにも小説を（これから）書きます。『ポリフォニック・イリュージョン』『零號琴』はたぶん文庫化、輸宇宙もののノヴェラ「サーペント」もあきらめない。あと掌篇が数篇たまってきてて、短篇集には入れにくいけどなんか考えようかな。ノンジャンル小説も。

酉島伝法

二〇一九年刊行の『宿借りの星』に続いて、二〇二〇年には『オクトローグ』『るん（笑）』と、私にしては早いペースで本を出せました。とはいえ、それぞれ五、六年かけて並行していた企画だったわけで、次は――

何人かとの企画本を今年中に出す予定で進めているのと、断続的に書いてきた長篇小説に集中したいです。その後にも一冊控えている企画があります。

短篇では、一月に集英社文庫から出る『短編宇宙』というアンソロジーに、恋する惑星（字義通り）という感じの作品が載ります。四月に出る予定の『NOVA』には、人間寄りのお食事小説（編者の大森さん曰く、英国小説風の香りがあるとのこと）を書きました。

デビューした時から、十年生き延びることを目標としてきたのですが、七月末でちょうど十年になります。次の目標はというと、やはり十年生き延びることです。

野崎まど

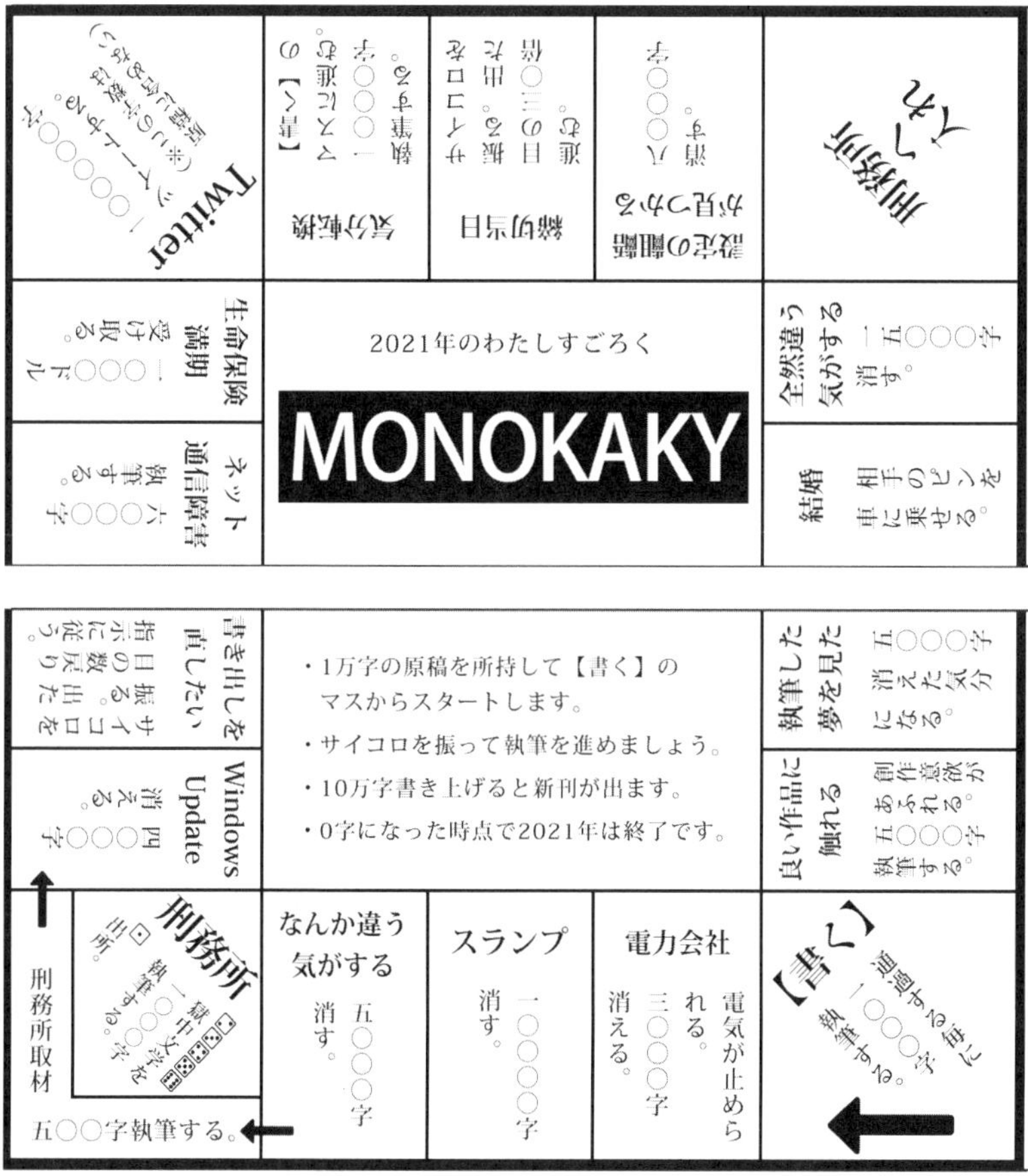

長山靖生

まず新型コロナには罹らない予定です。皆さんも気を付けて下さいね。家で読書が一番です。

で、アンソロジー『白昼夢　江戸川乱歩妖異幻想傑作集』（小鳥遊書房）が二月に出ます。ＹＯＵＣＨＡＮさんの表紙がステキに不気味。このシリーズ、もうちょっと続けたいなあ。

単行本は『日本回帰　昭和戦前期の理想と悲劇』（仮題）を筑摩書房から刊行予定。思想家や文学者たちが描き出した日本美、風土や古寺・工芸美術への鍾愛、故郷礼賛と日本回帰、哲学的探究などが、戦時体制下でどう扱われたか、巻き込まれていったのかを考えます。

実はこれ〈ＳＦマガジン〉連載中の「ＳＦのある文学誌」でそろそろ一九二〇年代の戦前探偵小説に入り、さらに三〇年代の軍事冒険科学小説へと（何年か先に）進んでいく予定なので、戦時思想をちゃんと確認しておかねばというのが発端でした。世界はＳＦを中心に回っています。

仁木 稔

二〇二〇年は『2010年代SF傑作選』に収録していただいたお陰で、多くの方たちに作品を知っていただけました。しかしまた、SF作家として想像力と創造力を大いに試される年でもありました。

具体的には、まさに書き出したところだった近未来ディストピアものをいったん保留にし、別の長篇に取り掛かることにしたのですが、そうして新たに大量の下調べが必要になった矢先、市の図書館が予告なしに二カ月近くに及ぶ休館に入ってしまったのは（しかも延長されるかもしれなかった）、ちょっとした試練でしたね……

二〇二一年も引き続き試されることになりそうですが、せめて不測の事態にはもう少し柔軟に対処できるようにしたい（想像力と創造力）。

法月綸太郎

『2000年代海外SF傑作選』に収録されたチャールズ・ストロス「コールダー・ウォー」の潜水艇を出迎える場面を読んで、レン・デイトンの冷戦スパイ小説『海底の麻薬』を思い出しました（二作目なのに、あれだけNV文庫にならなかった……）。

そういえば、昨年十二月にスパイ小説の巨匠ジョン・ル・カレが亡くなったばかり。気になって調べてみたところ、一九二九年生まれのデイトン翁はまだ元気なようです。ご本尊が存命中に『残虐行為記録保管所』の続きを訳してもらえるとありがたいのですが。

閑話休題。二〇二一年の近刊情報ですが、二月に刊行予定の犯人当てアンソロジー『あなたも名探偵』（東京創元社）に参加しています。また同月の北森鴻「旗師・冬狐堂」シリーズ連続復刊④『瑠璃の契り』（徳間文庫）に解説を寄稿しました。今年も畑ちがいの話題でスペースを取ってしまい、申し訳なく思っております。

長谷敏司

二〇二一年は、長らく止まっていたものが動き出す一年になりそうです。ガガガ文庫『ストライクフォール』四巻は、初稿がすでにあがっています。もろもろあるものの六月以降に刊行予定です。今年前半には中国で『BEATLESS』のスマホゲーがリリース予定です。シナリオは、メインシナリオと半分以上のキャラルートを長谷が書いて、ルート二つを柴田勝家くんにお願いしました。ゲームに実装するときの編集は、開発が中国企業さんなので多言語の伝言ゲームを防ぐためメーカーさんにおまかせしていますが、よろしければ。ただ、中国リリースなので、日本は成功すればのローカライズなのですよね。あとは、すこしずつ書き進めておりました短篇集『プロトコル・オブ・ヒューマニティ』を、早川書房さんからようやくかたちにさせていただけそうです。早川さんでは『コロナ禍アンソロジー』（仮名）にも短篇を書いているので、そちらが一番早くお出しできそう。よろしくお願いします。

葉月十夏

二〇二〇年師走。木星と土星が大接近という現象に、寒さ暑さを厭わず夢中になって望遠鏡を覗いていた頃を思い出しました。高校生のバイトで買えるお手頃値段の初心者向けでもくっきり見える月のクレーター、ガリレオ衛星、土星の環。本当にあるんだ、と妙な納得をし、隣の家の幼馴染を呼びに走りました。月蝕や流星群のような華やかさはありませんが、写真や映像ではなく自分の眼で直に見るその姿は感動もので、後には皆既日食を直に味わうべく海を越え、よその国まで行ったりしたんですけどね、若い頃は。

久々にじっくり星空を見上げました。一般人がよその星へ行けるのはいつ頃になるでしょう。想像では宇宙だけでなく、過去や未来、異界にも行ける。人以外の存在とも会える。そんなこんなで、ただいま新しい物語を構築中です。

よろしくお願いします。

林 譲治

二〇二一年の予定としては、まず『大日本帝国の銀河』のシリーズがあります。すでに一巻は先月発売され、『SFが読みたい!』が店頭に並ぶ頃には二巻の原稿は大詰めのはずです。このシリーズが二一年の主な仕事になるでしょう。

この他には日本SF作家クラブが関わったアンソロジーにも参加しております。

これ以外では中国のネットマガジンに短篇が掲載予定です。コロナ禍で出版事業も大きく影響を受けた中で、海外交流はむしろ活発化する傾向があります。なので今年はそうした方面で活動の幅を広げていきたいと思っています。

これに限らず、今年は従来とは違った方面(ノンフィクションやイベント参加など)にも着手したいと考えています。

春暮康一

気がつけば中国に来てから一年三カ月ほど経ち、こちらの生活にもいくらか慣れてきました。ほぼ丸一年、日本に帰国できていないのですが、このぶんだともうしばらくかかりそうです。あまり外出もできないこの状況は、むしろ執筆には集中しやすい環境かもしれません。

去年は中篇の「ピグマリオン」一作しか発表できなかったのですが、書き溜めた作品は他にもたくさんあります。どれも自信作なので、今年こそは短篇集を出したいと思っています。どんな内容の作品が収録されるかはまだわかりません(中篇集になるかもしれません)が、いずれハードSF好きの皆さんを満足させられるような未来ものをお届けしますので、ご期待ください。

また、今のところまったく構想はないのですが、今後は長篇小説も書きたいと思っています。内容も、これまで書いたことのない舞台やテーマに挑戦していくので、よろしくお願いいたします。

樋口恭介

二〇二〇年はSFプロトタイピングという手法に興味をもっていろいろやっていた年でした。

二〇二一年はSFプロトタイピングについての自分の考えをまとめた本が出る予定です。

大変な状況が続きますが、希望を捨てず、心身のケアをしながら、生きていきましょう。

藤井太洋

大変お待たせしてしまっている『マン・カインド』を、今年こそは完成させ、一昨年のうちに連載が終わっていた『第二開国』は、舞台設定が二〇二四年で、なおかつクルーズ船の寄港地に関する小説でしたので、コロナ禍のあおりをまともに食らってしまい改稿に苦しんでいますが、なんとか早いうちに刊行したいところです。また、吉川英治文学新人賞を受賞した『ハロー・ワールド』が文庫になります。また昨年は、中篇をいくつも書きました。それらをまとめた短篇集についても考えています。

渡航ができなくなった昨年ですが、海外との交流は、オンライン登壇する機会を頂けたり、イベントに参加したり、アンソロジーに寄稿したりという形で、逆に増えています。今年は、日本の他の作家の皆さんも紹介していきたいところ。どうぞよろしくお願いいたします。

牧野　修

ずっと書いていますと書いていますと言い続けていた『万博聖戦』が、昨年ようやく上梓できて一安心。後は、これもずっと前から書いてます書いてますと言い続けている警察もののミステリー的ななにかを今年こそは出したいです。っていうかもう最後の章を残すだけなのですがそこでぐずぐずしてますダメ人間ですごめんなさいごめんなさい。

宮内悠介

「ウィルスの蔓延から免れた南極の人々を描いたのが昭和のSF作家。南極から帰ったらウィルスが蔓延していたのが令和のSF作家」とは某氏の言。そんなわけで去年は南極旅行をしたり、訳書を出したり、麻雀最強戦で国士無双を和了ったりと、よくわからない年でした。

今年は予定通りに進めば、『超動く家にて』『偶然の聖地』あたりが文庫化するとともに、昨年末に連載開始した明治時代のミステリ連作（題未定）が形になるはず。また、東京創元社さんからSFミステリの短篇をいくつか発表できるかもしれません。

年の後半には新たな企画に入りますがそのとき世界がどうなっているのかちっともわからないので、題材は未定です。

そろそろガツンとSFらしいSFの企画も立てたいのですが、同じ理由から、もう少し体勢を整えてから取り組みたいところ。ということで、それはちょっと先のことになりそうです。そんなこんなで、本年もどうぞよろしくお願いいたします。

宮澤伊織

去年はほとんど『裏世界ピクニック』のアニメ関係の作業をしていたような気がします。いろいろな方のご尽力で公開されました。ありがとうございます。

今年はまず、早川書房から『裏世界ピクニック』六巻が、首尾良くいけば三月に出る予定です。首尾良くいけば……。他にも『ウは宇宙ヤバいのウ！』の復刊とか、いろいろ目論見はありますが、何をするにしてもまずはアニメと六巻が終わってからになりますね。

東京創元社からは、『神々の歩法』シリーズが書き下ろしを加えて一冊に。『ときときチャンネル＃2』も書く予定。

毎回ここでどこまで言っていいのかわからないんですが、他の出版社さんからもいくつかお話をいただいており、形にしたいと思っています（こんな曖昧なことを書く意味があるのだろうか）。

これからどうなるのか、一年後は何をやっているのか、時局もあってなかなか予想がつかないですが、みんな生き延びましょうね。ワオもそう言ってました。

山田正紀

来年、最も嬉しいのは、短篇集が出ることである。純粋な短篇集が出るのは何年ぶり、いや、何十年ぶりになることだろう。年末から年始にかけて『短編ミステリの二百年』四冊を舐めるように読んでいる、こんなに面白い読み物はない。その年に短篇集が出る。本来、この両者には、何の関係もないわけなのだが、当人としては実に幸せな気分である。

2010年代SF傑作選 1・2

大森 望・伴名 練＝編　ハヤカワ文庫ＪＡ

【収録作品】(1) 小川一水「アリスマ王の愛した魔物」／上田早夕里「滑車の地」／田中啓文「怪獣惑星キンゴジ」／仁木稔「ミーチャ・ベリャーエフの子狐たち」／北野勇作「大卒ポンプ」／神林長平「鮮やかな賭け」／津原泰水「テルミン嬢」／円城 塔「文字渦」／飛 浩隆「海の指」／長谷敏司「allo, toi, toi」

(2) 小川 哲「バック・イン・ザ・デイズ」／宮内悠介「スペース金融道」／三方行成「流れよわが涙、と孔明は言った」／酉島伝法「環刑錮」／高山羽根子「うどん　キツネつきの」／柴田勝家「雲南省スー族におけるVR技術の使用例」／藤井太洋「従卒トム」／野﨑まど「第五の地平」／倉田タカシ「トーキョーを食べて育った」／小田雅久仁「11階」

本体価格各1200円
カバーイラスト:シライシユウコ
カバーデザイン:早川書房デザイン室

日本SFの臨界点［恋愛篇］［怪奇篇］

伴名 練＝編　ハヤカワ文庫ＪＡ

【収録作品】［恋愛篇］ 中井紀夫「死んだ恋人からの手紙」／藤田雅矢「奇跡の石」／和田毅「生まれくる者、死にゆく者」／大樹連司「劇画・セカイ系」／高野史緒「G線上のアリア」／扇智史「アトラクタの奏でる音楽」／小田雅久仁「人生、信号待ち」／円城塔「ムーンシャイン」／新城カズマ「月を買った御婦人」

［怪奇篇］ 中島らも「DECO-CHIN」／山本弘「怪奇フラクタル男」／田中哲弥「大阪ヌル計画」／岡崎弘明「ぎゅうぎゅう」／中田永一「地球に磔にされた男」／光波耀子「黄金珊瑚」／津原泰水「ちまみれ家族」／中原涼「笑う宇宙」／森岡浩之「A Boy Meets A Girl」／谷口裕貴「貂の女伯爵、万年城を攻略す」／石黒達昌「雪女」

本体価格各1000円
カバーイラスト／れおえん
カバーデザイン／BALCOLONY.

早川書房が贈る、いま読んでほしい！おすすめアンソロジー

2000年代／2010年代 海外SF傑作選

橋本輝幸＝編　ハヤカワ文庫ＳＦ

【収録作品】『2000年代』エレン・クレイジャズ「ミセス・ゼノンのパラドックス」／ハンヌ・ライアニエミ「懐かしき主人の声(ヒズ・マスターズ・ボイス)」／ダリル・グレゴリイ「第二人称現在形」／劉慈欣「地火(じか)」／コリイ・ドクトロウ「シスアドが世界を支配するとき」／チャールズ・ストロス「コールダー・ウォー」／N・K・ジェミシン「可能性はゼロじゃない」／グレッグ・イーガン「暗黒整数」／アレステア・レナルズ「ジーマ・ブルー」
『2010年代』ピーター・トライアス「火炎病」／郝景芳「乾坤と亜力(チェンクンとヤーリー)」／アナリー・ニューイッツ「ロボットとカラスがイーストセントルイスを救った話」／ピーター・ワッツ「内臓感覚」／サム・J・ミラー「プログラム可能物質の時代における飢餓の未来」／チャールズ・ユウ「OPEN」／ケン・リュウ「良い狩りを」／陳楸帆「果てしない別れ」／チャイナ・ミエヴィル「“　”(ザ・)」／カリン・ティドベック「ジャガンナート——世界の主」／テッド・チャン「ソフトウェア・オブジェクトのライフサイクル」

本体価格各1160円
カバーデザイン／『2000年代』：岩郷重力＋M.U
『2010年代』：川名潤

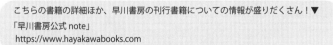

ＳＦが読みたい！の早川さん②

1段目（左）

LIVE

いや～リモート飲み会もええもんやな

ところで早川さん背景本棚のままリモートワークしてるんですか？

あっこれ？

そういえばそうだわ気づかなかったなー

2段目（左）

LIVE

んなわけあるか！なんのアピールや？わざわざ本棚の前にPC移動して

会社にイケメンさんでも入ったのかな～？

そういうわけではない…こともない？

え、いや…というか……

3段目（左）

LIVE

売れ筋の『息吹』や『三体』が面陳になってるのが始息！

会社で本好きアピールしたって言ってたやろ

食いついてきた試すがないって着てるし

水色の背に映えるピンク

少しでも背景を見せようとカメラを遠目に設置してる

……

4段目（左）

こら戻ってこい！会社の誰にアピールしてるのか白状しなさい！

あわわわ

1段目（右）

お二人とも突拍子もないマスクですが…

イモータン・ジョーはともかく、早川さんのは？

『デューン』の新作映画のやつだよう

2段目（右）

しかしなあホラー好きとしてはパンデミックどんと来い！みたいなこと言っていられた昔が懐かしいよ

ああいう本読んではそんな物騒なこと考えてたんですね

3段目（右）

でもいざこんな世の中になってみると、悲惨な世界はフィクションだからこそ楽しめるってようわかったわ

ほんとですよ

こんな現実を前にフィクションもこれから変わっていきそうだね

4段目（右）

ところで他にもいろいろあるけど延流ちゃんも使う？

ノリの悪い子だよこんな世の中だから少しでも明るく行こうぜ！

いりません普通のでいいです

新進SF媒体
中の人活動報告

いま、オンライン・オフラインともに、新進ＳＦ媒体の活動が盛んとなっています。注目のＳＦ媒体の「中の人」に、どんなことをしているのか、気になるその活動内容をうかがいました。　（編集部）

KAI-YOU Premium

SCI-FIRE

週末翻訳クラブ・バベルうお

VG+

未来事務管理局

Rikka Zine

WIRED

KAI-YOU Premium

KAI-YOU Premium編集長
新見 直

KAI-YOU Premium
【URL】
https://premium.kai-you.net/

◀ポップカルチャーメディアにおいて日本初となるサブスクリプション型のWebメディア「KAI-YOU Premium」

あらゆるジャンルの〝ポップ〟を扱うカルチャーメディア「KAI-YOU.net」の有料月額版として二〇一九年に始めたのが「KAI-YOU Premium」です。

中の人は決して熱心なSFファンではありませんが、もともとKAI-YOUの経営陣は全員文学部出身。「文芸誌をポップに」という目的で学生時代から制作していた雑誌『界遊』が母体になっています。

「自動生成」を特集し作家の円城塔さんや人工生命などを専門にする池上高志さんに登場いただくなど、雑誌だった当時からSF領域とは近接していました。

SFは文字通り、科学と人文を融合させた賜物で、そしていつも未来について想像力を巡らせる物語を生み出しています。そこに、「KAI-YOU Premium」と通底するものがあると中の人は勝手に思っています。

これまでには『手を伸ばせ、そしてコマンドを入力しろ』で最先端の文化であるe-Sportsを私小説的に描いたSF作家・藤田祥平さんのゲームコラム連載。野﨑まどさんの世にも奇妙な一筋縄ではいかないインタビュー（?）。伊藤計劃『ハーモニー』カバーイラストなどを手がけ、星雲賞に輝いたシライシユウコさん。『横浜駅SF』の柞刈湯葉さん、さらには早川書房の編集・溝口力丸さんといった、SFに所縁の深い面々にご登場いただいてきました。

実は、KAI-YOUが法人化して二〇二一年で十周年を迎えます。痛ましい記憶として刻まれている二〇一一年から十年経った現在、今度は未曾有のコロナ禍が続いています。

見通しの効かない時代だからこそ、KAI-YOUはポップカルチャーを軸に考え、学び、未来に思いを馳せる想像力を読者と共に培いたいと考えています。

KAI-YOUは、ジャンルを越境しうるものを〝ポップ〟と定義してきました。ポップカルチャーとは、狭いジャンルの外に飛び出す想像力を湛えたものです。

文系や理系といった垣根を越境するSF的想像力が、あらゆるジャンルに敷衍している現在。KAI-YOUが最先端のポップカルチャーを発信する限り、これからもSF領域と重なり合っていくのだと考えています。

SCI-FIRE

〈SCI-FIRE 2020〉責任編集者
常森裕介

SCI-FIRE
【URL】https://scifire.org/
【BOOTH】https://scifire.booth.pm/

▲最新号（2020）も絶賛販売中です！
せいさんが手掛ける
素晴らしい表紙にも注目！

▲創刊号（2017）はPDFで
販売しております！
SCI-FIREグッズもぜひ！

〈SCI-FIRE〉は、ゲンロンSF創作講座の卒業生を中心に編まれた、SF同人誌です。ゲンロンSF創作講座は、大森望さんが、主任講師を務める講座で、日本ファンタジーノベル大賞を受賞した高丘哲次さんなど、多数のプロ作家を輩出していることでも知られています。

野生のSFを標榜する〈SCI-FIRE〉は、質・量ともに商業誌に負けない、プロ志向の同人誌です。メフィスト賞を受賞した名倉編さん、ゲンロンSF新人賞を受賞した高木ケイさん、同優秀賞を受賞した麦原遼さん等、既に高い評価を受けた作家が、オリジナル作品を寄稿しています。〈SCI-FIRE〉は、よりレベルの高い作品を求めて、講座の卒業生の中から積極的に仲間を募り、その中からまた、商業誌でデビューする作家が誕生するという、好循環を生み出しています。〈SCI-FIRE〉のメンバーが、ネット上の番組「ダールグレンラジオ」https://scifire.org/podcast）で詳細に講座生の作品を読み込み、講評していることも、現役の講座生との間でつながりや信頼感を保つきっかけとなっています。

〈SCI-FIRE〉は、同人による創作だけでなく、外部の方々からも、バラエティに富んだ創作やエッセイをご寄稿いただいています。これまで、飛浩隆さん（〈SCI-FIRE〉2018）、石川宗生さん、陸秋槎さん、草野原々さん（同2019）など、名だたる方々にご寄稿いただきました。また、藤井太洋さんが語るように（「世界で書く」同2019）、積極的に各国の作家と交流し、自作を発表すべき時代であることから、海外からもご寄稿いただいています（マレーナ・サラサール・マシアさん「カメイトシヤ訳」、YKユーンさん〔櫻木みわ訳〕同2019）。

さて、最新号〈SCI-FIRE 2020〉では、「新しい世界」をテーマに、作家たちが、コロナ禍の世界の中で、想像力を駆使して作品を作り上げました。講座4期の各賞受賞者（稲田一声さん、藍銅ツバメさん、今野明広さん）が新たに加わりました。先の見えない世界において、〈SCI-FIRE〉は、今後も新しいSFを創造していきます。まずは、通販で最新号にアクセスしてください！

週末翻訳クラブ・バベルうお

主宰　白川　眞

週末翻訳クラブ・バベルうお

【Twitter】@Babel_Uo
【BOOTH】https://babeluo.booth.pm/

◀昨年創刊した〈BABELZINE〉Vol.1。
可愛いお魚の表紙が目印です。

未訳おもしろフィクションを読んでみよう、紹介してみよう、訳してみようでお馴染みの「週末翻訳クラブ・バベルうお」です。

二〇二〇年初に活動をはじめ、六月にははじめての翻訳同人誌〈BABELZINE〉を創刊しました。作者にコンタクトを取って翻訳の許可をいただくところからはじめ、手探りの試み続きでしたが、読書好きの皆さんのあいだで話題となり、当初用意した部数はあっという間に捌け、朝日新聞の記事などにも取り上げていただきました。予想をはるかに超える反響をいただき嬉しい限りです。

この〈BABELZINE〉Vol.1はピーター・ワッツ「血族」をはじめとした未邦訳翻訳小説全十一篇+評論一篇で約二百ページのボリュームとなりました。リッチ・ラーソンやS・チョウイー・ルウなど、ワッツとソフィア・サマターを除いたほか数名の作家は日本で訳されたことがない作家のはずです。それでも、メンバーたちが「おもしろい！」と思った作品を翻訳していますので、どなたでも、少なくとも一作くらいはお気に入りの一作が見つかるんじゃないかと思っています。スタージョンの法則的にも。

〈BABELZINE〉Vol.1は当初インターネットサイトBOOTHで頒布を開始し、私がひたすら手作業で発送していましたが、現在は京都のCAVA BOOKS様の通販サイトで購入できます。店頭でも買えるはずです。また、中野ブロードウェイ三階のタコシェ様店頭でも購入することができます。

大変な時期が続きますが、今年もまた〈BABELZINE〉を出す予定です。アメリカのショートストーリーを読んでいると、やはり日本での流行とはまた違った傾向があるなと感じます。メンバーたちが感じた海外文学の熱を、またお届けできたらと思っております。どうかご期待ください。

VG+

代表 齋藤隼飛

VG+

【URL】https://virtualgorillaplus.com/

▲「バゴプラ」スクリーンショット

▲「かぐプラ」スクリーンショット

SFウェブメディアのVG+（通称「バゴプラ」）では、小説、映画、ドラマ、アニメ、ゲームなど様々なSFコンテンツのニュースや特集を掲載しています。中国や英語圏の最新SFニュースや国内SFのイベント情報など、他のメディアに出ていない情報をお届けすることを心がけています。

また、二〇二〇年夏には『二〇〇〇年代海外SF傑作選』『二〇一〇年代海外SF傑作選』（ハヤカワ文庫）の編者である橋本輝幸さんを審査員長にお迎えして、四千字以下のSFショートショートを対象にした「第一回かぐやSFコンテスト」を開催しました。同コンテストには四一六篇もの応募が寄せられ、オンラインでの読者投票や選外佳作作品のリンク掲出など、ウェブの特性を生かした企画を実施しました。コンテストの賞品として、大賞を受賞した勝山海百合さんの「あれは真珠というものかしら」と審査員長賞を受賞した大竹竜平さんの「祖父に乗り込む」は英語と中国語に翻訳。さらに、トシヤ・カメイさんが応募作を英訳し、複数の作品が海外のSF媒体に掲載される流れが生まれました。

二〇二〇年十二月には、SF短篇小説をウェブで掲載していくプロジェクト・Kaguya Planet（通称「かぐプラ」）をスタート。『社会・からだ・私についてフェミニズムと考える本』（社会評論社）の編者で第一回かぐやSFコンテスト審査員の井上彼方さんがコーディネーターを務めます。十二月は揚羽はなさん、藤井太洋さん、正井さん、蜂本みさささんによる四作品を、一月には第一回かぐやSFコンテストで読者賞を受賞した佐伯真洋さんの作品を掲載。月五百円で「応援」の登録をして頂くと、作品を一カ月早く読むことができますので、SFファンの方はぜひ。

そして、SF同人誌・SFGとのコラボレーションを進めています。これまで、立原透耶さん、小川哲さん、陳楸帆さんへの共同取材を行っており、各インタビューはバゴプラと『SFG Vol.3』（春完成予定）に掲載。また、第一回かぐやSFコンテストで審査員特別賞を受賞した坂崎かおるさんの短篇小説もバゴプラとSFGの双方に掲載します。

二〇二一年も、こうした新しい取り組みを通して、SFの裾野を広げていきます！

未来事務管理局

対日業務担当
武甜静

未来事務管理局
【Twitter】@SHIZUKA_FAA

▲これまでに数十冊の本を出版しています。ＳＦ作家・編集者・翻訳者など、中国国内及び海外で広い人脈を持っています。

▲APSFconは毎年数千万人の注目を集める中国一番人気のＳＦ大会です。中国のＳＦファンと交流する絶好の舞台でもあります。

未来事務管理局はSF文化を盛り上げようとしている中国企業です。中国で優秀なSF創作者を育成するよう、海外の読者にもっともっと中国SFを知って頂くよう、日々努力しています。これまでは中国国内外の数億の読者にSF小説をお届けし、数万のSFクリエイターに創作のトレーニングを提供し、数百の新作家の小説を掲載し、十数冊の書籍を出版してきました。出版物の中には、オリジナルSF小説ランキングにランクインしたものも幾つかあります。また、中国国内外の映画・ゲーム・広告・不動産・展示会などにSF関連のクリエイティブサービスや制作サービスを提供しています。毎年主催しているアジア太平洋SF大会（APSFcon）はSFファンにとっては最高に楽しい大会、そうでない方々にとっては中国SFを知る機会となっています。中国各地、そして海外から数万の参加者が会場にお越しいただき、オンラインのアクセスは数千万回に及んでいます。また、未来局は春節という中国人にとって一番重要な祝祭日をSFに結びつけ、「春節SF祭り」を企画しました。二〇二一年に六回目を迎えるこのイベントに、これまで劉慈欣、郝景芳、ケン・リュウ、藤井太洋の各氏など、世界トップレベルのSF作家たちが参加してきました。未来局は米国SFWAの適格市場参加者（SFWA Qualifying Markets）でもあり、多くの海外SFを中国に紹介しています。

日中SF交流のために、これからも確実に一つ一つのことを成し遂げていきたいです。昨年は、立原透耶さんや藤井太洋さんのおかげで『時のきざはし　中華SF傑作選』の出版が実現しました。今年はもっと多くの中国SFを日本の読者にお届けする予定です。出版以外に、日本の大手ゲームメーカーと新しい「小説・アニメ・ゲーム」プロジェクトに取り組んでいます。メディア宣伝において、未来局は何回も日本SF大会に参加し報道しました。そして微博（Weibo）で「小島秀夫・劉慈欣のプレゼント交換」という話題性の高い事件を企画しました。

未来事務管理局は世界中のSF創作者を手助けし、中国SFの未来を分かち合いたいです。SFを通じて日本の皆さんと友情を深めていきたいです。

Rikka Zine

主宰　橋本輝幸

Rikka Zine

【Twitter】@rikka_zine

オ-09
RIKKA
RIKKA
オ-09
創刊準備
¥500

▲2019年春の文学フリマ東京に出展しました。

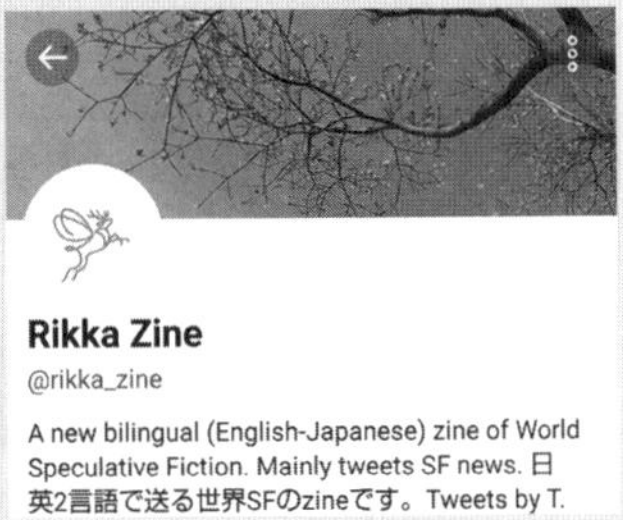
Rikka Zine
@rikka_zine
A new bilingual (English-Japanese) zine of World Speculative Fiction. Mainly tweets SF news. 日英2言語で送る世界SFのzineです。Tweets by T.

▲TwitterでSFニュースを投稿しています。

Rikka Zineは、ひとことで言えば橋本輝幸の個人プロジェクトで、私の興味や問題意識に則った実験的メディアです。SF小説を興味の中核としますが、ジャンル周縁を守備範囲にしています。

特色としてはまず、作家、翻訳家や研究者などのSF関係者への取材がメインコンテンツであることが挙げられます。他では知ることのできない、濃くニッチな情報を集めています。また、日本語と英語の二言語で公開しているのも特徴で、これは日本や日本語に興味がある人にも、逆にまったく縁がなかった人にも届けることを期待した試みです。実際、日本の文学のファンやアニメのファンにフォローされることも、SF雑誌やZINEに関心がある人にフォローされることもあります。バイリンガルなSFウェブジンは近年増えつつあり、例えばブラジル発のEita!誌やスペイン語圏のConstelacion誌が昨年立ち上げられています。弊誌はこうした新興ウェブジンやその関係者と交流を持っています。昨年からはオンラインで話す機会も多く、意欲と勢いがある人たちとの対話に大いに刺激されています。

今後の目標としては、小説の翻訳の掲載を実現したい、他のメディア・雑誌とのコラボレーションを果たしたいと考えています。後者についてはすでに具体的に企画を進めており、この原稿が世に出るころには、女性のSFとファンタジイ作家に特化してインタビューや書評といったコンテンツをブログに掲載している、スペインのSF活動団体La Nave Invisibleから受けたインタビューを公開しているはずです。

本当はもう少し頻繁に更新したいのですが、本業や文筆業の合間をぬって半年に一度ほど不定期に更新するのが今までの実状でした。活動実績として、これまでに文学フリマでのパイロット版冊子の頒布、Tumblrやnoteといったプラットフォームでの記事掲載を実施してきました。Twitterアカウントも運用しています。今年からは独自ドメインで更新を再開していくつもりです。個人の草の根活動がいかに可能性に満ちているか、ウェブの特性を活かして証明できればと思っています。ご期待ください。

WIRED

〈WIRED〉日本版副編集長／
WIREDサイファイプロトタイピング研究所所長
小谷知也

WIRED 日本版
【URL】https://wired.jp/

▲「SF プロトタイピング」を特集した〈WIRED〉日本版 VOL.37（2020 年 6 月 23 日発売）。

WIRED Sci-Fi サイファイプロトタイピング研究所

▲WIRED Sci-Fi プロトタイピング研究所では「仮説→科幻→収束→実装」という独自メソッドを提供している。

過去には〈SFマガジン〉編集部（というか塩澤快浩さん）にご協力いただき「ポスト伊藤計劃／ポスト3・11のジャパニーズSF」なる小特集をおこなったり、樋口恭介さんや柞刈湯葉さんに短篇小説をご寄稿いただいたり、そもそも一九九三年に刊行されたUS版創刊号の表紙がブルース・スターリングだったり（その際にスターリングが寄稿した「War Is Virtual Hell」を始めとする計五十一本のコラムは、いまでもWIRED.comで閲覧可能！）、ずっとSF界にインスパイアされ続けてきたWIREDですが、その思いがいよいよむきだしになったのが、二〇二〇年六月に発売された〈WIRED〉日本版三十七号、「BRAVE NEW WORLD：SFがプロトタイプする未来」特集だったことは間違いありません。

緊急事態宣言によって取材や撮影が困難になった……というフィジカルな事情が一方にありつつ、これまで培ってきた社会通念やらビジネススキーム等々が通用しない「先を見通せない時代」がやって来たいまこそ、虚構性を孕んだナラティヴによって人々の意識を撹拌するSF作家の力が必要なはず！ という思いを込めた特集で、ウィリアム・ギブスンと筒井康隆さんがインタヴューに応えてくださり、藤井太洋さん、柞刈湯葉さん、上田岳弘さん、樋口恭介さん、津久井五月さんが短篇小説を書き下ろしてくださいました。この場をお借りして改めてお礼を申し上げます。

この特集が契機となり、昨夏にはクリエイティブラボ「PARTY」と共同で、「WIRED サイファイプロトタイピング研究所」を立ち上げました。これは、「ビジネスやガヴァナンスにフィクション（≠未来）の視座を接続し、バックキャスティングでいまやれることを考えていこう」というSFプロトタイピングの考え方をぼくたちなりに捉え、企業や行政に提供していくサーヴィスで、二〇二一年一月現在、二つのプロジェクトが進行中です。

SFは、人々が未来を予測し、リハーサルすることを可能にします。その特別なギフトの恩恵にあずかる深謝のしるしとして、今後も微力ながら、SFの領土を拡げる活動を粛々と続けていきたいと思います。

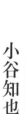

バーナード嬢、SFが読みたい！に出張して曰く。①

『息吹』に入ってる神林イチオシの「不安は自由のめまい」面白かったよ！
並行世界の自分と話せるって楽しそう
他の短篇も傑作ばかりだから全部読めよ
パラ
パラ
パラ
色んな世界線の自分たちで分担して読むよ!!
その話で使われてるの
「世界線」じゃなくて「時間線」な
神林
すべての並行世界でそのツッコミしてそう

2020年度ＳＦ関連ＤＶＤ目録　タイトル名索引

The Cured

CURED キュアード　★★

■2017年アイルランド、フランス
■監督・脚本デイヴィッド・フレイン
■出演サム・キーリー、エレン・ペイジ
■2020/3/20公開
■9/2RD
■Happinet　BD￥4,800

罹患した人間を凶暴化させるメイズウイルス。治療薬の発見により事態は収束したものの、回復した者たちは厳しい差別に晒されるとともに、凶暴化していたときの記憶に苦しめられていた。新生活を送る回復者セナンは、境遇に不満を持つ回復者たちによるテロ行為に巻き込まれていく。変化球ゾンビ映画としてよくできた作品。

Don't Let Go

ドント・レット・ゴー ―過去からの叫び―　★

■2019年アメリカ
■監督・脚本ジェイコブ・アーロン・エステス
■出演デヴィッド・オイェロウォ
■劇場未公開
■9/2RD
■NBCユニバーサル・エンターテイメントジャパン　D+BD￥4,527

ヒットメーカーとして近年有名なジェイソン・ブラム製作のタイム・サスペンス。弟一家の惨殺死体を発見した刑事ジャックのもとに、死んだはずの姪のアシュリーから電話がかかってくる。過去のアシュリーと電話がつながったことを知ったジャックは、事件の真相を知るため、彼女とともに捜査をはじめていく。

The Cleansing Hour

バトル・インフェルノ　★★★

■2019年アメリカ
■監督ダミアン・レヴェック
■脚本ダミアン・レヴェックほか
■出演ライアン・グズマン、カイル・ガルナー
■2020/2/21公開
■9/2RD
■ニューセレクト　D￥4,800

悪魔祓い動画を生配信するエクソシストとして人気のマックスは、実はニセ神父で、動画も親友のドリューと演出したフェイクだった。しかし、新作の配信中に本物の悪魔が現れて撮影スタッフは怪死し、何も知らぬ視聴者が見守る中、悪魔はマックスに自分たちの罪を告白するよう迫るのだった。配信設定がうまく効いた作品。

Morgue

モルグ 死霊病棟　★

■2019年パラグアイ
■監督・脚本ウーゴ・カルドゾ
■出演ウィリ・ヴィジャルバ
■2020/6/26公開
■9/2RD
■アメイジングD.C.　D￥4,000

運転中、恋人とのスマホでのやり取りに気を取られていた警備員のディエゴは、フードの男をはねてしまう。現場から逃げた彼は、ボスから命じられるまま病院の夜警に向かうものの、不審な出来事が立て続けに起きはじめる。怪異の見せ方に工夫のある序盤と、ジャンプ・スケア色が強くなる中盤以降とでテイストの差が楽しめる。

Midsommar

ミッドサマー　★★

■2019年アメリカ、スウェーデン
■監督・脚本アリ・アスター
■出演フローレンス・ピュー
■2020/2/21公開
■9/9RD
■TCエンタテインメント　D￥3,900 BD￥4,900

家族を失ったダニーは、留学生ペレの故郷で開かれる夏至祭に恋人のクリスチャンらとともに参加する。しかしその夏至祭は、華やかな雰囲気とは裏腹に、老人の自殺で幕を開ける残酷なものだった。帰る手段はなく、ダニーたちは夏至祭への参加を余儀なくされる。アリ・アスター監督らしい生理的嫌悪感満点の作品。

Sonic the Hedgehog

ソニック・ザ・ムービー　★★★

■2020年アメリカ
■監督ジェフ・フォウラー
■脚本パット・ケイシーほか
■声の出演ベン・シュワルツ
■出演ジェームズ・マースデン、ジム・キャリー
■2020/6/26公開
■10/21RD
■パラマウント　D+BD￥3,990

超音速で走るハリネズミ、ソニックは、力を狙われたため故郷から脱出し、アメリカの田舎町グリーンヒルズのそばで隠れ住んでいた。しかし、彼の持つエネルギーが無数のドローンを操るドクター・ロボトニックに察知されてしまう。随所の軽快なギャグや町の保安官トムとのバディ描写が魅力的で、公開前の下馬評を覆す作品。

Robo
ロボA-112 ★

■2019年ロシア
■監督サリク・アンドレアシアン
■脚本アレクセイ・グラヴィツキー
■出演ダニール・イゾトフ
■劇場未公開
■7/22[R][D]
■インターフィルム　D￥4,000

孤独な少年とロボットの交感を描くロシアのジュブナイルSF。ロボット工学者を両親に持つミーチャは、研究所から脱走してきた失敗作の救助ロボットと家で出くわし、友情を深める。一方そのころ、危険なロボットが脱走したとして、軍の部隊が召集されるのだった。よくあるパターンながら、水準作の出来栄え。

Sisters
ストレンジ・シスターズ ★★

■2019年タイ
■監督プラッチャヤー・ピンゲーオ
■脚本フォー・レッド・フルーツ
■出演プロイユコン・ロージャナカタンユー
■2020/3/6公開
■8/5[R]7/31[D]
■マクザム　D￥3,800

生首に内臓がくっついた妖怪ガスーをテーマにしたアジアン・ホラー。ガスーの血を引く従姉妹モーラーの身を守るため、少女ウィーナーは呪術の研鑽を積むが、ガスーの血族たちがモーラーの身に迫るのだった。従姉妹同士のほのぼのとした日常から一変、容赦ない残虐描写と繰り広げられる呪術アクションがポイント。

犬鳴村 ★

■2020年日本
■監督清水崇
■脚本保坂大輔、清水崇
■出演三吉彩花、坂東龍汰、古川毅
■2020/2/7公開
■8/5[R][D]
■東映　D￥3,800 BD￥5,800

怪奇スポット「犬鳴トンネル」の先にある無人の廃村犬鳴村を訪れた悠真と明菜。2人は謎の存在に襲われ辛くも逃げ出すが、明菜は精神の平衡を失い、悠真とその近しい人物の間で怪奇現象が起きはじめる。POV風味の序盤から一転、伝奇色のあるJホラーが展開されるが、ネタが詰め込まれ過ぎな分、息切れ感がある。

Sea Fever
シー・フィーバー 深海の怪物 ★★

■2019年アイルランド、スウェーデン、ベルギー
■監督・脚本ナッサ・ハーディマン
■出演ハーマイオニー・コーフィールド
■劇場未公開
■8/19[R][D]
■インターフィルム　D￥4,000

実習のため漁船に乗り込んだ女子大生シボーンは、迷信を信じる船員たちと一時険悪な雰囲気になるものの、やがて打ち解けていく。しかし、沖合で漁船は巨大な触手にぶつかり、船員たちは一人また一人と触手のもたらす寄生生物に侵されてしまう。ところどころのゴア表現や海の描写、人間関係の変化が見どころ。

Monstrum
ムルゲ 王朝の怪物 ★★

■2019年韓国
■監督・脚本ホ・ジョンホ
■出演キム・ミョンミン、キム・イングォン
■2020/3/13公開
■8/19[R][D]
■インターフィルム　D￥3,800

李氏朝鮮時代が舞台のホラーアクション。疫病が蔓延し政治が乱れる中、怪物ムルゲ出現の報が王宮を騒がせ、対処のため引退した将軍が呼び戻される。歴史ミステリ色のある前半と、豪快な怪物アクションの後半とで趣が変わる作品だ。『パラサイト』(2019年)で主人公を演じたチェ・ウシクが脇役として存在感を放っている。

Invisible Sue
インビジブル・シングス 未知なる能力 ★

■2018年ドイツ、ルクセンブルク
■監督・脚本マルクス・ディートリッヒ
■出演ルビー・M・リヒテンベルク
■2020/6/26公開
■8/19[R]9/2[D]
■アメイジングD.C.　D￥4,000

冴えない少女スーは、科学者である母の誕生日を祝うため研究所にもぐりこんだ結果、新薬を浴び、温かいものに触れると体が透明になる体質になってしまう。彼女は悪の研究者に狙われる羽目になるが、友人とともにその陰謀に立ち向かっていくのだった。ジュブナイルSFアクションとしては及第点の出来栄え。

The Tag Along: Devil Fish
人面魚　THE DEVIL FISH　★

■2018年台湾
■監督デビッド・ジュアン
■脚本チエン・シーケン
■出演ビビアン・スー、チェン・レンシュオ
■2020/1/10公開
■7/3RD
■Happinet　D￥3,800

資産家の邸宅で起きた父親による一家惨殺事件。霊媒師リンは、その父親が魔神憑きであることを知り調伏を行うが、リンを取材に来ていた少年ジャハオが魔神を封じた魚を持ち去ってしまい、ジャハオと母ヤーフェイの身に奇怪なことが起きはじめる。ビビアン・スーが、疲れたシングルマザーのヤーフェイを自然に演じている。

Scary Stories to Tell in the Dark
スケアリーストーリーズ 怖い本　★★

■2019年アメリカ
■監督アンドレ・ウーヴレダル
■脚本ダン・ヘイグマンほか
■出演ゾーイ・コレッティ
■2020/2/28公開
■6/3R7/3D
■Happinet　D￥3,900 BD￥6,800

ギレルモ・デル・トロ製作のホラー。ステラたち仲良し３人組は幽霊屋敷を探検中に怪談本を見つける。本を持ち帰ったステラは新たな怪談が書き加えられていることを知り、次の日その怪談と同じシチュエーションで町のいじめっ子が行方不明になったことが判明する。怪談本だけでなく、蠟管蓄音機など小道具の使い方が巧み。

Dark Light
ダークライト　★

■2019年アメリカ
■監督・脚本パドレイグ・レイノルズ
■出演ジェシカ・マドセン
■劇場未公開
■7/3RD
■インターフィルム　D￥4,000

田舎暮らしを始めたシングルマザーのアニーと娘のエミリー。２人は夜に謎の物音や影に脅かされ、ついにエミリーが連れ去られてしまう。折悪しくやって来た夫を誤射し逮捕されたアニーは、脱走と娘の救出に挑戦する。時系列が錯綜する前半は興味を引くが、後半のアクション展開に入ると急に散漫になってしまう点が惜しい。

A Flying Jatt
フライング・ジャット　★

■2016年インド
■監督レモ・デソウザ
■脚本レモ・デソウザほか
■出演タイガー・シュロフ、ジャクリーン・フェルナンデス
■2019/9/6公開
■7/3RD
■Happinet　D￥3,900 BD￥4,800

敬虔なシク教徒の家に生まれた冴えない武術教師アマン。神木から超能力を授かった彼は、空飛ぶシク教徒（フライング・ジャット）としてヒーロー活動を始めていくが、それは公害を撒き散らす悪徳企業との戦いの始まりでもあった。『トム・ヤム・クン！』などでの悪役ぶりが印象深いネイサン・ジョーンズが、本作でも主人公と死闘を繰り広げている。

Deadsight
ブラインデッド　★

■2018年カナダ
■監督ジェシー・トーマス・クック
■脚本リヴ・コリンズほか
■出演アダム・シーボルド、リブ・コリンズ
■2020/1/10公開
■7/3RD
■ニューセレクト　D￥4,800

視力を失った男性ベンと妊娠中の女性警官マーラが主人公のゾンビもの。ゾンビ化した人々をかわしながら廃屋で偶然出会った二人は、町から脱出するため協力していく。ベンが視力を失った経緯をマーラが知ってからドラマが発展するかと思いきや、まったく何も起きないのは肩透かしで、不完全燃焼な印象が残る。

Bloodshot
ブラッドショット　★★

■2020年アメリカ
■監督デヴィッド・S・F・ウィルソン
■脚本ジェフ・ワドロウほか
■出演ヴィン・ディーゼル
■2020/5/29公開
■7/8RD
■ソニー・ピクチャーズエンタテインメント　D+BD￥4,742

同名のコミックが原作のアクション。海兵隊員のレイは妻を殺され自身も重傷を負うが、秘密研究所でナノマシンを埋め込まれ、驚異的な再生能力を持つ超人に生まれ変わる。彼は自身の能力を生かし復讐を果たすものの、そこには陰謀が隠されていた。改造兵士たちのアクションが見どころで、特に視覚強化兵の描写が素晴らしい。

How to Train Your Dragon: The Hidden World

ヒックとドラゴン 聖地への冒険　★★★

■2019年アメリカ
■監督・脚本ディーン・デュボア
■声の出演ジェイ・バルシェル
■2019/12/20公開
■6/3RD
■NBCユニバーサル・エンターテイメントジャパン　D ¥1,429 BD ¥1,886

『ヒックとドラゴン』シリーズ完結作。ヒックはバイキングとドラゴンが共存するバーク島の長として成長するが、彼のドラゴンを狙うドラゴンハンターのグリメルがバーク島を襲撃。ヒックたちは新天地を求め旅立つことになる。豪快なアクションやギャグは健在で、完結作らしい寂しさがあるものの、それが苦にならない良作。

Black Sheep

ブラックシープ　★★

■2006年ニュージーランド
■監督・脚本ジョナサン・キング
■出演ネイサン・マイスター
■2020/1/24公開
■6/5RD
■アムモ98 BD ¥4,800

かつて横暴な兄アンガスに悩まされていたヘンリーは、久しぶりに羊牧場を営む実家に帰郷する。彼は兄が羊の品種改良で富を築いたことを知るが、それは遺伝子操作の成果だった。折も折、暴走した突然変異の羊が人を襲いはじめ、噛まれた人々は醜悪な羊人間になってしまう。WETAの粋を集めたアニマトロニクス羊が魅力。

Antrum: The Deadliest Film Ever Made

アントラム 史上最も呪われた映画　★

■2018年カナダ
■監督・脚本マイケル・ライシーニ、デヴィッド・アミト
■出演ニコール・トンプキンス、ローワン・スミス
■2020/2/7公開
■6/17RD
■ポニーキャニオン　BD ¥4,800

鑑賞した人間が必ず謎の死を遂げる映画『アントラム』。封印されたその全貌が今明らかになる——という枠組みのホラー。作中作である『アントラム』は、地獄につながる穴を森へ掘りに行った姉弟が怪現象に見舞われるというもので、あまり面白くないうえに随所のサブリミナルが白けを誘う。雰囲気のある音楽のみ良ポイント。

屍人荘の殺人　★

■2019年日本
■監督木村ひさし
■脚本蒔田光治
■原作今村昌弘
■出演神木隆之介、浜辺美波、中村倫也
■2019/12/13
■6/10R6/17D
■東宝　D ¥3,800 BD ¥6,800

学生探偵を自称する明智とその助手羽村は、謎めいた美少女剣崎比留子の依頼を受け、脅迫状が届いたロックフェス研究会の合宿に参加する。折悪しく起きたバイオテロにより封鎖された洋館で、研究会のメンバーが怪死していく。邦画ミステリ特有のコメディ色が原作のテンポとミスマッチを起こした結果、怪作に仕上がった。

Kill Mode

サイキッカー 超人覚醒　★

■2019年オランダ
■監督・脚本タイス・ムーウェーゼ
■出演デイヴ・マンテル
■劇場未公開
■7/3RD
■ビデオメーカー　D ¥4,800

感染力の高い伝染病が蔓延した未来。特効薬を開発した製薬会社が陰に陽に権力を握る中、不満を持つ者たちがレジスタンスとして抵抗活動を続けていた。ある日彼らは襲撃先で厳重に監禁されていた少女と出会う。手垢のついた設定は脇に置いておいても、序盤以外精彩を失うアクションにやる気のないカメラワークが怒りを誘う。

Dod sno 2

処刑山 ナチゾンビVSソビエトゾンビ　★★

■2014年ノルウェー、アイスランド
■監督トミー・ウィルコラ
■脚本トミー・ウィルコラほか
■出演ヴェガール・ホール、マーティン・スター
■2020/1/31公開
■7/3RD
■アムモ98 BD ¥4,800

ノルウェー産ナチス・ゾンビ映画の傑作『処刑山』（2009年）の続篇。前作の生き残りマーティンは、友人の殺害容疑をかけられ、病室から脱出する。それと同時に、蘇ったナチス・ゾンビたちが町への襲撃を始め、マーティンは再びゾンビとの戦いに身を投じるのだった。俗悪ギャグやゴア描写は前作以上に冴えわたっている。

空の青さを知る人よ ★★

■2019年日本
■監督長井龍雪
■脚本岡田麿里
■声の出演若山詩音、吉沢亮
■2019/10/11公開
■4/29RD
■アニプレックス　D￥4,800 BD￥5,800

秩父の片田舎で姉と暮らす女子高生ベーシストあおいは、練習場所のお堂で見覚えのある男子高校生に遭遇する。それは、ギタリストとしてデビューしているはずの姉の同級生慎之介だった。折も折、現在の慎之介が故郷に凱旋を果たすが、それは過去の姿とは似つかぬやさぐれた姿であった。青春の痛みを二重に描いた佳作。

Bruja

ウィッチクラフト 黒魔術の追跡者 ★

■2019年アルゼンチン
■監督マルセロ・パエス・キュベルス
■脚本マティアス・カルーゾ
■出演エリカ・リバス
■2020/1/3公開
■5/8R5/2D
■インターフィルム　D￥3,800

貧しい生活を送りながら高校生の娘と暮らす魔女セレナは、人身売買組織に誘拐された娘を取り戻すため、自分の力を振るいはじめる。VFXはお粗末だが、黒魔術を駆使しあの手この手で敵を追い詰めるアイディアが光る。組織が警察や市政と癒着しているのも、魔女の強さ一辺倒とはならず、スリルを与えている。

Lifechanger

寄生体XXX ★

■2018年カナダ
■監督・脚本ジャスティン・マコーネル
■出演ローラ・バーク
■2020/2/7公開
■5/2RD
■アメイジングD.C.　D￥3,800

「未体験ゾーンの映画たち2020」にて、『スキンウォーカー』のタイトルで公開された作品。触れた人間の命を奪い、その姿に成り代わる怪物の生態が怪物の視点から描かれている。メインを占める怪物の内省的な語りはやや単調だが、かつて愛した女性への執着が明らかになる中盤から目が離せなくなってくる。

Deep Space

ディープ・スペース ★

■2018年カナダ
■監督ダヴィン・レンギエル
■脚本ダヴィン・レンギエルほか
■出演ミシェル・モーガン
■劇場未公開
■5/2RD
■トランスワールドアソシエイツ　D￥4,700

深宇宙探査が可能になった未来。クルーの事故死などトラブルが続き、物資の補給が見込めない事態になった宇宙船から、パイロットのネマインは通信回復のための過酷な任務に送り出される。しかしそれは、さらなるトラブルの発生を意味していた。設定開示の拙さや放りっぱなしのラストもあり、良い点を探すのは難しい。

Grans

ボーダー 二つの世界 ★★★

■2018年スウェーデン、デンマーク
■監督アリ・アッバシ
■脚本アリ・アッバシほか
■出演エヴァ・メランデル、エーロ・ミロノフ
■2019/10/11公開
■5/8RD
■Happinet　BD￥4,800

ヨン・アイヴィデ・リンドクヴィストによる同名短篇の映画化。税関職員のティーナは、人の不安や罪の意識を嗅ぎ取れる能力を生かし、密輸品や児童ポルノを摘発していた。不審な旅行者ヴォーレと会ったことがきっかけで、ティーナは自分の出生の秘密を知ることになる。現代的なファンタジーとして胸を打つ作品。

天気の子 ★★

■2019年日本
■監督・脚本新海誠
■声の出演醍醐虎汰朗、森七菜
■2019/7/19公開
■5/27RD
■東宝　D￥3,800 BD￥4,800

家出して上京した高校生帆高は、雨の続く東京で少女陽菜とその弟凪に出会う。陽菜が祈ることで局所的に晴天を呼べると知った帆高は、3人で「晴れ女」サービスを始めるが、能力の代償で陽菜の体は消えかかり、同時に児童相談所や警察に追跡される。いわゆるセカイ系フォーマットの作品だが、オチは好みが分かれよう。

My Soul to Keep

ゴーストホーム・アローン　★

■2019年アメリカ
■監督アジマル・ザヒール・アーマッド
■脚本アジマル・ザヒール・アーマッドほか
■出演パーカー・スメレク
■劇場未公開
■4/3RD
■アルバトロス　D￥4,800

家の地下室には怪物がいると信じる少年イーライ。両親が家を空け、ともに留守番を命じられていた姉がデートに出かけてしまった夜、彼はたった一人でついに姿を現した怪物と対峙するのだった。電子機器で怪物に立ち向かう筋書きにはワクワクさせられるし、悪友との関係は笑いを誘うものの、ひどすぎる落ちに唖然。

Jessica Forever

ジェシカ　★

■2018年フランス
■監督・脚本キャロリーヌ・ポッジ、ジョナタン・ヴィネル
■出演アオミ・ムヨック
■2020/1/24公開
■2/21R4/3D
■インターフィルム　D￥3,800

近未来のフランス。オーファンと呼ばれる凶暴な若者たちが出現し、政府が彼らを狩る中、女戦士ジェシカは彼らを集め社会生活を営ませる。しかし、オーファンたちは一人また一人精神の平衡を欠いていき、集団は存立の危機に立たされる。既得権益構造に対する風刺ともとれる作品だが、社会描写の薄さはいかんともしがたい。

The Drone

ドローン　★★

■2019年アメリカ
■監督ジョーダン・ルービン
■脚本ジョーダン・ルービンほか
■出演アレックス・エッソー
■2020/2/6公開
■4/3RD
■インターフィルム　D￥1,901

『ゾンビーバー』（2014年）のスタッフによるドローン版『チャイルド・プレイ』。レイチェルとクリスは幸せな新婚生活を送っていたが、ある日クリスがゴミ捨て場からドローンを拾ってくる。そのドローンには、レイチェルの元彼である殺人鬼の魂が憑依していた。おふざけホラーかと思いきや、ラストのフックが利いている。

Doctor Sleep

ドクター・スリープ　★★

■2019年アメリカ
■監督・脚本マイク・フラナガン
■出演ユアン・マクレガー、レベッカ・ファーガソン
■2019/11/29公開
■4/8RD
■ワーナー・ブラザース・ホームエンターテイメント　D￥1,429 BD￥2,380

スティーヴン・キングによる『シャイニング』続篇の映画化。惨劇を生き残ったダニーは、介護士として平穏な生活を送っていた。ある日彼は超能力を持つ少女アブラと交信し、子どもたちの生気を食らう闇の一族の存在を知る。キューブリック版『シャイニング』（1980年）のテイストも取り入れつつ、良い映画化になっている。

HELLO WORLD　★★

■2019年日本
■監督伊藤智彦
■脚本野﨑まど
■声の出演北村匠海、松坂桃李
■2019/9/20公開
■4/8RD
■東宝　D￥3,800 BD￥4,800

京都に住む男子高校生直実は、ある日出会った未来の自分「先生」から、自分がシミュレーター内の存在で、先生は現実の存在だと知る。死別した恋人を仮想世界内で救おうとする先生に協力する直実だったが、そこにはある計画が隠されていた。仮想京都の破壊ぶりが爽快だが、ラストのうっちゃり具合は賛否両論あるだろう。

The Man Who Killed Hitler and Then the Bigfoot

ヒトラーを殺し、その後ビッグフットを殺した男　★

■2018年アメリカ
■監督・脚本ロバート・クシコウスキ
■出演サム・エリオット
■2020/2/14公開
■4/24RD
■トランスフォーマー　D￥3,800

第二次世界大戦時、米兵カルヴィンはヒトラー暗殺に成功したものの、替え玉を使われたこともあり成果は公にされなかった。孤独なまま余生を送る老いた彼のもとをFBIエージェントが訪問し、殺人ウイルスを撒き散らすビッグフットの駆除を依頼してくる。人間ドラマがメインな点は、タイトルに沿わず肩透かし。

Foxtrot Six
フォックストロット・シックス ★

■2019年アメリカ、インドネシア
■監督・脚本ランディ・コロンビス
■出演オカ・アンタラ
■2020/1/3公開
■3/4[R][D]
■アメイジングD.C.　D￥3,900

世界的な食料不足のなか、食料輸出国として大国の座を得たインドネシア。しかしその実情は、軍事独裁政権による管理社会だった。元海兵隊員の議員アンガは、レジスタンス掃討作戦でかつての恋人に再会したことがきっかけで、政権打倒の戦いに身を投じていく。未来社会設定はほぼ物語に絡まないが、アクションはキレが良い。

Brightburn
ブライトバーン/恐怖の拡散者 ★

■2019年アメリカ
■監督デヴィッド・ヤロヴェスキー
■脚本ブライアン・ガンほか
■出演ジャクソン・A・ダン、エリザベス・バンクス
■2019/11/15公開
■3/4[R][D]
■ソニー・ピクチャーズエンタテインメント　D+BD ￥4,742

カンザス州の農場に墜落した宇宙船には、生後間もない赤ん坊がいた。宇宙船を発見した夫妻は、赤ん坊にブランドンと名付け育てるが、成長した彼は次第に反抗的な態度を取りはじめ、自分の持つ怪力や飛行能力をよからぬ方向に使っていく。ダーク版『スーパーマン』といえば説明が済んでしまう、ある意味予想通りなホラー。

Freaks
FREAKSフリークス 能力者たち ★

■2018年アメリカ、カナダ
■監督・脚本アダム・スタイン、ザック・リポフスキー
■出演エミール・ハーシュ、レクシー・コルカー
■2020/1/12公開
■3/4[R]3/5[D]
■TCエンタテインメント　D￥3,800

父親に「外には悪い人たちがいる」と言い含められ、生まれてから一度も家から出たことのない少女クロエ。父親が眠っているすきに外に出た彼女は、自分が持っていた特殊能力を覚醒させるが、能力者の存在を許さない政府に察知されてしまう。舞台設定に消化不良感もあるが、サスペンスから能力バトルに繋がる筋運びが巧み。

2.0
ロボット2.0 ★

■2018年インド
■監督・脚本シャンカール
■出演ラジニカーント
■2019/10/25公開
■3/25[R][D]
■KADOKAWA D￥3,800

群体ロボットアクションが話題となった『ロボット』（2010年）の続篇。街からすべてのスマホが消え去る事件が発生し、バシー博士はヒューマノイドロボットとともに捜査を開始する。やがて、事態は電波による鳥類の死滅を危惧した鳥類学者の怨念によることが明らかになる。悪役の造形は面白いが、説教臭さがきつい。

Upgrade
アップグレード ★★★

■2018年アメリカ
■監督・脚本リー・ワネル
■出演ローガン・マーシャル＝グリーン
■2019/10/11公開
■1/24[R]4/2[D]
■Happinet　D￥3,900 BD￥4,800

コンピュータの発達した近未来。自動車整備士のグレイは、暴漢に襲撃されて妻を失い、自身も四肢麻痺に陥る。旧知の実業家エロンから提案された、回復のために高性能チップを埋め込む臨床実験に同意した彼は、術後チップ内のAIと交信するようになる。変則的なバディ・アクションと思いきや、ラストのひねりが効いている。

They Reach
ゼイ・リーチ—未知からの侵略者— ★

■2019年アメリカ
■監督サイラス・ダレ
■脚本サイラス・ダレほか
■出演メアリー・マデリン・ロー
■劇場未公開
■3/4[R]4/2[D]
■Happinet　D￥3,900

1979年、アメリカの片田舎。科学好きの少女ジェシカが骨董品店で手に入れた古びたカセットには、悪魔が閉じ込められていた。意図せずそれを解放してしまったジェシカは、父や友人たちとともに悪魔に立ち向かう。舞台を80年代前後におくホラー作品は近年の潮流だが、怪異を強く設定しすぎたためか展開の雑さが目立つ。

関連DVD目録

プロメア　★★

■2019年日本
■監督今石洋之
■脚本中島かずき
■声の出演松山ケンイチ、中山太一
■2019/5/24公開
■2/5RD
■アニプレックス　D￥4,800 BD￥5,800

炎を操る新人類バーニッシュが出現した近未来。彼らの起こす事件に対処する特殊消防隊バーニング・レスキューの一員であるガロは、指名手配されているバーニッシュのリーダー、リオと相対するが、次第に両者は街に巡らされた陰謀と真の敵の存在に気づいていく。街の司政官クレイを演じる堺雅人の声芸が異彩を放っている。

Us
アス　★★

■2019年アメリカ
■監督・脚本ジョーダン・ピール
■出演ルピタ・ニョンゴ
■2019/9/6公開
■2/21RD
■NBCユニバーサル・エンターテイメントジャパン　D￥1,429 BD￥1,886

海へバカンスに出かけた一家が、自分たちとそっくりな集団に襲われるドッペルゲンガー・ホラー。主人公である母親アデレードの過去のトラウマの原因が明かされる展開がスリリング。『ゲット・アウト』（2017年）の監督らしく、社会の分断を風刺調に描いた作品だが、前作より直接的なところはやや人を選ぶだろう。

The Odd Family: Zombie on Sale
感染家族　★★

■2019年韓国
■監督・脚本イ・ミンジェ
■出演キム・ナムギル、チョン・ジェヨン
■2019/8/16公開
■3/3RD
■Happinet　D￥3,900 BD￥4,800

冴えない生活を送る田舎町の一家は、ある日製薬会社が作ったゾンビを拾う。それに噛まれた父親が若返ったことがきっかけで、一家は若返りビジネスを始め成功を収めるが、若返り処置を受けた者たちに異変が生じ始めていく。クセの強いコメディ色は若干人を選ぶが、家族関係の描写や後半の対ゾンビアクションは出色の出来。

Assimilate
レプリケイト —襲撃—　★★

■2019年アメリカ
■監督・脚本ジョン・マーロウスキー
■出演ジョエル・コートニー
■劇場未公開
■12/11R3/3D
■Happinet　D￥3,900

田舎町の様子を動画配信していた高校生ザックとランディは、謎の生物が女性を襲っている場面に出くわす。2人は、他の住人たちの様子にも違和感を覚え、皆が何かに取って代わられていることに気づく。『盗まれた街』パターンの作品だが、動画配信設定が現代的といえば現代的。オチはやや腰砕けながら、十分鑑賞に堪えうる。

Gemini Man
ジェミニマン　★

■2019年アメリカ
■監督アン・リー
■脚本デヴィッド・ベニオフ
■出演ウィル・スミス
■2019/10/25公開
■3/4RD
■パラマウント　D￥1,429 BD￥1,886

アメリカ国防情報局の凄腕エージェント、ヘンリーは、自分が以前殺害したターゲットが、説明されていたようなテロリストではなく、生物学者だったことを知る。調査を始める彼のもとに暗殺部隊が送り込まれるが、そのうちの1人は彼のクローンだった。中盤の緩慢な展開に興が削がれるものの、終盤のアクションは見どころあり。

Terminator: Dark Fate
ターミネーター:ニュー・フェイト　★★

■2019年アメリカ
■監督ティム・ミラー
■脚本デヴィッド・ゴイヤーほか
■出演リンダ・ハミルトン、マッケンジー・デイヴィス
■2019/11/8公開
■3/4RD
■ウォルト・ディズニー・ジャパン　D￥1,429 BD￥2,981

『ターミネーター2』（1991年）の直接的続篇。『T2』で無事生き延びたはずのジョン・コナーが直後T-800に暗殺され、その20年後、新たなターミネーターRev-9がメキシコ人女性ダニーを付け狙いはじめる。『T2』をいかに乗り越えるかがこのフランチャイズの課題だったが、本作はそれにかなりの割合で成功している。

海獣の子供 ★★

■2019年日本
■監督渡辺歩
■脚本木ノ花咲
■声の出演芦田愛菜、石橋陽彩、浦上晟周
■2019/6/7公開
■3/4Ⓡ1/29Ⓓ
■DMM pictures　D ￥4,000 BD ￥5,000

女子中学生の琉花は、父の勤める水族館でジュゴンに育てられた謎の少年海と出会う。海の兄弟空も加わり３人は交流を深めるが、一方そのころ、命の起源を明かす現象「生誕祭」が始まるのだった。海の映像は美麗なものの、希薄な人物描写や、スターゲートを否応なく想起させる生誕祭の既視感は不満を覚えるポイント。

Kung Fu League

カンフーリーグ ★

■2018年香港
■監督ジェフ・ラウ
■脚本ホアン・チアンホン
■出演チウ・マンチェク、アンディ・オン
■2019/11/18公開
■1/8Ⓡ1/29Ⓓ
■TCエンタテインメント　D￥3,800

巨大企業の漫画部門で働くインション。彼は同僚のバオアーに惹かれているが、彼女の従兄である社長にことごとく邪魔されてしまう。そこで絶望した彼が自作で描いた４人のカンフー・マスターたちに力を与えてほしいと願ったところ、彼らが漫画の中から飛び出してくる。オフビートなアクション・コメディとして楽しみたい。

Zombiepura

ゾンビプーラ ★★

■2018年シンガポール
■監督・脚本ジェイセン・タン
■出演アラリック
■2019/11/26公開
■2/4ⓇⒹ
■Happinet　D ￥3,800

シンガポール軍の予備兵カユは、やる気のなさから上官にいつも怒られてばかり。ある日、彼は仮病による病欠を申請しに行った先の医務室で、負傷者がゾンビ化するのを目撃する。たちまち基地はゾンビでいっぱいになり、カユは上官とともに脱出のため苦闘するのだった。シンガポールの国防事情が不安になるゾンビ・コメディ。

Hellboy

ヘルボーイ ★

■2019年アメリカ
■監督ニール・マーシャル
■脚本アンドリュー・コスビー
■出演デヴィッド・ハーバー
■2019/9/27公開
■2/4ⓇⒹ
■Happinet　D ￥1,200 BD ￥1,800

人類の絶滅をたくらむ魔女ニムエが復活し、超常現象調査防衛局のエージェントとして活躍する悪魔の子ヘルボーイは彼女に立ち向かう。しかし、それは彼女の計画のうちであった。顕現した怪物たちがロンドンを蹂躙するさまは迫力満点だが、設定の開示がおざなりなためか、デル・トロ版（2004年）のような魅力は薄い。

Crawl

クロール —凶暴領域— ★★

■2019年アメリカ
■監督アレクサンドル・アジャ
■脚本マイケル・ラスムッセンほか
■出演カヤ・スコデラーリオ
■2019/10/11公開
■2/5ⓇⒹ
■パラマウント　D￥1,429 BD￥1,886

超巨大ハリケーンが迫るなか、水泳選手のヘイリーは連絡のつかない父を探しに実家へ戻る。地下室で彼女は負傷した父親を見つけるが、ワニが入り込んだため出られなくなってしまう。流れ込んだ水で地下室内の安全地帯が次第に狭くなっていく中、２人は一か八かの脱出に挑戦する。動物パニックものの里程標的な作品。

Pikovaya dama. Zazerkale

スペルズ/呪文 ★

■2019年ロシア
■監督アレキサンダー・ドモガロフ・Jr
■脚本マリア・オグネワ
■出演アンジェリーナ・ストゥレチーナ、ダニール・イゾトフ
■劇場未公開
■12/25Ⓡ2/5Ⓓ
■インターフィルム　D￥4,000

鏡に祈ることで「スペードの女王」が現れ、願いを叶えるかわりに祈った者の命を奪うというフォークロアが下敷きのロシアン・ホラー。寄宿学校に通う姉弟は、学友たちによるスペードの女王を呼び出す儀式に巻き込まれる。近年のロシアン・ホラーでよくある題材だが、本作はゴア表現と最後のオチが光っている。

劇場版 仮面ライダージオウOver Quartzer ★★★

■2019年日本
■監督田崎竜太
■脚本下山健人
■出演奥野壮、ISSA
■2019/7/26公開
■1/8RD
■東映　D￥3,700 BD￥7,800

仮面ライダージオウである常盤ソウゴの前に、歴史の管理者クォーツァーと名乗る集団が現れる。平成時代のやり直しを目論むクォーツァーは強力で、ソウゴはなすすべなく敗れるが、謎の男の叱咤もあり再び彼らに立ち向かうのだった。平成仮面ライダーシリーズ外にも目くばせしつつ、その歴史に文字通り終止符が打たれた。

Jonathan

ジョナサン―ふたつの顔の男― ★★

■2018年アメリカ
■監督ビル・オリヴァー
■脚本ピーター・ニコウィッツほか
■出演アンセル・エルゴート
■2019/6/21公開
■1/8RD
■Happinet　D￥3,900 BD￥4,800

二重人格の青年ジョナサンは、半日ごとにもう片方の人格ジョンと体の主導権を交換し、起きたことをビデオメッセージで連絡しあっていた。ジョナサンは、２人で決めたルールをジョンが破ったことを知り彼を責めるが、その日からジョンからのメッセージが送られなくなってしまう。ジョナサンとジョンの演じ分けが巧み。

The Hole in the Ground

ホール・イン・ザ・グラウンド ★

■2019年アイルランド
■監督リー・クローニン
■脚本リー・クローニンほか
■出演サーナ・カーズレイク、ジェームズ・クイン・マーキー
■2019/7/27公開
■1/8RD
■ポニーキャニオン　D￥3,800 BD ￥4,700

息子のクリスを連れて田舎に引っ越してきたシングルマザー、サラ。二人の生活はクリスの不審な行動により綻び始め、サラは何者かが息子を装っているのではないかと疑いを抱く。サラとクリスのどちらを信じるべきかなかなか分からない点は、サスペンスに彩りを添えているが、終盤のバトル展開とフックのないラストは腰砕け。

Polaroid

ポラロイド ★★

■2017年アメリカ
■監督ラース・クレヴバーグ
■脚本ブレア・バトラー
■出演キャサリン・プレスコット
■2019/7/19公開
■1/8RD
■ギャガ　D￥1,142　BD￥2,000

リブート版『チャイルド・プレイ』の監督ラース・クレヴバーグによる、自身のショートフィルムのセルフリメイク。ジャーナリスト志望の女子高生バードは、アルバイト先の骨董品店に持ち込まれたカメラで友人たちを戯れに撮影するが、その後彼らは次々変死していく。オチは予想の範囲内だが、クリーチャーの造形はなかなか。

アルキメデスの大戦 ★★★

■2019年日本
■監督・脚本山崎貴
■出演菅田将暉、柄本佑、舘ひろし
■2019/7/26公開
■1/8R1/22D
■東宝　D￥3,800 BD￥4,800

三田紀房による仮想戦記漫画の映画化。巨大戦艦建造の阻止を狙う山本五十六は、偶然知り合った数学の天才櫂に助力を依頼する。軍隊嫌いの櫂は一旦拒絶するものの、戦争を阻止するため協力を決意する。歴史ものである以上オチは見えていると思いきや、ツイストを華麗に決めた快作で、敵ポジションの田中泯の存在感も良い。

LAPSE ★★

■2019年日本
■監督志真健太郎、アベラヒデノブ、HAVIT ART STUDIO
■出演柳俊太郎、中村ゆりか、SUMIRE
■2019/2/16公開
■1/25RD
■オールイン エンタテインメント　D￥3,800

ヒトクローンや人工知能などが題材の短篇SF3本からなるオムニバス。３本とも、技術に翻弄される当事者の生きざまを描写しているが、その中でも強く印象に残るのが、人工知能に介護される祖母の少女時代と夢の中で出会う「リンデン・バウム・ダンス」。クローンの悲喜こもごもを描く「失敗人間ヒトシジュニア」も軽快。

Child's Play
チャイルド・プレイ ★★

■2019年アメリカ
■監督ラース・クレヴバーグ
■脚本タイラー・バートン・スミス
■出演オーブリー・プラザ
■声の出演マーク・ハミル
■2019/7/19公開
■12/4RD
■バップ　D￥3,800 BD ￥4,800

『チャイルド・プレイ』（1988年）のリメイク作品。殺人人形チャッキーの設定はリメイク元からがらりと変わり、殺人鬼の魂が宿った人形から、バグ持ちのスマート家電人形というアップデートがなされている。チャッキーが芝刈り機やドローンを操り、所有者へのゆがんだ愛情を満たそうとする点が見どころ。

Stray
ミュータンツ 光と闇の能力者 ★

■2019年アメリカ
■監督ジョー・シル
■脚本J・D・ディラード
■出演福原かれん、MIYAVI
■劇場未公開
■12/4RD
■ニューセレクト　D￥3,800

日系アメリカ人女性の石化した死体が発見され、その娘ノリを女性刑事マーフィーは保護することになる。やがてノリは超能力に目覚め、母を殺害した捨て子の兄ジンと邂逅する。超能力描写はCGバリバリで迫力があるものの、筋運びが緩慢なうえ、マーフィーと元夫との関係描写など脱線も多く、軽快さに欠ける作品。

Blood Fest
モンスター・フェスティバル ★★

■2018年アメリカ
■監督・脚本オーウェン・エガートン
■出演ロビー・ケイ
■2019/7/15公開
■12/4RD
■ニューセレクト　D￥3,900

ホラー映画好きの高校生ダックスは、父親の監視を抜け出し野外ホラー・フェスに参加する。しかし、そこではゾンビや凶暴なピエロ、吸血鬼などが跳梁跋扈していた。参加者たちが次々と惨殺される中、ダックスたちはホラー知識をもとに脱出しようとする。『キャビン』（2012年）のようなメタホラーとして楽しめる作品だ。

きみと、波にのれたら ★★★

■2019年日本
■監督湯浅政明
■脚本吉田玲子
■声の出演片寄涼太、川栄李奈
■2019/6/21公開情報
■12/4R12/18D
■東宝　D￥3,800 BD ￥4,800

サーファーのひな子は火事がきっかけで消防士の港と恋仲になるが、港は溺れた人を助けようとして死亡してしまう。悲しみに暮れるひな子は、思い出の歌を口ずさむと港が近くの水中に現れることに気づき喜ぶが、触れ合えない状況に港は無力感を覚える。たどたどしく切ない二人の関係が見どころのゴースト・ストーリー。

Godzilla: King of the Monsters
ゴジラ キング・オブ・モンスターズ ★★

■2019年アメリカ
■監督マイケル・ドハティ
■脚本マイケル・ドハティほか
■出演カイル・チャンドラー、ミリー・ボビー・ブラウン
■2019/5/31公開
■12/18RD
■東宝　D￥3,800 BD ￥4,800

『GODZILLA　ゴジラ』（2014年）の続篇。秘密組織モナークが各地に眠る巨大怪獣を監視するなか、南極基地が過激な環境テロリストに襲撃され、キングギドラの封印が解かれてしまう。人々は蹂躙されるが、やって来たゴジラがキングギドラに立ち向かうのだった。ラドンやモスラも加えた怪獣バトルは一見の価値あり。

Dora and the Lost City of Gold
劇場版 ドーラといっしょに大冒険 ★★★

■2019年アメリカ
■監督ジェームズ・ボビン
■脚本ニコラス・ストーラーほか
■出演イザベラ・モナー、マイケル・ペーニャ
■劇場未公開
■12/25RD
■パラマウント　D￥1,429 BD￥1,886

ヒスパニック向け知育アニメの実写化。アニメから10年後、アメリカの高校に転校したドーラは、見学先の博物館で謎の集団に誘拐され、ペルーに連れ去られてしまう。辛くも脱出した彼女は、インカ文明の伝説の都市パラパタが狙われていることを知り、先手を打つために探索を始めていく。突然のトリップ描写が笑いを誘う逸品。

Gogol. Nachalo

魔界探偵ゴーゴリ 暗黒の騎士と生け贄の美女たち ★

■2017年ロシア
■監督イゴール・バラノフ
■脚本ナタリア・メルクロワ
■出演アレクサンドル・ペトロフ
■2019/10/11公開
■11/6RD
■TCエンタテインメント　D￥3,800

「外套」などで知られるロシアの作家ニコライ・ゴーゴリを主人公とするホラー・アクションで、本作、『妖怪ヴィーの召喚』『蘇りし者たちと最後の戦い』の全三部作。作家を志しながら警察の書記官を務めるゴーゴリは、凄腕捜査官グローに連れられ、怪事件の頻発する村へと向かう。虚実入り混じる伝奇テイストを楽しみたい。

Prey

パラサイト　禁断の島 ★★

■2018年アメリカ
■監督フランク・カルフン
■脚本フランク・カルフンほか
■出演クリスティン・フロセス、ローガン・ミラー
■劇場未公開
■11/13RD
■アメイジングD.C.　D￥4,000

暴漢に父を殺された青年トビーは、リハビリの一環として無人島で過ごすプログラムに参加する。慣れない環境に苦闘するなか、彼は島で出会った謎めいた少女マデリンと友情を育むが、島に隠された闇が次第に明かされる。こじんまりとした作品ながら、楽しげなサバイバルが不穏になっていくさまは見どころ。

Happy Death Day

ハッピー・デス・デイ ★★★

■2017年アメリカ
■監督クリストファー・ランドン
■脚本スコット・ロブデル
■出演ジェシカ・ロース、イズラエル・ブルサード
■2019/6/24公開
■11/20RD
■NBCユニバーサル・エンターテイメントジャパン　D￥1,164 BD￥1,618

奔放な女子大生ツリーは、誕生日の夜に仮面の殺人鬼に殺されるものの、次の瞬間その日の朝に戻っていることに気づく。何度も殺された彼女は、男子学生カーターの助けを得て、殺人鬼に立ち向かっていく。スラッシャー・ホラーとループものを組み合わせた傑作で、続篇の『ハッピー・デス・デイ　2U』とともに楽しみたい。

Iron Sky: The Coming Race

アイアン・スカイ/第三帝国の逆襲 ★

■2019年フィンランド、ドイツ
■監督ティモ・ヴオレンソラ
■脚本ダラン・ムッソン
■出演ララ・ロッシ
■2019/7/12公開
■12/4RD
■ツイン　D￥3,980 BD￥4,700

月面基地からナチスが攻めてくるトンデモぶりが話題になった『アイアン・スカイ』（2012年）の続篇。無限のエネルギーを持つ聖杯が地球の地下空洞に隠されていることが判明し、秘密部隊が送り込まれるが、そこではヒトラーや過去の国家指導者をはじめとする爬虫人類が陰謀を巡らせていた。収拾のつかなさは前作以上。

Spider-Man: Far from Home

スパイダーマン：ファー・フロム・ホーム ★★

■2019年アメリカ
■監督ジョン・ワッツ
■脚本クリス・マッケナほか
■出演トム・ホランド、ジェイク・ギレンホール
■2019/6/28公開
■12/4RD
■ソニー・ピクチャーズエンタテインメント　D+BD￥4,742

『アベンジャーズ/エンド・ゲーム』で死亡したアイアンマンの遺品を託されたピーター・パーカーは、修学旅行へ行った先のヨーロッパで巨大な水の怪物に遭遇し、空を飛ぶ謎の男との共闘の末にそれを打ち破る。しかし、その男ミステリオにはある隠された秘密があった。現代的に解釈されたヴィラン、ミステリオが見どころ。

Zoo

ゾンビの中心で、愛をさけぶ ★★

■2018年デンマーク、スウェーデン
■監督・脚本アントニオ・トゥブレン
■出演ゾーイ・タッパー、エドワード・スペリーアス
■2019/7/23公開
■12/4RD
■TCエンタテインメント　D￥3,800

突然のゾンビ禍に見舞われたイギリス。マンションの最上階に取り残された夫婦は、離婚を考えていたこともあり当初こそいがみ合うものの、やがて出会ったときのようなロマンスを燃え上がらせていく。ゾンビ自体はあまり出てこないものの、２人の関係の変化や終盤の切なさが見どころの、変化球ゾンビ映画だ。

Urban Jungle
アニマル・パージ　★

■2016年フランス
■監督ニコラス・デュヴァル
■脚本ニコラス・デュヴァルほか
■出演ロメイン・ポーテイル
■インターネット配信作
■11/2RD
■アルバトロス　D ¥4,800

新種のゴリラが動物園にやってきた次の日から、動物たちが暴れ出し飼育員を襲いはじめる。近辺のペットやカラスなどに動物凶暴化現象が波及していくなか、動物行動学者が事態の解明に乗り出していく。10分10回というもとの配信形式のためか、短いスパンでの多様なパニック描写が小気味よいが、そのぶん深みには欠ける。

Project Ithaca
エイリアン:ダーク・プロジェクト　★

■2019年カナダ
■監督ニコラス・ハンフリーズ
■脚本アンソニー・アルティベッロほか
■出演ジェームズ・ガランダーズ
■劇場未公開
■11/2RD
■Happinet　D ¥3,900

1959年アメリカの軍事基地で、UFOが回収された土地に生まれた少女サラはUFO母艦とのコンタクト実験に成功する。時は下って1969年、実験担当官ジョンはUFOにアブダクションされ、同じように誘拐された人々と出会う。彼らの背景が明らかになる展開に一瞬期待が高まるが、結局緩慢なトーンに戻ってしまう。

I Kill Giants
バーバラと心の巨人　★★

■2017年アメリカ、ベルギー、イギリス、中国
■監督アンダース・ウォルター
■脚本ジョー・ケリー
■出演マディソン・ウルフ
■2018/10/12公開
■11/2RD
■Happinet　D ¥3,900

内向的な少女バーバラは、巨人が町を侵略しに来ると信じ、それを倒すため各所に罠を仕掛ける。スクールカウンセラーや姉のカレンをはじめとする大人は誰も彼女のことを信じようとしないが、ある嵐の日ついに巨人が現れ、彼女は孤独な戦いを始めるのだった。現実と幻想の境界が揺らぐ中で描かれる少女の成長譚が切ない。

Nightmare Cinema
マスターズ・オブ・ホラー　★★

■2018年アメリカ
■監督ジョー・ダンテ、デヴィッド・スレイド、北村龍平、アレハンドロ・ブルゲス、ミック・ギャリス
■出演ミッキー・ローク
■2019/7/19公開
■11/2RD
■アメイジングD.C.　D ¥3,800

５人のホラー映画監督によるオムニバス作品。寂れた劇場に入った５人の観客が、それぞれ自分を主人公とするホラー映画を鑑賞する羽目になるという枠組みが面白い。なかでも、スラッシャーホラーを一ひねりした「森の中の物体X」、リチャード・マシスンの息子クリスチャンが脚本を書いた「ミラリ」は見て損はないだろう。

A.I. Rising
A.I.ライジング　★

■2018年セルビア
■監督ラザル・ボドローザ
■脚本ディミトリエ・ヴォイノフ
■出演セバスチャン・カヴァーツァ、ストーヤ
■2019/10/18公開
■11/6RD
■TCエンタテインメント　D ¥3,800

社会主義思想に地球が統一された22世紀。アルファ・ケンタウリにチュチェ思想を広めに行く仕事を請け負った宇宙飛行士ミルーティンは、支給されたアンドロイドのニマニに惹かれながらも、プログラムに縛られた彼女の有りように不満をつのらせる。随所に既視感はあるが、今後のセルビア映画シーンに期待をもたせる一作。

Along with the Gods: The Two Worlds, The Last 49 Days
神と共に 第一章&第二章　★★

■2017年韓国
■監督・脚本キム・ヨンファ
■出演ハ・ジョンウ、チャ・テヒョン、キム・ジウン
■2019/5/24公開
■11/6RD
■ツイン　D+BD ¥7,400

殉職した消防士ジャホンのもとに霊界からの使者が現れ、良き人間であったことを示すため地獄で審判を受けるように告げられる。審判は当初楽に進むと考えられていたものの、次第にジャホンの暗い過去が明らかになっていく。ジャホンの過去が物語の軸だが、地獄のスペクタクル描写や、使者の華麗なアクションも見どころ。

2020年度
SF関連DVD目録

◆2019年11月1日〜2020年10月31日までに日本国内で発売されたSF、ファンタジイ、ホラー関連のDVD（Blu-Ray）のなかから78作品を選んで紹介します。SFマガジン「MEDIA SHOWCASE DVD」掲載文に加筆・修正のうえ、劇場公開後、上記期間内にソフトが発売された55作品を追加しました。

◆記載データは以下のとおり。

◆原題／作品名／製作年・製作国／監督・製作・脚本・原作・出演、他データ／発売日（Ⓡ＝レンタル／Ⓓ＝DVD他ソフト）／発売元（本体価格〔BD＝Blu-ray・D＝DVD〕）／解説

◆作品名の末尾に付した★は、SFファンへの推薦度を表します。

★★★必見!
★★おすすめ
★お好み次第

リスト構成・執筆／片桐翔造

マ

ヤ

ラ

ワ

タ

ナ

ハ

書名索引

2020年度／SF関連書籍目録

著者名索引

Wonder Woman, 2014）鷲谷花＝訳／2019・12・21／3300円／青土社／コミック評論

LIFE3.0　人工知能時代に人間であるということ

マックス・テグマーク（Life 3.0, 2018）水谷淳＝訳／2019・12・27／2700円／紀伊國屋書店／AI研究書

ゴーストリイ・フォークロア　17世紀〜20世紀初頭の英国怪異譚

南條竹則／2020・01・07／2800円／KADOKAWA／怪異譚ガイド　(20・04)

クリーンミート　培養肉が世界を変える

ポール・シャピロ（Clean Meat, 2018）鈴木素子＝訳／2020・01・09／1800円／日経BP／生物学書

がん免疫療法の突破口《ブレイクスルー》

チャールズ・グレーバー（The Breakthrough：Immunotherapy and the Race to Cure Cancer, 2018）河本宏＝監修，中里京子／2020・03・05／3000円／早川書房／医科学書　(20・06)

地磁気逆転と「チバニアン」　地球の磁場は、なぜ逆転するのか

菅沼悠介／2020・03・18／1100円／講談社ブルーバクス／地球科学書

人工培養された脳は「誰」なのか　超先端バイオ技術が変える新生命

フィリップ・ボール（How to Grow a Human, 2019）桐谷知未＝訳／2020・03・19／2500円／原書房／脳科学書　(20・08)

怪異の表象空間　メディア・オカルト・サブカルチャー

一柳廣孝／2020・03・26／3600円／国書刊行会／文化評論

深宇宙ニュートリノの発見　宇宙の巨大なエンジンからの使者

吉田滋／2020・04・14／1100円／光文社新書／物理学書

思想としての〈新型コロナウイルス禍〉

河出書房新社編集部＝編／2020・05・25／1800円／河出書房新社／社会評論集　(20・08)

〈正義〉の生物学　トキやパンダを絶滅から守るべきか

山田俊弘／2020・06・24／2200円／講談社／保全生物学書　(20・10)

合成テクノロジーが世界をつくり変える　生命・物質・地球の未来と人類の選択

クリストファー・プレストン（The Synthetic Age, 2018）松井信彦＝訳／2020・07・07／2300円／インターシフト／テクノロジー解説書

カモノハシの博物誌　ふしぎな哺乳類の進化と発見の物語

浅原正和／2020・07・13／2280円／技術評論社／生物学書

天文学者が解説する宮沢賢治『銀河鉄道の夜』と宇宙の旅

谷口義明／2020・07・15／1100円／光文社／作家論

日本アニメ誕生

豊田有恒／2020・08・25／1800円／勉誠出版／アニメ文化論　(20・12)

LIFESPAN　老いなき世界

デビッド・A・シンクレア（Lifespan, 2019）梶山あゆみ＝訳／2020・09・16／2400円／東洋経済新報社／生物学書

こころと身体の心理学

山口真美／新書／2020・09・18／880円／岩波ジュニア新書／心理学書　(20・12)

闇の脳科学　「完全な人間」をつくる

ローン・フランク（The Pleasure Shock, 2018）赤根洋子＝訳／2020・10・14／2000円／文藝春秋／脳科学書　(21・02)

シネアスト宮崎駿　奇異なもののポエジー

ステファヌ・ルルー（Hayao Miyazaki：Cinéaste en animation, 2011）岡村民夫＝訳／2020・10・20／3600円／みすず書房／アニメ作家論　(21・02)

LITERATURE
2020年度／SF関連書籍目録

ジブラルタルの征服
ラシード・ブージェドラ（La prise de Gibraltar, 1986）下境真由美＝訳／2019・11・06／3000円／月曜社／幻想文学 (20・02)

プラヴィエクとそのほかの時代
オルガ・トカルチュク（Prawiek I inne czasy, 1996）小椋彩 ＝訳／2019・12・01／2600円／松籟社／ポーランド文学 (20・06)

雲
エリック・マコーマック（Cloud, 2014）柴田元幸＝訳／2019・12・20／3500円／東京創元社／幻想ミステリ

怪物
ディーノ・ブッツァーティ（日本オリジナル編集）長野徹 ＝訳／2020・01・10／2200円／東宣出版／幻想文学短篇集

サンセット・パーク
ポール・オースター（Sunset Park, 2010）柴田元幸＝訳／2020・02・27／2200円／新潮社／アメリカ文学 (20・06)

おれの眼を撃った男は死んだ
シャネル・ベンツ（The Man Who Shot Out My Eye is Dead, 2017）高山真由美＝訳／2020・05・22／2200円／東京創元社／アメリカ文学作品集 (20・08)

天使のいる廃墟
フリオ・ホセ・オルドバス（Paraíso Alto, 2017）白川貴子＝訳／2020・06・12／1600円／東京創元社／スペイン文学

ホーム・ラン
スティーヴン・ミルハウザー（Voices in the Night, 2015）柴田元幸＝訳／2020・07・09／2400円／白水社／奇想短篇集 (20・10)

環
ジャック・ルーボー（La Boucle, 1993）田中淳一＝訳／2020・07・22／4000円／水声社／フランス文学 (20・12)

砂漠が街に入りこんだ日
グカ・ハン（Le jour où le désert est entré dans la ville, 2020）原正人＝訳 ／2020・08・01／1800円／リトル・モア／幻想文学

雷鳴に気をつけろ
ジム・トンプスン（Heed the Thunder, 1946）真崎義博＝訳／2020・09・30／2700円／文遊社／アメリカ文学

NONFICTION
2020年度／SF関連書籍目録

情動はこうしてつくられる　脳の隠れた働きと構成主義的情動理論
リサ・フェルドマン・バレット（How Emotions Are Made, 2017）高橋洋＝訳／2019・10・31／3200円／紀伊國屋書店／心理学書

合理的なものの詩学　近現代日本文学と理論物理学の邂逅
加藤夢三／2019・11・05／5600円／ひつじ書房／文学評論 (20・02)

驚異の量子コンピュータ　宇宙最強マシンへの挑戦
藤井啓祐／2019・11・20／1500円／岩波科学ライブラリー／テクノロジー解説書

21 lessons　21世紀の人類のための21の思考
ユヴァル・ノア・ハラリ（21 Lessons for the 21st Century, 2018）柴田裕之＝訳／2019・11・20／2400円／河出書房新社／現代社会論

ナウシカ考　月の谷の黙視録
赤坂憲雄／2019・11・22／2200円／岩波書店／コミック評論

対論！ 生命誕生の謎
山岸明彦，高井研／新書／2019・12・06／800円／集英社インターナショナル新書／生物学書 (20・04)

おしゃべりな糖　第三の生命暗号、糖鎖のはなし
笠井献一／2019・12・07／1200円／岩波科学ライブラリー／生物学書

ボルヘス『伝奇集』　迷宮の夢見る虎
今福龍太／2019・12・13／2000円／慶應義塾大学出版会／文学評論

ワンダーウーマンの秘密の歴史
ジル・ルポール（The Secret History of

社文庫／怪談ホラー　(20・06)

濱地健三郎の幽《かくれ》たる事件簿

有栖川有栖／2020・05・02／1700円／KADOKAWA／異能ミステリ　(20・08)

泉鏡花〈怪談会〉全集

東雅夫＝編／2020・05・11／4500円／春陽堂／作家全集　(20・08)

源平妖乱　信州吸血城

武内涼／文庫／2020・05・13／860円／祥伝社文庫／歴史伝奇小説　(20・08)

妖の掟

誉田哲也／2020・05・14／1700円／文藝春秋／サスペンス・ミステリ　(20・08)

家が呼ぶ　物件ホラー傑作選

朝宮運河＝編／文庫／2020・06・10／900円／ちくま文庫／ホラー・アンソロジー　(20・10)

消えた心臓／マグヌス伯爵

M・R・ジェイムズ（Ghost Stories of an Antiquary, 1904）南條竹則＝訳／文庫／2020・06・10／920円／光文社古典新訳文庫／奇想短篇集　(20・10)

犬の張り子をもつ怪物

藍沢今日／文庫／2020・07・04／680円／宝島社文庫／ホラー・サスペンス　(20・10)

祭火小夜の再会

秋竹サラダ／文庫／2020・07・16／640円／角川ホラー文庫／ホラー・ミステリ　(20・10)

わたしのお人形　怪奇短編集

瀬川貴次／文庫／2020・07・17／560円／集英社オレンジ文庫／ホラー短篇集　(20・10)

そこに無い家に呼ばれる

三津田信三／2020・07・21／1600円／中央公論新社／怪談ホラー　(20・10)

猿神

太田忠司／2020・08・26／1500円／幻冬舎／モダンホラー　(20・12)

闇のシャイニング　リリヤの恐怖図書館

ハンス＝オーケ・リリヤ＝編（Shining in the Dark, 2017）友成純一・他＝訳／文庫／2020・09・02／1100円／扶桑社ミステリー／ホラー短篇集　(20・12)

アラバスターの手　マンビー古書怪談集

A・N・L・マンビー（The Alabaster Hand and Other Ghost Stories, 1949）羽田志津子＝訳／2020・09・11／2700円／国書刊行会／古書怪談集　(20・12)

Another2001

綾辻行人／2020・09・30／2400円／KADOKAWA／SFミステリ　(20・12)

逢魔《あま》宿り

三津田信三／2020・09・30／1650円／KADOKAWA／ホラー短篇集　(20・12)

アニーはどこにいった

C・J・チューダー（The Taking of Annie Thorne, 2019）中谷友紀子＝訳／2020・10・15／2250円／文藝春秋／ホラー・ミステリ　(21・02)

図書室の怪　四編の奇怪な物語

マイケル・ドズワース・クック（The Librarian & other strange stories, 2017）山田順子＝訳／2020・10・30／920円／創元推理文庫／ホラー短篇集　(21・02)

MYSTERY

2020年度／SF関連書籍目録

詐欺師は天使の顔をして

斜線堂有紀／文庫／2020・01・22／700円／講談社タイガ／異能ミステリ　(20・04)

錬金術師の密室

紺野天龍／文庫／2020・02・20／780円／ハヤカワ文庫JA／ファンタジイ・ミステリ　(20・06)

パンダ探偵

鳥飼否宇／文庫／2020・05・22／690円／講談社タイガ／動物ミステリ　(20・08)

うるはしみにくし　あなたのともだち

澤村伊智／2020・08・19／1600円／双葉社／ホラー・ミステリ

未来からの脱出

小林泰三／2020・08・26／1600円／KADOKAWA／SFミステリ　(20・12)

ムシカ　鎮虫譜

井上真偽／2020・09・11／1700円／実業之日本社／昆虫ミステリ

揺籠のアディポクル

市川憂人／2020・10・14／1700円／講談社／サスペンス・ミステリ

佐藤さくら／文庫／2020・04・24／700円／創元推理文庫／青春ファンタジイ (20・08)

嵐の守り手1　闇の目覚め

キャサリン・ドイル（The Storm Keeper's Island, 2018）村上利佳＝訳／2020・05・30／1600円／評論社／魔法ファンタジイ (20・10)

影を呑んだ少女

フランシス・ハーディング（A Skinful of Shadows, 2017）児玉敦子＝訳／2020・06・19／3300円／東京創元社／歴史ファンタジイ (20・10)

大江戸火龍改

夢枕獏／2020・07・06／1600円／講談社／歴史伝奇小説 (20・10)

さよなら、エンペラー

暖あやこ／2020・07・17／1600円／新潮社／SFファンタジイ (20・10)

蒼天の王土

篠原悠希／2020・07・31／1900円／KADOKAWA／歴史ファンタジイ (20・12)

スキマワラシ

恩田陸／2020・08・05／1800円／集英社／ファンタジイ・ミステリ (20・12)

火狩りの王〈四〉　星ノ火

日向理恵子／2020・09・03／1600円／ほるぷ出版／異世界ファンタジイ (20・12)

楽園の烏

阿部智里／2020・09・03／1500円／文藝春秋／異世界ファンタジイ (20・12)

王都の落伍者　ソナンと空人《そらんと》1

沢村凜／文庫／2020・09・29／590円／新潮文庫／異世界ファンタジイ (21・02)

鬼絹の姫　ソナンと空人2

沢村凜／文庫／2020・09・29／710円／新潮文庫／異世界ファンタジイ (21・02)

ベレンとルーシエン

J・R・R・トールキン，クリストファー・トールキン＝編（Beren and Lúthien, 2017）沼田香穂里＝訳／2020・10・07／3000円／評論社／恋愛ファンタジイ (21・02)

この本を盗む者は

深緑野分／2020・10・08／1500円／KADOKAWA／幻想文学 (21・02)

ロイヤルシアターの幽霊たち

ジェラルディン・マコックラン（The Positively Last Performance, 2013）金原瑞人，吉原菜穂＝訳／2020・10・15／1600円／小学館／幽霊ファンタジイ (21・02)

朱く照る丘　ソナンと空人4

沢村凜／文庫／2020・10・28／590円／新潮文庫／異世界ファンタジイ (21・02)

運命の逆流 ソナンと空人3

沢村凜／文庫／2020・10・28／670円／新潮文庫／異世界ファンタジイ (21・02)

HORROR

2020年度／SF関連書籍目録

平成怪奇小説傑作集 3

東雅夫＝編／文庫／2019・11・22／1300円／創元推理文庫／奇想アンソロジー (20・02)

間宵の母

歌野晶午／2019・11・22／1500円／双葉社／ホラー・ミステリ (20・02)

エイリアン邪神宝宮

菊地秀行／2019・11・25／1000円／創土社／クトゥルー冒険小説 (20・04)

ブラック・トムのバラード

ヴィクター・ラヴァル（The Ballad of Black Tom, 2016）藤井光＝訳／2019・12・02／1800円／東宣出版／幻想文学 (20・06)

ラヴクラフトの怪物たち（下）

エレン・ダロトウ＝編（Lovecraft's Monsters, 2014）植草昌実＝訳／2019・12・07／2500円／新紀元社／幻想文学アンソロジー (20・06)

銀の仮面

ヒュー・ウォルポール／日本オリジナル編集／倉阪鬼一郎＝訳／文庫／2019・12・20／1000円／創元推理文庫／奇想短篇集 (20・06)

アラバスターの壺／女王の瞳

レオポルド・ルゴーネス（Elvaso de Alabastro - Los ojos de la reina, 1924）大西亮＝訳／文庫／2020・01・09／1060円／光文社古典新訳文庫／奇想短篇集 (20・06)

事故物件7日間監視リポート

岩城裕明／文庫／2020・02・21／560円／角川ホラー文庫／超常ホラー (20・06)

贄怪談　長男が死ぬ家

斉木京／文庫／2020・02・28／650円／竹書房文庫／怪談ホラー (20・06)

カンブリア　邪眼の章　警視庁「背理犯罪」捜査係

河合莞爾／2020・03・19／820円／中公文庫／異能ミステリ (20・06)

怖い話を集めたら　連鎖怪談

深志美由紀／文庫／2020・03・19／560円／集英

／2900円／文庫版各920円／新☆ハヤカワ・SF・シリーズ／ハヤカワ文庫SF／歴史改変SF（20・12）

歴史は不運の繰り返し　セント・メアリー歴史学研究所報告
ジョディ・テイラー（Just One Damned Thing After Another, 2015）田辺千幸＝訳／文庫／2020・09・17／1200円／ハヤカワ文庫SF／時間SF（20・12）

シオンズ・フィクション イスラエルSF傑作選
シェルドン・テイテルバウム，エマヌエル・ロテム＝編（Zion's Fiction：A Treasury of Israeli Speculative Literature, 2018）中村融・他＝訳／文庫／2020・09・30／1500円／竹書房文庫／イスラエルSFアンソロジー（20・12）

誓願
マーガレット・アトウッド（The Testaments, 2019）鴻巣友季子＝訳／2020・10・01／2900円／早川書房／ディストピアSF（20・12）

夏の雷鳴　わるい夢たちのバザールⅡ
スティーヴン・キング（The Bazaar of Bad Dreams, 2015）風間賢二＝訳／文庫／2020・10・07／970円／文春文庫／奇想短篇集（21・02）

マイル81　わるい夢たちのバザールⅠ
スティーヴン・キング（The Bazaar of Bad Dreams, 2015）風間賢二，白石朗＝訳／文庫／2020・10・07／1070円／文春文庫／奇想短篇集（21・02）

地球防衛戦線3　スカム皇帝殺戮指令
ダニエル・アレンソン（Earth Rising, 2016）金子浩＝訳／文庫／2020・10・15／1320円／ハヤカワ文庫SF／宇宙SF（21・02）

透明性
マルク・デュガン（Transparence, 2019）中島さおり＝訳／2020・10・15／2500円／早川書房／近未来小説（21・02）

眠れる美女たち（上・下）
スティーヴン・キング＆オーウェン・キング（Sleeping Beauties, 2017）白石朗＝訳／2020・10・30／各2500円／文藝春秋／パンデミック・ホラー（21・02）

バグダードのフランケンシュタイン
アフマド・サアダーウィー（فرانكشتاين في بغداد, 2013）柳谷あゆみ＝訳／2020・10・30／2400円／集英社／ディストピアSF（21・02）

FANTASY
2020年度／SF関連書籍目録

辺境の老騎士Ⅴ　バルド・ローエンと始祖王の遺産
支援BIS／2019・11・05／1300円／KADOKAWA／異世界ファンタジイ（20・02）

おちび
エドワード・ケアリー（Little, 2018）古屋美登里＝訳／2019・11・29／4000円／東京創元社／イギリス文学（20・06）

ネバームーア　モリガン・クロウの挑戦
ジェシカ・タウンゼント（Nevermoor：The Trials of Morrigan Crow, 2017）田辺千幸＝訳／2019・12・04／1900円／早川書房／魔法ファンタジイ（20・04）

魔法のサーカスと奇跡の本
エリカ・スワイラー（The Book of Speclation, 2015）小林浩子＝訳／2019・12・20／2500円／東京創元社／魔法ファンタジイ（20・06）

猫君
畠中恵／2020・01・24／1450円／集英社／時代ファンタジイ（20・04）

小さき者たち
粕谷知世／2020・02・20／1900円／早川書房／異世界ファンタジイ（20・06）

しゃもぬまの島
上畠菜緒／2020・02・26／1500円／集英社／幻想ホラー（20・06）

水使いの森
庵野ゆき／文庫／2020・03・13／940円／創元推理文庫／異世界ファンタジイ（20・06）

銀をつむぐ者（上・下）
ナオミ・ノヴィク（Spinning Silver, 2018）那波かおり＝訳／2020・03・18／各1800円／静山社／魔法ファンタジイ（20・06）

約束の果て　黒と紫の国
高丘哲次／2020・03・25／1600円／新潮社／SFファンタジイ（20・06）

王の祭り
小川英子／2020・04・08／1500円／ゴブリン書房／歴史ファンタジイ（20・08）

魔女たちは眠りを守る
村山早紀／2020・04・16／1600円／KADOKAWA／魔法ファンタジイ（20・08）

永遠の夏をあとに
雪乃紗衣／2020・04・24／1600円／東京創元社／青春ファンタジイ（20・08）

少女の鏡　千蔵呪物目録1

リチャード・フォックス（Iron Dragoons, 2017）置田房子＝訳／文庫／2020・04・16／900円／ハヤカワ文庫SF／宇宙SF （20・08）

キャプテン・フューチャー最初の事件

アレン・スティール（Avengers of the Moon, 2017）中村融＝訳／文庫／2020・04・30／1200円／創元SF文庫／宇宙SF （20・08）

鳥の歌いまは絶え

ケイト・ウィルヘルム（Where Late the Sweet Birds Sang, 1976）酒匂真理子＝訳／文庫／2020・04・30／1160円／創元SF文庫／ディストピアSF （20・08）

空のあらゆる鳥を

チャーリー・ジェーン・アンダーズ（All the Birds in the Sky, 2016）市田泉＝訳／2020・05・08／2400円／創元海外SF叢書／SFファンタジイ （20・08）

アンドロメダ病原体―変異―（上・下）

マイクル・クライトン，ダニエル・H・ウィルソン（The Andromeda Evolution, 2019）酒井昭伸＝訳／2020・05・26／各1800円／早川書房／テクノスリラー （20・08）

最後の竜殺し

ジャスパー・フォード（The Last Dragonslayer, 2010）ないとうふみこ＝訳／文庫／2020・05・28／1300円／竹書房文庫／SFファンタジイ （20・08）

ライフ・アフター・ライフ

ケイト・アトキンソン（Life After Life, 2013）青木純子＝訳／2020・05・29／3600円／東京創元社／幻想文学 （20・08）

第五の季節

N・K・ジェミシン（The Fifth Season, 2015）小野田和子＝訳／文庫／2020・06・12／1500円／創元SF文庫／破滅SF （20・10）

三体Ⅱ　黒暗森林

劉慈欣（三体Ⅱ：黒暗森林, 2008）大森望，立原透耶，上原かおり，泊功＝訳／2020・06・18／各1700円／早川書房／中国SF （20・10）

地球防衛戦線２　アゾス鉱山救出作戦

ダニエル・アレンソン（Earth Lost, 2016）金子浩＝訳／文庫／2020・06・18／1000円／ハヤカワ文庫SF／宇宙SF （20・10）

時のきざはし　現代中華SF傑作選

立原透耶＝編／日本オリジナル編集／立原透耶・他＝訳／2020・06・27／2200円／新紀元社／中華SFアンソロジー （20・10）

フレドリック・ブラウンSF短編全集３　最後の火星人

フレドリック・ブラウン（The Complete Short SF of Fredric Brown, 2001）安原和見＝訳／2020・07・10／3500円／東京創元社／作家全集 （20・10）

タイムラインの殺人者

アナリー・ニューイッツ（The Future of Another Timeline, 2019）／幹遙子＝訳／文庫／2020・07・16／1260円／ハヤカワ文庫SF／時間SF （20・10）

メアリ・ジキルとマッド・サイエンティストの娘たち

シオドラ・ゴス（The Strange Case of the Alchemist's Daughter, 2017）鈴木潤・他＝訳／2020・07・16／2300円／新☆ハヤカワ・SF・シリーズ／SFミステリ （20・10）

ウィトゲンシュタインの愛人

デイヴィッド・マークソン（Wittgenstein's Mistress, 1988）木原善彦＝訳／2020・07・17／2400円／国書刊行会／アメリカ文学 （20・10）

エレクトス・ウイルス（上・下）

グザヴィエ・ミュレール（Erectus, 2018）伊藤直子＝訳／文庫／2020・07・30／各850円／竹書房文庫／バイオSF （20・10）

女総督コーデリア

ロイス・マクマスター・ビジョルド（Gentleman Jole and the Red Queen, 2015）小木曽絢子＝訳／文庫／2020・07・31／1400円／創元SF文庫／宇宙SF （20・10）

ウォーシップ・ガール

ガレス・L・パウエル（Embers of War, 2018）三角和代＝訳／文庫／2020・08・12／1200円／創元SF文庫／宇宙SF （20・12）

宇宙《そら》へ（上・下）

メアリ・ロビネット・コワル（The Calculating Stars, 2018）酒井昭伸＝訳／文庫／2020・08・20／各1020円／ハヤカワ文庫SF／改変歴史SF （20・12）

伝説の艦隊１　〈コンスティテューション〉

ニック・ウェブ（Constitution, 2015）置田房子＝訳／文庫／2020・08・20／1060円／ハヤカワ文庫SF／宇宙SF （20・12）

ボーン・クロックス

デイヴィッド・ミッチェル（The Bone Clocks, 2014）北川依子＝訳／2020・08・20／4900円／早川書房／幻想文学 （20・12）

現想と幻実　ル＝グウィン短篇選集

アーシュラ・K・ル＝グウィン（The Unreal and the Real, 2012）大久保ゆう，小磯洋光，中村仁美＝訳／2020・08・22／2600円／青土社／奇想短篇集 （20・12）

時間旅行者のキャンディボックス

ケイト・マスカレナス（The Psychology of Time Travel, 2018）茂木健＝訳／文庫／2020・09・11／1300円／創元SF文庫／時間SF（20・12）

サイバー・ショーグン・レボリューション

ピーター・トライアス（Cyber Shogun Revolution, 2020）中原尚哉＝訳／2020・09・17

ワールドスプリッター
アレクサンダー・フィスケス（Der Weltenspalter, 2012）長谷川圭＝訳／文庫／2019・11・20／720円／ハヤカワ文庫SF／《ローダンNEO》㉑
（20・02）
息吹
テッド・チャン（Exhalation, 2019）大森望＝訳／2019・12・04／1900円／早川書房／SF短篇集
（20・04）
時空大戦４　勝利への遙かなる旅路
ディトマー・アーサー・ヴェアー（The Syncronicity War, 2019）月岡小穂＝訳／文庫／2019・12・04／1180円／ハヤカワ文庫SF／宇宙SF
（20・04）
ガラスの蜂
エルンスト・ユンガー（Gläserne Bienen, 1957）阿部重夫，谷本愼介＝訳／2019・12・12／2800円／田畑書店／ドイツ文学　（20・04）
となりのヨンヒさん
チョン・ソヨン（옆집의 영희 씨, 2015）吉川凪＝訳／2019・12・13／1800円／集英社／SF短篇集　（20・04）
マーダーボット・ダイアリー（上・下）
マーサ・ウェルズ（The Marderbot Diaries, 2017-2018）中原尚哉＝訳／文庫／2019・12・13／各1000円／創元SF文庫／宇宙SF　（20・04）
時間の貯水槽
ヴィム・ファンデマーン（Zisternen der Zeit, 2012）柴田さとみ＝訳／文庫／2019・12・19／780円／ハヤカワ文庫SF／《ローダンNEO》㉒
（20・04）
タボリンの鱗　竜のグリオールシリーズ短篇集
ルーシャス・シェパード（The Dragon Gruaule, 2012）内田昌之＝訳／文庫／2019・12・26／1000円／竹書房文庫／SFファンタジイ（20・04）
フロム・ザ・フラッド　浸水からの未知なるもの
シモン・ストーレンハーグ（Things from the Flood, 2016）山形浩生＝訳／2020・01・09／2800円／グラフィック社／イラスト作品集
（20・04）
フレドリック・ブラウンSF短編全集２　すべての善きベムが
フレドリック・ブラウン（The Complete Short SF of Fredric Brown, 2001）安原和見＝訳／2020・01・10／3500円／東京創元社／作家全集
（20・04）
アトランティス滅亡
クリスチャン・モンテロン（Zuflucht Atlantis, 2012）鵜田良江＝訳／文庫／2020・01・23／780円／ハヤカワ文庫SF／《ローダンNEO》㉓
（20・04）
荒潮
陳楸帆（Waste Tide, 2019）中原尚哉＝訳／2020・01・23／1800円／新☆ハヤカワ・SF・シリーズ／近未来SF　（20・04）
鉤十字の夜
キャサリン・バーデキン（Swastika Night, 1937）日吉信貴＝訳／2020・01・25／2500円／水声社／ディストピアSF　（20・06）
暇なんかないわ　大切なことを考えるのに忙しくて
アーシュラ・K・ル=グウィン（No Time to Spare：Thinking About What Matters, 2017）谷垣暁美＝訳／2020・01・28／2400円／河出書房新社／エッセイ集　（20・04）
草地は緑に輝いて
アンナ・カヴァン（A Bright Green Field, 1958）安野玲＝訳／2020・01・30／2500円／文遊社／奇想短篇集　（20・04）
永遠の世界
フランク・ボルシュ（Welt der Ewigkeit, 2012）鵜田良江＝訳／文庫／2020・02・20／780円／ハヤカワ文庫SF／《ローダンNEO》㉔
（20・06）
彼女の体とその他の断片
カルメン・マリア・アチャド（Her Body and Other Parties, 2017）小澤英実，小澤身和子，岸本佐知子，松田青子＝訳／2020・03・10／2400円／エトセトラブックス／奇想短篇集　（20・06）
ナインフォックスの覚醒
ユーン・ハー・リー（Ninefox Gambit, 2016）赤尾秀子＝訳／文庫／2020・03・13／1100円／創元SF文庫／宇宙SF　（20・06）
地球防衛戦線１　スカム襲来
ダニエル・アレンソン（Earth Alone, 2016）金子浩＝訳／文庫／2020・03・18／1000円／ハヤカワ文庫SF／宇宙SF　（20・06）
月の光　現代中国SFアンソロジー
ケン・リュウ＝編，劉慈欣・他＝著（Broken Stars, 2019）大森望，中原尚哉・他＝訳／2020・03・18／2200円／新☆ハヤカワ・SF・シリーズ／中国SFアンソロジー
（20・06）
エウメスヴィル　あるアナークの手記
エルンスト・ユンガー（Eumeswil, 1977）田尻三千夫＝訳／2020・03・19／3500円／月曜社／未来小説　（20・06）
保健室のアン・ウニョン先生
チョン・セラン（보건교사 안은영, 2015）斎藤真理子＝訳／2020・03・19／1600円／亜紀書房／韓国文学　（20・06）
深層地下４階
デヴィッド・コープ（Coldstorage, 2019）伊賀由宇介＝訳／文庫／2020・03・20／1091円／ハーパーBOOKS／SFスリラー　（20・06）
鉄の竜騎兵　新兵選抜試験、開始

筑紫一明／文庫／2020・01・11／610円／SBクリエイティブGA文庫／魔法ファンタジイ（20・04）
今夜F時、二人の君がいる駅へ。
吉月生／文庫／2020・01・24／630円／アスキー・メディアワークス電撃文庫／青春SF（20・04）
探偵はもう、死んでいる。2
二語十／文庫／2020・01・24／640円／メディアファクトリーMF文庫J／青春ファンタジイ（20・04）
モボモガ
結城弘／文庫／2020・01・24／648円／KAエスマ文庫／青春SF（20・04）
さよなら異世界、またきて明日 旅する絵筆とバックパック30
風見鶏／文庫／2020・02・20／630円／富士見ファンタジア文庫／異世界ファンタジイ（20・06）
こわれたせかいの むこうがわ ～少女たちのディストピア生存術～
陸道烈夏／文庫／2020・03・10／630円／アスキー・メディアワークス電撃文庫／ディストピア・ファンタジイ（20・06）
不可視都市
高島雄哉／2020・03・15／1400円／星海社FICTIONS／恋愛SF（20・06）
ラストオーダー1　ひとりぼっちの百年戦争
浜松春日／文庫／2020・04・01／680円／講談社ラノベ文庫／戦争SF（20・06）
きのうの春で、君を待つ
八目迷／文庫／2020・04・17／660円／小学館文庫／青春SF（20・08）
戦翼のシグルドリーヴァ　Rusalka（上）
長月達平／文庫／2020・05・01／680円／角川スニーカー文庫／戦争ファンタジイ（20・08）
竜と祭礼2―伝承する魔女―
筑紫一明／文庫／2020・05・14／630円／SBクリエイティブ／魔法ファンタジイ（20・08）
わたしの旦那はタイムトラベラー
森川秀樹／文庫／2020・05・15／660円／富士見L文庫／SFミステリ（20・08）
サクラの降る町
小川晴央／文庫／2020・05・22／648円／KAエスマ文庫／青春SF（20・10）
東京非常事態　MMORPG化した世界で、なんで俺だけカードゲームですか？
相川みかげ／2020・07・08／1200円／講談社レジェンドノベルス／SFファンタジイ（20・10）
星継ぐ塔と機械の姉妹
佐藤ケイ／文庫／2020・07・10／630円／アスキー・メディアワークス電撃文庫／SFコメディ（20・10）
このぬくもりを君と呼ぶんだ
悠木りん／文庫／2020・07・17／640円／小学館ガガガ文庫／青春SF（20・10）
終焉ノ花嫁
綾里けいし／文庫／2020・07・20／640円／メディアファクトリーMF文庫J／学園ファンタジイ（20・12）
カロリーが足りません　終末食べあるきガイドブック　魔物グルメ編in池袋
大場鳩太郎／2020・08・07／1200円／講談社レジェンドノベルス／終末ファンタジイ（20・12）
さいはての終末ガールズパッカー
藻野多摩夫／文庫／2020・08・07／630円／アスキー・メディアワークス電撃文庫／終末ファンタジイ（20・12）
せかいは今日も冬眠中！
石崎とも／文庫／2020・08・07／630円／アスキー・メディアワークス電撃文庫／終末ファンタジイ（20・12）
終焉ノ花嫁2
綾里けいし／文庫／2020・09・25／640円／メディアファクトリーMF文庫J／学園ファンタジイ（20・12）
魔女と猟犬
カミツキレイニー／文庫／2020・10・21／690円／小学館ガガガ文庫／異世界ファンタジイ（21・02）
放課後の宇宙ラテ
中西鼎／文庫／2020・10・28／660円／新潮文庫nex／学園SF（21・02）

OVERSEAS
2020年度／SF関連書籍目録

ロボット・イン・ザ・スクール
デボラ・インストール（A Robot in the School, 2019）松原葉子＝訳／文庫／2019・11・06／820円／小学館文庫／ロボットSF（20・02）
ザ・ループ
シモン・ストーレンハーグ（Tales from the Loop, 2014）山形浩生＝訳／2019・11・11／2800円／グラフィック社／イラスト作品集（20・02）
量子魔術師
デレク・クンスケン（The Quantum Magician, 2018）金子司＝訳／文庫／2019・11・20／1340円／ハヤカワ文庫SF／宇宙SF（20・02）

柴田勝家／文庫／2020・08・20／860円／ハヤカワ文庫JA／SF短篇集 (20・12)

歓喜の歌　博物館惑星Ⅲ

菅浩江／2020・08・20／2000円／早川書房／美術SF (20・12)

星系出雲の兵站—遠征—5

林譲治／文庫／2020・08・20／880円／ハヤカワ文庫JA／宇宙SF (20・12)

憎悪人間は怒らない

上遠野浩平／文庫／2020・08・20／720円／ハヤカワ文庫JA／異能SF《製造人間》② (20・12)

楽園とは探偵の不在なり

斜線堂有紀／2020・08・20／1700円／早川書房／SFミステリ (20・12)

隣人X

パリュスあや子／2020・08・26／1400円／講談社／サイコ・スリラー (20・12)

サピエンス前戯　長編小説集

木下古栗／2020・08・27／2400円／河出書房新社／SF作品集 (20・12)

空想クラブ

逸木裕／2020・08・28／1600円／KADOKAWA／青春ミステリ (20・12)

GENESIS　されど星は流れる

堀晃・他／2020・08・28／2000円／東京創元社／SFアンソロジー (20・12)

デス・レター

山田正紀／2020・08・28／1700円／東京創元社／SFミステリ (20・12)

生まれつきの花　警視庁花人犯罪対策班

似鳥鶏／2020・09・14／1600円／河出書房新社／異能ミステリ (20・12)

我々は、みな孤独である

貴志祐介／2020・09・15／1700円／角川春樹事務所／SFミステリ (20・12)

売国のテロル

穂波了／2020・09・17／1800円／早川書房／SFミステリ (20・12)

日没

桐生夏生／2020・09・29／1800円／岩波書店／幻想文学 (21・02)

ハッピーライフ

北大路公子／2020・09・29／1500円／寿郎社／幻想短篇集 (21・02)

暗闇にレンズ

高山羽根子／2020・09・30／1700円／東京創元社／幻想文学 (20・12)

SIGNAL　シグナル

山田宗樹／2020・10・01／1700円／KADOKAWA／青春SF (21・02)

滅びの前のシャングリラ

凪良ゆう／2020・10・08／1550円／中央公論新社／終末SF (21・02)

八月の銀の雪

伊与原新／2020・10・20／1600円／新潮社／科学短篇集 (21・02)

その果てを知らず

眉村卓／2020・10・22／1500円／講談社／現代SF (21・02)

霊能者たち

嶺里俊介／2020・10・22／1800円／光文社／異能ミステリ (21・02)

記憶翻訳者　いつか光になる

門田充宏／文庫／2020・10・23／880円／創元SF文庫／SF短篇集 (21・02)

銀河英雄伝説列伝１　晴れあがる銀河

田中芳樹［監修］／文庫／2020・10・30／900円／創元SF文庫／SFアンソロジー (21・02)

彼らは世界にはなればなれに立っている

太田愛／2020・10・30／1700円／KADOKAWA／幻想文学 (21・02)

JAPAN　ライトノベルSF　伝奇アクション　異世界ファンタジイ

2020年度／SF関連書籍目録

いつかここにいた貴方のために／ずっとそこにいる貴方のために

西塔鼎／文庫／2019・11・09／630円／アスキー・メディアワークス電撃文庫／戦争ファンタジイ (20・02)

地獄に祈れ。天に堕ちろ。

九岡望／文庫／2019・11・09／630円／アスキー・メディアワークス電撃文庫／ファンタジイ・アクション (20・02)

世界樹の棺

筒城灯士郎／2019・11・17／1550円／星海社FICTIONS／SFファンタジイ (20・02)

101メートル離れた恋

こまつれい／文庫／2019・12・02／660円／講談社ラノベ文庫／SFロマンス (20・02)

ボーズ・ミーツ・ガール１　住職は異世界で破戒する

鵜狩三善／2019・12・07／1200円／講談社レジェンドノベルス／異世界ファンタジイ (20・04)

竜と祭礼—魔法杖職人の見地から—

西崎憲／2020・03・26／1700円／筑摩書房／幻想短篇集 (20・06)
罪人の選択
貴志祐介／2020・03・27／1600円／文藝春秋／SFミステリ作品集 (20・08)
絶対猫から動かない
新井素子／2020・03・28／2200円／KADOKAWA／SF冒険小説 (20・06)
木になった亜沙
今村夏子／2020・04・06／1200円／文藝春秋／幻想短篇集 (20・08)
ドライドックNo.8　乾船渠八號
乾緑郎／2020・04・10／2200円／羽鳥書店／SF戯曲集 (20・08)
堕地獄仏法／公共伏魔殿
筒井康隆／文庫／2020・04・16／1300円／竹書房文庫／SF短篇集 (20・08)
ピュア
小野美由紀／2020・04・16／1700円／早川書房／SF短篇集 (20・08)
タイタン
野﨑まど／2020・04・22／1800円／講談社／人工知能SF (20・08)
透明人間は密室に潜む
阿津川辰海／2020・04・22／1800円／光文社／ミステリ短篇集 (20・08)
パライゾ
阿川せんり／2020・04・22／1600円／光文社／ディストピアSF (20・08)
真夜中のすべての光（上・下）
富良野馨／文庫／2020・04・22／各750円／講談社タイガ／SFサスペンス (20・08)
おおきな森
古川日出男／2020・04・23／4000円／講談社／幻想文学 (20・08)
星に仄めかされて
多和田葉子／2020・05・20／1800円／講談社／幻想文学 (20・08)
星系出雲の兵站—遠征—4
林譲治／文庫／2020・05・26／840円／ハヤカワ文庫JA／宇宙SF (20・08)
マルドゥック・アノニマス5
冲方丁／文庫／2020・05・26／780円／ハヤカワ文庫JA／SFアクション (20・08)
すべて名もなき未来
樋口恭介／2020・05・27／2000円／晶文社／評論集 (20・10)
文豪宮本武蔵
田中啓文／2020・06・05／700円／実業之日本社文庫／時間SF (20・10)
枝角の冠
琴柱遥／電子書籍／2020・06・10／350円／ゲンロンSF文庫／SFファンタジイ (20・10)
推しの三原則
進藤尚典／電子書籍／2020・06・10／350円／ゲンロンSF文庫／アイドルSF (20・10)
ヒカリ
花村萬月／2020・06・24／1800円／光文社／SFホラー (20・10)
幻綺行　完全版
横田順彌／2020・06・25／1200円／竹書房文庫／SF冒険小説 (20・10)
ティンカー・ベル殺し
小林泰三／2020・06・30／1700円／東京創元社／SFミステリ (20・10)
オクトローグ　酉島伝法作品集成
酉島伝法／2020・07・02／2300円／早川書房／SF短篇集 (20・10)
日本SFの臨界点［恋愛篇・怪奇篇］
伴名練＝編／文庫／2020・07・06／各1000円／ハヤカワ文庫JA／SFアンソロジー (20・10)
黄色い夜
宮内悠介／2020・07・10／1500円／集英社／ギャンブルSF (20・10)
来世の記憶
藤野可織／2020・07・10／1700円／KADOKAWA／SFファンタジイ (20・10)
プロジェクト・インソムニア
結城真一郎／2020・07・17／1650円／新潮社／SFミステリ (20・10)
図書館の子
佐々木譲／2020・07・18／1600円／光文社／幻想短篇集 (20・10)
令夢の世界はスリップする　赤い夢へようこそ－前奏曲－
はやみねかおる／2020・07・22／1500円／講談社／青春SF (20・10)
首里の馬
高山羽根子／2020・07・27／1250円／新潮社／幻想文学 (20・10)
四畳半タイムマシンブルース
森見登美彦＝著，上田誠＝原案／2020・07・29／1650円／KADOKAWA／青春SF (20・12)
ベストSF2020
大森望＝編／文庫／2020・07・30／1400円／竹書房文庫／SFアンソロジー (20・12)
中国・SF・革命
／2020・08・06／2200円／河出書房新社／SFアンソロジー (20・12)
キスギショウジ氏の生活と意見
草上仁／文庫／2020・08・12／1400円／竹書房文庫／SF短篇集 (20・12)
名探偵のはらわた
白井智之／2020・08・19／1700円／新潮社／伝奇ミステリ (20・12)
アメリカン・ブッダ

JAPAN

2020年度／SF関連書籍目録

オーラリメイカー
春暮康一／2019・11・20／1700円／早川書房／宇宙SF　(20・02)

天象の檻
葉月十夏／2019・11・20／2000円／早川書房／SFファンタジイ　(20・02)

変半身《かわりみ》
村田沙耶香／2019・11・28／1350円／筑摩書房／奇想SF　(20・06)

キッドの運命
中島京子／2019・12・05／1500円／集英社／近未来小説　(20・04)

如何様
高山羽根子／2019・12・06／1300円／朝日新聞出版／幻想文学　(20・04)

抵抗都市
佐々木譲／2019・12・13／2000円／集英社／歴史改変SF　(20・04)

裏世界ピクニック４　裏世界夜行
宮澤伊織／文庫／2019・12・19／780円／ハヤカワ文庫JA／SFホラー　(20・04)

大絶滅恐竜タイムウォーズ
草野原々／文庫／2019・12・19／820円／ハヤカワ文庫JA／ワイドスクリーン・バロック　(20・04)

地棲魚
嶺里俊介／2019・12・19／1700円／光文社／伝奇ホラー　(20・04)

GENESIS　白昼夢通信
水見稜・他／2019・12・20／2000円／東京創元社／SFアンソロジー　(20・04)

出来事
吉村萬壱／2019・12・31／1700円／鳥影社／幻想文学　(20・04)

ウルトラマンダイナ　未来へのゼロドライブ
長谷川圭一，谷崎あきら／2020・01・23／2200円／早川書房／ノベライズ　(20・04)

機巧のイヴ　帝都浪漫篇
乾緑郎／文庫／2020・02・01／750円／新潮文庫／改変歴史SF　(20・04)

ワン・モア・ヌーク
藤井太洋／文庫／2020・02・01／900円／新潮文庫／SFサスペンス　(20・04)

坂下あたると、しじょうの宇宙
町屋良平／2020・02・05／1600円／集英社／青春SF　(20・06)

2010年代SF傑作選（１・２）
大森望，伴名練／文庫／2020・02・06／1200円／ハヤカワ文庫JA／SFアンソロジー　(20・06)

月岡草飛の謎
松浦寿輝／2020・02・27／2000円／文藝春秋／幻想文学　(20・08)

ポロック生命体
瀬名秀明／2020・02・27／1700円／新潮社／人工知能SF短篇集　(20・06)

丸の内魔法少女ミラクリーナ
村田沙耶香／2020・02・29／1600円／KADOKAWA／奇想短篇集　(20・06)

彼女は弊社の泥酔ヒロイン
梶尾真治／文庫／2020・03・01／590円／新潮文庫nex／お仕事SF　(20・06)

彼女の知らない空
早瀬耕／文庫／2020・03・06／680円／小学館文庫／幻想短篇集　(20・06)

アウターライズ
赤松利市／2020・03・09／1700円／中央公論新社／災害小説　(20・06)

ピエタとトランジ〈完全版〉
藤野可織／2020・03・12／1650円／講談社／バディSF　(20・06)

ツインスター・サイクロン・ランナウェイ
小川一水／文庫／2020・03・18／760円／ハヤカワ文庫JA／宇宙SF　(20・06)

７分間SF
草上仁／文庫／2020・03・18／680円／ハヤカワ文庫JA／SF掌篇集　(20・06)

人間たちの話
柞刈湯葉／文庫／2020・03・18／740円／ハヤカワ文庫JA／SF短篇集　(20・06)

CAGE　警察庁科学警察研究所特別捜査室
日野草／文庫／2020・03・19／700円／中公文庫／連作ミステリ　(20・08)

帝国
花村萬月／2020・03・19／2400円／講談社／幻想文学　(20・06)

地に這うものの記録
田中慎弥／2020・03・26／2250円／文藝春秋／寓話小説　(20・06)

ホテル・アルカディア
石川宗生／2020・03・26／2000円／集英社／幻想文学　(20・06)

未知の鳥類がやってくるまで

2020年度
SF関連書籍目録

◆2019年11月1日～2020年10月31日までに刊行されたSF関連書籍のなかから、SFマガジン書評欄「SFブックスコープ」で取り上げた作品を、ジャンル別にわけ、刊行順に掲載しました。
◆記載データは以下のとおり。
◆国内作品：書名／著者名／判型／発行年月日／本体価格／版元／解説、シリーズ名、他。データ末尾（　）内は、SFマガジン書評掲載号。
◆海外作品：書名／著者名／原題，原著発行年／翻訳者名／判型／発行年月日／本体価格／版元／解説、シリーズ名、他。データ末尾（　）内は、SFマガジン書評掲載号。

上
劉慈欣
三体 II
黒暗森林
下
劉慈欣
三体 II
黒暗森林
…
スッ
あっ
どうした？
コレ上下巻表紙似てるから
どっちが上巻か「上」の文字を探してたんだけど
翻訳者の苗字の「上原」が視界に入って
一瞬こっちが上巻だと脳が勘違いしちゃった…
郎、上原かおり、泊
危うく物語の途中から読むところだった
…念のため言っとくけど
そもそもそれ２巻だからな
え

編集後記

◆2020年を総括する『ＳＦが読みたい！』をお届けしました。今年は新型コロナウイルスの流行という未曾有の状況に、出版業界もさまざまな変革を余儀なくされました。その中で例年通り『読みたい！』を刊行できたのはとてもうれしいことです。まだまだ事態の終わりは見えませんが、その中で本を愛するみなさまの心の支えや明日の希望となれるような、そんな書籍をこれからも送り出していきたいと思っています。

◆「ベストＳＦ2020」は、国内篇では西島伝法氏が『オクトローグ　西島伝法作品集成』で七年ぶり二度目の１位となりました。そして海外篇では、テッド・チャンが『息吹』で十七年ぶり（！）二度目の１位。国内海外ともに、短篇集が栄光に輝きました。香月祥宏さんの総括でも触れられていましたが、振り返ると今年は魅力的な短篇集・アンソロジーが目をひいた一年でもありました。さまざまな作品世界に一度に浸れるお得で楽しい短篇集・アンソロジー、ぜひ１位の作品をはじめとして、いろいろお手にとっていただければと思います（p 130・131でおすすめアンソロジーをご紹介しておりますので、ぜひご参考に！）。

◆去る11月、『海を見る人』『玩具修理者』など、さまざまなジャンルでたくさんの読者を魅了してきた小林泰三氏が逝去されました。ＳＦマガジン2021年４月号では、氏の功績を偲び、総力特集をおおくりします。ぜひご一読ください。

SFが読みたい！ 2021年版

2021年2月10日　初版印刷
2021年2月15日　初版発行

編　者　SFマガジン編集部
発行者　早川　浩
発行所　株式会社早川書房
〒101-0046東京都千代田区神田多町2-2
電話　03-3252-3111
振替　00160-3-47799
https://www.hayakawa-online.co.jp
印刷所　精文堂印刷株式会社
製本所　株式会社フォーネット社

ISBN978-4-15-210001-6 C0090